DE KORAALDIEF

REBECCA STOTT BIJ DE BEZIGE BIJ

Nachtwake

Rebecca Stott

De koraaldief

Vertaald door Hugo Kuipers

2009
DE BEZIGE BIJ
AMSTERDAM

Cargo is een imprint van uitgeverij De Bezige Bij, Amsterdam

Copyright © 2009 Rebecca Stott
Copyright Nederlandse vertaling © 2009 Hugo Kuipers
Oorspronkelijke titel *The Coral Thief*
Oorspronkelijke uitgever Weidenfeld & Nicolson, Londen
Omslagontwerp Studio Jan de Boer
Omslagillustratie Matthieu Spohn/PhotoAlto/Corbis
Jaubert Bernard/Alamy/Imageselect
Foto auteur Jerry Bauer
Vormgeving binnenwerk Peter Verwey, Heemstede
Druk Bariet, Ruinen
ISBN 978 90 234 5413 7
NUR 302

www.uitgeverijcargo.nl

Voor Jacob

I

Toen ik eenentwintig was en per postkoets van Edinburgh naar Parijs reisde, met in mijn bagage drie zeldzame fossielen en het bot van een mammoet, geloofde ik nog dat de tijd zich in een rechte lijn bewoog. Het was juli 1815, nog maar enkele weken nadat Napoleon bij Waterloo door de geallieerden was verslagen; de oorlog met Frankrijk was voorbij; de restauratie was begonnen; de grenzen waren weer open. De tijd strekte zich als een lange weg voor me uit – een weg naar een roeping. Ik zou een man van de wetenschap worden, assistent van de beroemde baron Georges Cuvier, hoogleraar in de vergelijkende anatomie aan de Jardin des Plantes in Parijs.

Maar gelukkig voor de man – of jongen – die denkt dat hij in een rechte lijn naar een toekomst vol roem gaat zijn er rovers op de weg en bandieten in de bomen, en stuit hij op valkuilen, hinderlagen en schermutselingen. Hij hoeft maar één stap van de weg af te gaan, een stap in het kreupelhout, waar splitsingen en vertakkingen in heel andere richtingen gaan, en hij ziet de onderliggende onzekere factoren die aan alles ten grondslag liggen. Misschien vindt hij dan heel andere antwoorden.

En zo kwam het dat mijn ontdekkingsreis begon met een nachtelijke diefstal op een postkoets. Ik was maar een van de vele tientallen medische studenten die in die zomer naar Parijs gingen. Ze had ieder van ons kunnen uitkiezen. Maar ze koos mij.

In de donkere vroege uren van een warme zomernacht in juli 1815 zat ik buiten op een postkoets en werd ik enkele kilometers voor Parijs wakker van een vrouwenstem. Ze sprak Frans en had een diepe stem met een ruwe structuur, als kalksteen. We waren voor een dorpsherberg gestopt; het bord van de herberg kraakte in de wind. 'Pas op,' zei ze tegen de koetsier. 'Wees voorzichtig.'

Ik deed mijn ogen open. Boven aan de ladder verscheen een hoofd dat schuilging in de kap van een mantel. Een lange figuur ging op de plaats naast me zitten. Kreunend van inspanning reikte de koetsier haar een grote bundel aan waar een roodfluwelen deken omheen was geslagen. Het was een slapend kind. Ik kon nog net een mollige hand, een wang rood van de slaap en een donkere haarkrul onderscheiden. De vrouw praatte zachtjes tegen het kind, suste het, trok de plooien van haar dekens recht.

'Er zijn binnen nog plaatsen vrij, madame,' zei ik in het Frans. Ik sprak het zo zorgvuldig mogelijk uit. Ze antwoordde me in onberispelijk Engels: 'Maar wie zou binnen willen zitten in zo'n nacht?'

Haar stem was laag voor een vrouw en maakte iets in me los. Aan de horizon veranderde het zwart van de hemel al geleidelijk in donker inktblauw. Mist hing over de velden en heggen en pakte zich een beetje samen in de bomen aan weerskanten van de weg.

'Is het in Frankrijk wel veilig voor een vrouw om alleen te reizen?' vroeg ik toen de koets zich weer in beweging zette. De kranten in Edinburgh maakten regelmatig melding van aanvallen op koetsen die 's nachts door afgelegen streken reden.

Ze lachte en keek me aan, haar gezicht alleen verlicht door een halvemaan. Ergens links van me kraaide een haan; blijkbaar reden we langs een boerderij of dorp. 'Maar ik reis niet alleen,' zei ze. Ze sprak nu met een fluisterstem en boog zich naar me toe. 'Ik heb Delphine. Ze is geen gewoon kind, moet u weten. Natuurlijk slaapt ze nu, zodat u het niet zo gauw zult geloven, maar dit kind kan het tegen legers opnemen en draken verslaan. Dat heb ik met mijn eigen ogen gezien. Ik heb haar met één hand een olifant met berijder en al zien optillen. *Non*, bij Delphine ben ik volkomen veilig. Anders zou ik natuurlijk nooit alleen reizen. Dat is veel te gevaarlijk. En u, monsieur? Bent ú niet bang?'

'Ik...'

'Nee, natuurlijk bent u niet bang.' Ze glimlachte. 'U bent een man.'

'Ik ben nooit eerder buiten Engeland geweest,' zei ik. 'Ik heb nooit zo ver gereisd en heb me nooit eerder verstaanbaar hoeven te maken in een andere taal. Al drie keer heb ik besloten de eerste de beste postkoets naar Calais terug te nemen... Ik heb me nooit eerder zo'n lafaard gevoeld...'

Ze lachte in de duisternis. Haar stem klonk fascinerend. 'Daar is het. Parijs. Ziet u die lichtjes daar... aan de horizon? We zijn er bij zonsopgang. Stel u voor...' Ze zweeg plotseling en keek naar de afgeplatte heuvels die in de verte tegen de blauwzwarte hemel afstaken. 'Soms is het in het donker gemakkelijker om al dat water te zien.'

'Ik zie geen water,' zei ik verbaasd.

Ze wees van rechts naar links. 'Alles wat u van daar tot daar ziet, het hele bekken van Parijs, stond duizenden jaren geleden onder water. Parijs was toen niet meer dan een holte in de zeebodem. Er verhieven zich daar krijtrotsen, weet u, waar het land begon. Stel u voor – reusachtige zeehagedissen die om ons heen zwemmen, oesters en koralen onder ons, en kruipend over de zeebodem allerlei wezens zo vreemd dat wij ons er geen voorstelling van kunnen maken. Later, toen het water zich terugtrok en de wezens zich op de rotsen hesen om nieuwe lichamen met schubben, vacht en veren te ontwikkelen, kwamen de mammoeten die in de heuvels leefden uit

9

de Seine drinken. Dat deden ze in het donker, onder dezelfde maan als deze, en dan riepen ze naar elkaar.'

'Dat is een vreemde gedachte,' zei ik.

'*Oui*.' Ze lachte. 'Misschien wel. Ik denk daar vaak aan, de aarde voordat de mens er was. Ik kijk naar de fossielen in de rotsen, de resten van zo lang geleden, en dan besef ik hoe laat wij op aarde zijn gekomen. Zelfs de zeeslakken waren er eerder dan wij. Onze vreemde lichamen hebben er duizenden jaren over gedaan om deze vorm te krijgen, duizenden jaren waarin onze pientere ogen en nieuwsgierige hersenen tot stand kwamen. En nu we groot en sterk zijn, denken we dat alles van ons is, dat we alles bezitten, dat we alles weten.'

'Tot stand kwamen?' zei ik, verrast en ook een beetje verontrust. 'Denkt u dat de soort is veranderd? Bent u een volgeling van professor Lamarck, de transformist?'

'Eens wel,' zei ze. 'Lamarck heeft gelijk in de meeste opzichten. Soorten zijn niet onveranderlijk. Alles is voortdurend in verandering. De dieren, de mensen, de heuvels – zelfs de kleine dingen, de huid, het haar, alles vernieuwt zichzelf, neemt een nieuwe vorm aan. Het is bijna hoorbaar. Stelt u zich eens voor hoe we zijn begonnen – primitieve zeewezens zonder ogen, zonder hart, zonder geest – en bedenkt u dan wat we nog kunnen worden. Is dat niet opwindend?' Ze streek met haar vingers over het gezicht van het kind. Het meisje – Delphine de drakendoder – bewoog; haar ogen gingen fladderend open en toen weer dicht.

'Parijs is vergeven van de ongelovigen,' had professor Jameson me gewaarschuwd. 'Het zijn dichters, die Franse transformisten, geen mannen van de wetenschap. Ze verzinnen ideeën over de oorsprong van de aarde en de transmutatie van soorten. Ze bouwen luchtkastelen. De meesten zijn nog atheïsten ook, ketters. Houd je er verre van.'

Jameson had me niet verteld dat er vrouwen waren die bij Lamarck studeerden. Ik vroeg me af wat hij van de ongelovige vrouw zou vinden die nu naast me zat. Ik zou notities van dit gesprek moeten maken, dacht ik; Jameson zou een verslag willen. Hij zou willen weten welke woorden ze gebruikte, wat ze las, met wie ze praatte. En ik ook.

'Hij wordt groter, weet u...' zei ze. Haar ogen glansden een tikje boosaardig in het donker.

'Wat?'

'De stad. Nu, 's nachts, lijkt hij niet zo groot, maar hij zal u opslokken. Bent u niet bang?'

'Ja.' Ik glimlachte. 'Ja. Natuurlijk ben ik bang.'

Parijs riep destijds gecompliceerde gevoelens bij me op. Wat wist ik van wereldsteden? Van de geluiden daar, de geluiden van duizenden mensen die allemaal in beweging waren, de wirwar van handel en negotie? Ik was altijd een jongen van buiten de stad geweest. Ik wist de weg in mijnen en grotten-stelsels in Derbyshire; ik kende de schuinten en rondingen van heuvels, de namen van bomen, varens, mossen en vissen; ik kon je vertellen hoe het licht over de meren viel, maar van steden wist ik bijna niets.

Edinburgh, het kalme, solide, regenachtige Edinburgh, ge-houwen uit de rotsen, gebouwd over een ravijn, waar ik vier jaar had gewoond en gewerkt, had een overweldigende in-druk op me gemaakt toen ik er als zeventienjarige jongen van buiten de stad op een ijzige ochtend met een postkoets was aangekomen. Toen ik door de kleurrijke, rumoerige menigte van Princes Street liep, had ik me verloren gevoeld in al dat tumult, al die stromen van mensen. En dus had ik vastigheid gezocht door vaste routes te lopen tussen de collegezalen, het anatomiegebouw, de bibliotheken, musea en taveernes. Hoe mijn medestudenten ook hun best deden – een van hen zei met gespeelde ernst dat ik om gezondheidsredenen zo gauw mogelijk verliefd moest worden –, ik had grotendeels in en tussen boeken geleefd.

Van tijd tot tijd had ik een vluchtige indruk van Londen opgedaan als ik van Edinburgh naar het huis van mijn tante reisde. Op een dag in mei liep ik de korte afstand van de herberg waar ik logeerde naar een winkel met optische instrumenten aan de Strand om daar met het geld dat ik in drie jaar had gespaard een bronzen microscoop in een met groen fluweel bekleed kistje te kopen. Tijdens die korte wandeling had Londen me met al zijn rook, geuren en geluiden in zijn ban gekregen. Mijn nieuwsgierigheid, dat vormloze ding dat me altijd voortstuwde, het zoeken naar oorzaken, verklaringen en verbanden, het verlangen om steeds dieper in dingen te kijken dat me al beheerste vanaf de dag dat ik mijn eerste microscoop aanraakte, of de eerste bladzijde van *Historia animalium* van Aristoteles opsloeg, of de Encyclopaedia Britannica op de pagina met 'Anatomie' – dat alles leek in Londen des te intenser. In grote steden waren antwoorden te vinden. Er waren bibliotheken, instrumentenwinkels, musea en professoren die buitengewone vragen konden formuleren.

Nu ik was afgestudeerd, wilde ik niets liever dan deel uitmaken van wat er in Parijs gebeurde: de gesprekken en ontdekkingen in de bibliotheken, musea en zalen waar werd gedebatteerd. De Franse hoogleraren hadden van Napoleon gezag, vrijheid en geld gekregen en nieuwe manieren ontdekt om kennis te verwerven. De musea in Parijs waren opmerkelijk, de lezingen baanbrekend. Toch was het ook de stad die mijn vader en zijn vrienden vreesden en verafschuwden, het Parijs van de revolutie, de stad van mensen die zo'n honger hadden dat ze naar Versailles optrokken, de Bastille bestormden en een koninklijke familie gevangennamen en vermoordden. Ik dacht aan krantenberichten die mijn vader had bewaard en waarin werd beschreven hoe de guillotine duizenden levens opslokte; bloed in de straten; woeste menigten; kinderen die met stokken en tuingereedschap de kinderen van aristocraten opjoegen en doodsloegen; een koning die gedwongen werd een rode muts te dragen, barricades en branden; bebloede hoofden op pieken, de kruidenier die ze levend in de vlammen lieten omkomen op een brandstapel van meubelen die uit de ramen van de paleizen van émigrés waren gegooid.

En dan was er het Parijs van Napoleon Bonaparte. Ik had tekeningen gezien van de gebouwen, pleinen en straten die door de keizer waren gebouwd en aangelegd: het immense klassieke perspectief van de Arc du Carrousel en de Arc de Triomphe; de nieuwe bruggen en fonteinen; de klassieke façades, colonnades, marmeren zuilen, koel en verheven – uitingen van keizerlijke ambitie, sereen over puinhopen, bloed en dood heen gelegd. Parijs zou het nieuwe Rome worden, had Napoleon gezegd.

Nu Napoleon gevangen was genomen, had Wellington de Franse koning weer op de troon gezet – Louis XVIII, heette deze, een broer van de onthoofde koning –, maar iedereen verwachtte nog steeds min of meer dat Napoleon zou herrijzen, als een lichaam dat gewoon niet wilde verdrinken. Er kon van alles gebeuren en ik wilde het meemaken. Wat 'het' ook zou zijn. Het zou in elk geval een schouwspel worden.

'Daniel in de leeuwenkuil...' zei ze.

'Hoe kent u mijn naam?' Toen ik dat zei, slingerde de koets en botste ik in het donker tegen haar schouder op. 'Pardon, madame. Hebben wij elkaar al eerder ontmoet?'

'Een Portugese priester heeft me wat trucs geleerd in een café aan de kust van Amalfi,' zei ze, en ze keek me met een vage glimlach aan. In het schemerige ochtendlicht zag ik haar hele gezicht voor het eerst in de zwarte plooien van haar kap.

Ze bezat een donkere schoonheid. Een vrouw van begin veertig met een olijfbruine huid, zwarte ogen en dikke zwarte wenkbrauwen die elkaar in het midden bijna raakten en de figuur van een kruisboog vormden, of van een valk in volle vlucht. Zelfs in dat zwakke licht schrok ik van haar directe blik. Ze hield me gevangen met die blik, en terwijl ze me onderzoekend aankeek, vormden haar lippen een heel vaag glimlachje. Ik kon niet terugkijken, niet rechtstreeks, hoe graag ik dat ook wilde. Omdat ik altijd verdiept was geweest in mijn studie en als jongen onder jongens was opgegroeid, had ik weinig ervaring in het converseren met vrouwen. Ik merkte dat ik een kleur kreeg en stamelde.

'Welke trucs?' zei ik. 'Wat heeft hij u geleerd?'

'Mijn vriend, abbé Faria,' zei ze, 'is magnetiseur. Hij is half Indisch, half Portugees en hij heeft me veel geleerd. Ik heb je even laten slapen en toen heb je me alles verteld – eerst je naam, toen over je familie, je dromen... en toen je geheimen. Ik ken nu al je geheimen. Allemaal.' Ze glimlachte.

'U hebt me niet laten slapen,' zei ik. 'Dat is belachelijk.' Ik keek op mijn zakhorloge. De wijzers liepen nog in hetzelfde tempo met de klok mee. Het was halfzes. Ik had geen tijd verloren.

'Hoe kunt u daar zo zeker van zijn, monsieur?' Ze keek niet meer naar mijn ogen; haar blik was nu op mijn lippen blijven rusten. Haar ogen op mijn lippen; haar dij tegen mijn dij; haar schouder tegen de mijne. Ik voelde haar lichaamswarmte door mijn kleren heen. Met het kind dat in haar arm lag te slapen leek ze in het eerste ochtendlicht net een schilderij. Bijna heilig. Toch brachten haar intieme houding en manier van praten me uit mijn evenwicht.

'U moet ongeveer twintig zijn,' zei ze, toen ze nog eens wat beter naar me keek. 'U doet me denken aan iemand die ik ooit heb gekend. U ziet eruit als een jongen van Caravaggio – uw donkere krullen, uw huid, uw teint, uw ogen.'

'Caravaggio?'

'De Italiaanse schilder.

'Ja, ik weet wie Caravaggio is.'

'Ik denk dat het door uw lippen komt. Daar begint uw schoonheid, in uw lippen. Er hangen schilderijen van Caravaggio in het Louvre. U zou daarheen moeten gaan.'

'Ik ben drieëntwintig,' zei ik. Daarmee overdreef ik mijn leeftijd een beetje. Ik probeerde rustig te blijven ademhalen. Kon ze zien wat ik voelde? Verried mijn lichaam zijn geheimen?

Ze glimlachte. Er was wind opgestoken. Die wind trok aan haar mantel en blies door haar haar. Ze trok de mantel dichter om het hoofd van het kind. Het kind werd er even wakker van en ging rechtop zitten, haar zwarte ogen wijdopen van schrik, haar zwarte haar in de war, en zei in het Frans, alsof ze nog droomde: *'Monsieur Napoléon, il est mort.'*

'Nee, nee, kleintje,' antwoordde de vrouw in het Frans. 'Het is maar een droom. Monsieur Napoléon slaapt veilig in zijn eigen bed. Echt waar. Zijn soldaten bewaken hem. Ga nu maar weer slapen. Straks zijn we in Parijs.'

Getroost liet het kind haar schouders zakken, deed haar ogen dicht, trok de mantel om zich heen en sliep gauw weer in.

De vrouw keek me aan en sprak met een diepe, lome stem. 'U heet Daniel Connor. U studeert anatomie aan de universiteit van Edinburgh. U hebt uw scriptie geschreven. Waarschijnlijk over iets wat met voortplanting of embryologie te maken heeft...'

'De bloedsomloop in de foetus... Hoe wist u...?'

'En nu gaat u naar Parijs om in de Jardin des Plantes te studeren, monsieur Daniel Connor. U denkt na over filosofische vraagstukken. Wat nog meer...? Heb ik het tot nu toe goed?'

'Hoe kunt u dat alles in godsnaam weten?' Mijn stem beefde. Ik was moe, zei ik tegen mezelf. Dat was alles. En deze vrouw was een spookbeeld. Waarschijnlijk alleen maar een product van mijn fantasie, verzonnen in de duisternis.

Ze lachte weer en wees naar mijn tas die open tussen ons in op de bank stond.

'U bent voorzien van een etiket, mijn vriend... hier.' Ze

streek met haar vingers over de letters aan de binnenkant van de tas: 'Kijk: "Daniel Connor, medische faculteit, universiteit van Edinburgh". De rest heb ik geraden. U bent gemakkelijk te doorgronden.'

'Dat is niet eerlijk,' zei ik opgelucht. 'U hebt misbruik van mij gemaakt.'

'U ziet dat ik een goede onderzoeker ben,' zei ze. 'Wij zeggen *"enquêteur"*. Er zijn op het ogenblik nog veel meer medische studenten uit Edinburgh in Parijs. Ze komen naar de Franse professoren in de Jardin des Plantes luisteren: Lamarck, Cuvier en Geoffroy. Ik mag graag naar ze kijken. Ik vind ze amusant.'

Ik zag mezelf niet graag als een van velen, maar ze had gelijk. Voor mij en voor honderden andere medische studenten in juli 1815 leidden alle mogelijke wegen naar – of door – de grote Jardin des Plantes in Parijs. De Jardin du Roi, in de zeventiende eeuw als kruidentuin voor een Franse koning aangelegd op de oever van de Seine, was honderd jaar later, na het afhakken van een koningshoofd, de Jardin des Plantes geworden, een tuin voor de verheffing van het volk. Twaalf eerbiedwaardige Franse hoogleraren woonden daar in de stijlvolle huizen tussen de musea, bibliotheken, serres en collegezalen, hoogleraren die samen de vragen konden formuleren over zo ongeveer alles in de natuur en die naar mijn stelligste overtuiging binnenkort alle antwoorden wisten. Over enkele weken zouden de professoren Lamarck, Cuvier en Geoffroy meer dan alleen namen in wetenschappelijke publicaties voor mij zijn. Ze zouden echte mensen voor me worden, medeonderzoekers en beschermheren. Dat vooruitzicht vervulde me met groot ontzag.

'Hoe lang blijft u in Parijs, monsieur Daniel Connor?'

'Dat weet ik nog niet. Ik heb een betrekking voor zes maanden in de Galerie d'Anatomie Comparée in de Jardin des Plantes. Daar ga ik zes maanden voor professor Cuvier aan een nieuw deel van zijn boek werken: illustraties verzamelen, wat ontleedwerk. Ik word assistent, *aide-naturaliste*. Daarna heb ik een beetje geld. Mijn oom is gestorven en heeft me iets nagelaten. Dat ga ik gebruiken om te reizen.'

Ik zag me er al doorheen lopen: zuilengalerijen, trappenhuizen, verstilde bibliotheken. De universiteiten van Europa. Ik zag botanische tuinen en planken met glazen potten waarin zeldzame dieren en vissen in een gelige vloeistof werden geconserveerd. Ik hoorde levendige gesprekken op een afstand, stemmen die Spaans, Italiaans, Duits spraken. Ik zag mezelf daar te midden van dat alles: op de trappen, tussen fonteinen en bougainville, in schemerige collegezalen – argumenterend, vragen stellend.

Wat ideeën betrof was Derbyshire een achterlijk gebied. De afdeling Castleton van de Natural Philosophical Society bezat een aanzienlijke verzameling fossielen en botten in haar museum, maar geen van de leden had James Hutton, Georges Cuvier of zelfs Alexander Humboldt gelezen. Het waren geen filosofen, maar kortzichtige verzamelaars die ruziemaakten over taxonomie, zei ik tegen mezelf. Ze telden het aantal engelen op een speldenknop. Niet meer dan drie personen in het stadje Ashbourne – de dominee, de dokter en de rechter – kenden Grieks. In vergelijking met Parijs was zelfs de medische faculteit van Edinburgh in de vorige eeuw blijven steken. Toen ik afstudeerde, had ik alle lessen anatomie, geologie en natuurlijke filosofie verscheidene keren gevolgd. De universiteitsbibliotheek, waar ik niet alleen anatomieleerboeken had doorgenomen, maar ook voor het eerst werken van Shakespeare, Locke, Fielding en Scott had gelezen, opende en sloot op onvoorspelbare tijden; er was geen catalogus en het opbergsysteem was ondoorgrondelijk. De anatomiezalen zaten altijd propvol, zodat je niet kon zien wat er gebeurde; er waren nooit genoeg lijken waaraan we konden werken.

Intussen kwamen de medische studenten die ik kende en die een winter in de Jardin des Plantes hadden doorgebracht terug met verhalen over anatomie- en collegezalen waar de intelligentste mannen van Europa zaten, bibliotheken met duizenden specialistische boeken, musea boordevol specimina uit alle hoeken van de wereld, nieuwe ontleed- en classificatietechnieken, nog krachtiger microscopen. Parijs was voor mij een fata morgana geworden, een zinderend licht aan de horizon.

Ik had alleen mijn erfenis, maar ik had ook mijn capaciteiten, en in Frankrijk, zeiden ze toen, waren capaciteiten nog iets waard. Dat had Napoleon Bonaparte bewezen. Zijn weg naar de macht was theatraal en spectaculair geweest: eenvoudige Corsicaanse jongen komt ten tijde van de revolutie naar Parijs, wordt soldaat, wordt luitenant, wordt artilleriecommandant, wordt generaal, wordt eerste consul, wordt keizer van Frankrijk. Hij was fascinerend. Je moest hem wel bewonderen. In vijftien jaar tijd had hij het grootste deel van Europa veroverd en was hij met zijn keizerlijke leger door de ene na de andere hoofdstad getrokken, als hoogwater over een moddervlakte. Zo was hij een van de grootste heersers geworden die de wereld ooit had meegemaakt.

En hoewel ik misschien wel meer bewondering voor Napoleon had dan voor wie ook, kon mijn reis natuurlijk pas beginnen toen de keizer ten val was gekomen. Tegen de tijd dat ik in Parijs aankwam, was hij al een gevangene op HMS Bellerophon, terwijl de geallieerden ruziemaakten over wat er met hem moest gebeuren. En in augustus zou hij aan zijn lange zeereis beginnen naar het rotsige eiland waar hij de laatste zes jaar van zijn leven als gevangene zou doorbrengen en zijn memoires zou schrijven, duizenden kilometers bij Parijs vandaan.

In 1815 leek Napoleons lot op een vreemde manier – omgekeerd, bijgelovig – verbonden te zijn met het mijne. Toen mijn reis begon, had het er alle schijn van dat die van hem was afgelopen. Toen ik in Parijs aankwam, was hij al uit die stad vertrokken. Europa maakte zichzelf opnieuw, tekende opnieuw zijn grenzen, vormde nieuwe bondgenootschappen. De vlucht die Napoleons macht had genomen, onverbiddelijk omhoog als een afgeschoten pijl, was voorbij: de pijl was op weg naar beneden. Dat hele najaar zou ik de krantenberichten over zijn reis volgen en mijn eigen dagen aan de zijne afmeten, zo gefascineerd als wanneer ik een vreemde komeet door de nachtelijke hemel zag schieten.

'Ik ben van plan in het voorjaar uit Parijs weg te gaan,' zei ik tegen haar. 'Eerst naar Montpellier in het zuiden en dan naar Heidelberg, en dan over de Alpen naar Padua en Pavia. Mijn vader is het er niet mee eens. Hij vindt dat ik een praktijk moet kopen in Derbyshire om me als arts te vestigen of moet gaan studeren om predikant te worden. Hij noemt me een dilettant. Hij zegt dat filosofische vraagstukken geen praktisch nut hebben. Hij moet niets van Frankrijk of de Fransen hebben.'

'En uw moeder? Wat vindt zij ervan?'

'Mijn moeder is het altijd eens met mijn vader.'

In de loop van dertig jaar had mijn moeder zich aan het huwelijksleven en een huis vol grote, luidruchtige zoons aangepast door zich met een vage, naamloze ziekte in haar kamer terug te trekken. Jullie mogen jullie moeder niet van streek maken, zei mijn vader altijd, en op die manier gebruikte hij haar zwakke gestel om zijn zoons gehoorzaamheid af te dwingen. Gesprekken met mijn moeder werden bijna altijd op gedempte toon in schemerige kamers gevoerd. Ik herinner me een tafel met gekleurde flessen als gebrandschilderd glas in haar salon, en de weeïge geur van laudanum die als de lucht van verbrande bloemen altijd als wierook om haar heen hing.

Het liet haar min of meer onverschillig dat ik als kind geobsedeerd werd door vlinders, watersalamanders en fossielen, maar ze leerde me wel tekenen en aquarellen maken van vogels en planten die ik als offergaven naar haar toe bracht.

'Als uw vader zo'n hekel aan de Fransen heeft,' zei de vrouw, 'waarom vindt hij het dan goed dat u hierheen komt?'

'Mijn hoogleraar in Edinburgh heeft hem brieven geschreven om erop aan te dringen. Ik ben de jongste, ik denk dat hij voor mij niet zo streng is als voor mijn broers.' Ik vertelde er niet bij hoe vaak Jameson in zijn brieven aan mijn vader het woord 'uitmuntend' had gebruikt en dat hij mij de beste student van mijn jaar had genoemd. Ik had hard voor dat woord gewerkt, en ook voor de aanbevelingsbrief die hij aan Cuvier had geschreven.

'Dus het wordt een grand tour.'

'Nou, nee. Niet precies. Schilderijen en ruïnes zijn interessant genoeg, maar het gaat me vooral om bibliotheken en biologische verzamelingen. Kennis, niet kunst. Daar draait het tegenwoordig om. Vooruitgang in kennis. Binnenkort vinden we de sleutel tot alle natuurwetten. Binnenkort kennen we Gods plan...'

'Gods plan,' zei ze. 'Zijn God en natuur hetzelfde of verschillend? Ik vind dat een moeilijke vraag. Is de natuur het instrument van God, zijn dienares, die zijn werk voor hem doet, zijn plan voor hem uitvoert? Of kan ze haar eigen gang gaan? En ik vraag me af of ze weleens onenigheid hebben, de natuur en God. Je zou zeggen dat ze verschillende dingen willen.'

'Ik weet het niet,' zei ik.

Ze bracht me van mijn stuk. Ik had nooit een vrouw ontmoet die over filosofische vraagstukken nadacht. De vrouwen die ik aan de eettafels van Derbyshire of Edinburgh had gesproken beperkten zich tot prietpraat over mensen en romans of ernstige vertogen over de armen. Het ging me niet gemakkelijk af om over die dingen te praten en ik had dan ook nooit aandachtig geluisterd. 'Je praat veel te serieus met vrouwen, Daniel,' had mijn broer Samuel gezegd. 'Ze interesseren zich echt niet voor je microscopen, je fossielen en je vlinders.' Hij had gelijk. Daar interesseerden ze zich niet voor. Ik was er allang mee gestopt met vrouwen over natuurlijke filosofie te praten.

De paarden voelden dat ze hun bestemming naderden en gingen harder lopen. We reden weer langs een groepje Franse soldaten langs de weg; gewonde Waterloo-veteranen die vermoeid op de terugweg naar Parijs waren. Sinds ik uit Calais was vertrokken, had ik verschillende groepjes soldaten getekend en ook hier en daar geprobeerd de details van het door oorlog geteisterde landschap vast te leggen. Ik had schetsen gemaakt van velden vol graan dat rijp was maar door gebrek aan mankracht niet geoogst kon worden; rommel die werd meegevoerd door de warme wind; halflege dorpen, een op de twee huizen dichtgespijkerd of achtergelaten met deuren en luiken wijdopen. Ik tekende de witte vlaggen die dorpelingen uit ramen en van daken en bomen lieten hangen. Ik schetste gedesoriënteerde soldaten, sommigen ernstig gewond, anderen meegesleept op planken die achter paarden waren gebonden. Ze waren op weg naar huis en droegen hun zwaard met een bundel kleren en proviand over hun schouder. Vrouwen in uniform liepen met hen mee.

'Het is natuurlijk een goed plan,' ging ze verder, 'uw plan om te reizen... Maar wat doet u als uw geld op is? Naar huis gaan? Arts worden? Trouwen en kinderen krijgen? Dik worden? U kandidaat stellen voor het parlement misschien?'

'Nee,' zei ik. 'Ik moet zelf de kost verdienen. Ik schaam me er niet voor om dat te zeggen. Maar ik wil verder gaan met mijn studie, en als ik voorzichtig ben met mijn geld... kan ik misschien...'

'U hebt een introductiebrief voor professor Cuvier?' vroeg ze geeuwend.

'Ja, van Jameson. En ik heb ook specimina voor hem. Kent u hem, professor Cuvier? Wat is hij voor iemand?'

Voor mijn geestesoog was baron Cuvier meer dan levensgroot. Misschien had dat iets te maken met de botten waaraan hij werkte, de gigantische botten van mammoeten en megatheriums die in steengroeven van Parijs en ook bij kanaalaanleg of in mijnschachten in heel Europa waren gevonden. Ik stelde me voor dat hij door zalen met botten liep, door de buiken van walvissen. Meer dan wie ook kon hij ze laten spreken. Hij kon zien hoe ze aan elkaar pasten, hoe dit gewricht hier aansloot op die voet daar. Hij had niet meer dan een enkel fossiel van een teenbot nodig, zeiden ze, om op grond daarvan het hele skelet van het wezen te bouwen. Ik wilde dat hij me leerde zien wat hij zag. Daarom was ik hier in Parijs. Ik wilde door Cuviers ogen kijken.

'Hij is stijf,' zei ze. 'Nogal formeel in zijn manier van doen, maar intelligent, erg intelligent. Een heel belangrijke man in Frankrijk. U lijkt me jong voor zo veel verantwoordelijkheid.'

'Ja...' Ik aarzelde. 'Nou, nee... Ik ben een van de oudsten van mijn jaar. Mijn vriend...'

'Er is veel voor u te zien in Parijs, monsieur Connor. De verzameling natuurlijke historie in het museum in de Jardin is... weergaloos. Ik kan me niet voorstellen hoe het is om dat alles voor het eerst te zien. Ik benijd u daarom. Ik zou het u graag laten zien, zou er graag met u heen gaan.'

'U bent er geweest?'

'Natuurlijk.' Ze lachte weer. 'We zijn nu bijna in Parijs. Misschien over een uur. Kijkt u eens hoe het licht de velden kleur geeft – ze zijn niet vlak meer. De dingen krijgen contouren en de sterren zijn bijna verdwenen.'

'De mammoeten zijn terug naar de heuvels,' zei ik.

'Op een dag, als het water zich nog verder heeft teruggetrokken, kunnen we van Londen naar Parijs lopen. Dan is er geen Kanaal meer en is uw land verenigd met het mijne.'

'Zal dat gebeuren?'

'Nou, misschien niet gauw. Er kan nog wel een paar duizend jaar overheen gaan. En wie weet, hebben we dan misschien vleugels.'

In een slapend dorp aan de rand van Parijs stopte de postkoets
om van paarden te wisselen. Een hond rende blaffend met
ons mee. Een jonge vrouw, al vroeg wakker, verscheen in de
deuropening. Een klein kind dat op haar rug gebonden zat
keek slaperig naar ons op.

'Ik kan mijn ogen niet langer openhouden,' zei mijn reisgenote. 'Ik ga slapen. Dat zou u ook moeten doen.'

Ik leunde tegen het leer aan de zijkant van de zitplaats en
keek naar het kromgebogen silhouet van de voerman beneden
me, wiens kleding kleur aannam door de komst van het daglicht. De damp steeg op van de rug van de paarden. Ik keek
naar de vrouw, die haar mantel om zich heen had getrokken,
en het kind, dat ineengedoken lag te slapen, en vroeg me af
waarom ik haar niet meer vragen had gesteld. Wat wist ze nog
meer? De postkoets slingerde nog een keer en toen viel ik in
slaap, moe, hongerig en koud. Ik hoorde de vogels zingen en
dacht aan mammoeten die door het donker stampten.

Toen de postkoets een uur later bij de Barrière Saint-Denis
stopte, werd ik wakker en zag dat de vrouw en het kind weg
waren, evenals mijn reistas en het koffertje met de specimina.
Ze had me alleen mijn identiteitspapieren en mijn portefeuille gelaten; die had ze onder mijn arm gelegd terwijl ik sliep.

Twee boeken met notities en annotaties: weg. Jaren van
dierbare aantekeningen over natuurlijke geschiedenis, ontleend aan boeken die ik misschien nooit terug zou vinden en
aan experimenten die ik nooit zou kunnen herhalen. Een boek
met schetsen. Introductiebrieven van professor Jameson. De
specimina en het manuscript die me waren toevertrouwd:
weg.

Geschrokken, nog half slapend, draaide ik me om en zocht naar haar tussen de rommelige gebouwen aan de rand van de stad, maar ze was nergens te bekennen. Mijn verontwaardiging maakte plaats voor verbijstering en toen voor het afschuwelijke besef van mijn eigen domheid. Ik was in slaap gevallen. Ik had net zo goed mijn bezittingen weg kunnen geven! Ik klom het bagagerek in, keerde tassen en koffers om en riep de koetsier om hulp, maar hij was druk bezig de paarden door de drukke straten te loodsen en vloekte alleen maar naar me in het Frans. Hij riep dat ik weer op mijn plaats moest gaan zitten als ik niet wilde dat iedereen om het leven kwam.

Een Schotse soldaat die samen met een stel Pruisen op wacht stond bij de Barrière, vroeg om mijn papieren. De Engelse passagiers staken papieren door het raam van de koets beneden mij. Ik vatte een ogenblik moed toen ik die lange Schotse soldaat in zijn kilt zag staan.

'Soldaat,' riep ik. 'Mijn tas is gestolen.'

'Welkom in Parijs, mijn vriend,' riep de soldaat terug.

'Wat moet ik doen?'

'Naar het Bureau de la Sûreté gaan om aangifte te doen. Trek er maar een paar uur voor uit. Er staat meestal een rij. Wil je een paar franken van me lenen?' Hij gaf me mijn papieren terug.

'Nee. Ik heb geld. Ze heeft mijn geld niet meegenomen.'

'Heeft ze je geld niet meegenomen?' Hij wendde zich tot een Pruisische soldaat en maakte seksuele gebaren. Ze lachten: een grap ten koste van mij. 'Er kan niet één vrouw in Parijs zijn die je geld niet wil. Bedenk wel: ze zijn niet goedkoop. Vergeet je tas, monsieur, en zoek een vrouw. Let er wel op dat je waar voor je geld krijgt en val niet in slaap.'

De koets reed door de poort de stad in.

In diezelfde warme nacht in juli lag keizer Napoleon slapeloos op een klein bed aan boord van de HMS Bellerophon, een Brits schip dat om de westelijkste punt van Frankrijk voer om in het Kanaal te komen. Richard Maitland, de Schotse commandant van het marineschip, lag ook wakker. Hij luisterde naar de meeuwen en vroeg zich af hoeveel tijd het parlement nodig zou hebben om over de bestemming van de keizer te beslissen. Iemand moest een gevangeniseiland vinden waar de keizer ditmaal veilig kon worden vastgehouden. Hij mocht niet nog een keer ontsnappen. Die verantwoordelijkheid drukte zwaar op commandant Maitlands schouders. Er zou bijna zeker een reddingspoging worden gedaan.

Aan het andere eind van het schip lag de keizer in zijn bed. Hij keek terug op zijn leven tot dan toe en vroeg zich af hoe het toch was gekomen dat hij steeds machtiger was geworden en nu opeens zo diep was gevallen. Nog maar een jaar geleden, in 1814, was het hem voor het eerst tegen gaan zitten, toen de geallieerden, bang voor wat hij nog zou kunnen doen, zijn legers versloegen, hem gevangennamen en verbanden naar Elba, een eiland voor de kust van Italië. Dat was een bijna ondraaglijke vernedering geweest.

Maar hij had degenen die hem hadden gevangengenomen laten zien wat het betekende om keizer van Frankrijk te zijn. Terwijl de geallieerden zichzelf gelukwensten met hun overwinning, was hij van Elba ontsnapt en in maart 1815 voor de tweede keer met een leger naar Parijs gemarcheerd. Hij had Parijs heroverd en honderd dagen bezet gehouden, en toen was hij voor de tweede maal door de geallieerden verslagen, ditmaal bij Waterloo. Nu was hij weer een gevangene, overgeleverd aan de genade van de Britse regering. Evengoed dacht hij dat hij opnieuw aan de macht kon komen als hij nog eens aan de klauwen van de geallieerden ontkwam. Zijn mannen fluisterden dagelijks over reddingspogingen en complotten. Misschien zouden de Britten hem toch nog een vrijgeleide naar Amerika geven.

Bij zonsopgang verscheen de keizer in zijn befaamde grijze overjas aan dek. Adelborst George Home, bang dat Napoleon over het pas geboende dek zou uitglijden, bood de keizer zijn arm aan. De rest van de ochtend bleef Napoleon zwijgend op het achterdek staan. Zijn entourage – zijn generaals, hun vrouwen en zijn persoonlijke bedienden – verzamelde zich om hem heen, maar hij sprak tegen niemand en keek strak naar de vuurtoren op het eiland Ushant en naar de kust van Frankrijk, die zich langzaam terugtrok.

2

Terwijl de postkoets door de hele Faubourg Saint-Denis reed, keek ik uit naar mijn dievegge, tussen soldaten in felgekleurde uniformen en mannen en vrouwen met handkarren die bloemen, hout, fruit en groente van de omliggende boerderijen naar de stad brachten. De smalle straatjes van keistenen hadden stroompjes stinkend water aan weerskanten; oude lantaarns hingen er aan touwen boven. Overal in de straat, zo ver als ik kon zien, hingen fourniturenhandelaars felgekleurde katoenstoffen als vlaggen buiten hun winkels. Op straathoeken stonden oude mannen in groepjes bij rokerige vuurpotten. Ze roosterden vis en vlees. Ik had honger.

Ik maakte de balans op van wat er was gebeurd. Nu de oorlog eindelijk voorbij was, zei ik tegen mezelf, wilde professor Jameson bruggen slaan tussen de Britse en Franse wetenschap. Hij had mij geschenken en een manuscript toevertrouwd voor professor Cuvier, waarschijnlijk de belangrijkste wetenschapsman in Frankrijk. De specimina en het manuscript waren onvervangbaar. Het verlies was niet alleen pijnlijk, maar ook een regelrecht schandaal. Dit zou bijna zeker betekenen dat ik beschaamd moest afdruipen naar de grauwe straten van Edinburgh of naar het huis van mijn vader. Zelfs als ik naar de politie ging en me daar verstaanbaar kon maken, zelfs als de specimina werden gevonden en teruggegeven, bleef het verhaal hetzelfde: Daniel Connor was op de postkoets in slaap gevallen en had de zeldzame en onvervangbare geschenken verloren die hem waren toevertrouwd. Dat was gebeurd doordat hij zich door een mooie vrouw had laten inpalmen en niet meer op zijn hoede was geweest. Het was verachtelijk.

De postkoets reed een grote overdekte binnenplaats op, waar zes andere koetsen tegelijk aankwamen. Torens van bagage werden van daken van koetsen geladen; kruiers sjouwden en runners schreeuwden. 'Ier'een, m'neer; u kaat naar Hôtel du Rhin?' 'Hôtel Bristol, m'neer!' Er werden kaartjes in handen gestopt, en er waren Engelse stemmen te horen. 'Hicks, Hicks, neem de jassen en paraplu's.' 'Tel de pakketten, John. Het moeten er zevenentwintig zijn.' Overal waren kindermeisjes, valiezen, hoedendozen, tafeltjes, mantels, hutkoffers. '*Enfin*,' hoorde ik een oude dame tegen haar dochters zeggen, terwijl ze gaapte en met haar batisten zakdoek over haar ogen wreef, '*nous voilà!*'

'Hôtel Corneille, Odéon,' zei ik tegen de eerste kruier die ik zag. Grijnzend tilde hij mijn drie koffers op zijn handkar en vertrok te voet. Ik liep dicht achter hem aan, opdat de man er niet plotseling met de rest van mijn bezittingen vandoor ging. Aan weerskanten openden winkeliers hun zaken voor de ochtend en richtten ze hun etalages en vitrines in: obers zetten tafels neer; bestuurders van huurrijtuigjes spoelden hun wielen af bij de straatpompen en borstelden hun paarden.

Parijs was nu een militair kampement van de geallieerden. Overal vormden uniformen een mozaïek van kleuren in de ochtendzon: helmen, berenmutsen, steken, pluimen, epauletten, zon- en granaatornamenten, vaandels, halsdoeken, gespen en schoudermantels. De Britten, had iemand gezegd, hadden hun kamp midden op de Champs-Elysées opgeslagen. Hun witte kegelvormige tenten stonden in groepjes langs de wandelpaden onder de platanen en kastanjebomen. Russische soldaten, jongemannen met vlasblond haar, een ronde muts en een getailleerd jasje, zaten te roken en verhalen te vertellen in de cafés. Overal zag je militaire kleuren. Pruisen in het blauw; Hongaren in het donkergroen; Oostenrijkers in het wit; Britten in het rood; Fransen in het blauw-met-rood, versierd met zilver.

Of ik blij was dat Napoleon Bonaparte ten val was gekomen? Nee. Natuurlijk niet. In Edinburgh was niemand daar echt blij om, ondanks alles wat velen van ons aan de eettafels van onze professoren of in het gezelschap van ouderen zeiden. Napoleon Bonaparte. Hij was de echte reuzendoder, niet Wellington.

Natuurlijk had ik mijn mond gehouden als mijn vader boven zijn ochtendkrant mompelde dat hij die gevangengenomen Corsicaanse schobbejak zou ophangen als hij het in Parijs voor het zeggen had; hij zou daar een groot spektakel van maken. Pas nadat Napoleon op het slagveld bij Waterloo door Wellington was verslagen, gaf mijn vader me eindelijk toestemming naar Europa te gaan. 'Wat die barbaren nodig hebben,' zei hij, en daarbij sloeg hij met zijn vuist op de tafel, 'is Britse orde. Die Franse wilden kunnen iets van ons leren.'

In de decadente, aristocratische atmosfeer die nu in Parijs heerste kon je je moeilijk de woeste massa's voorstellen die zo kort geleden door deze straten waren getrokken. Een militaire kapel speelde muziek bij de deur van een hotel, waar de keizer van Oostenrijk zijn intrek had genomen, zoals de portier me vertelde. Bedienden droegen stoelen uit het hotel naar buiten en zetten ze in de schaduw van de bomen.

Ik voelde me weer wat beter.

In de kamer die ik in het hotel in Saint-Germain had genomen, zo dicht bij de Académie des Sciences als ik me kon veroorloven, in de rue de l'École de Médicine, waste en verkleedde ik me en ging ik zitten nadenken. Ik wist niet hoe ik een politieagent zou moeten uitleggen wat er gebeurd was. Een dievegge, die met een kind reisde, had een brief en notitieboeken gestolen die geen enkel nut voor haar hadden, en specimina waarvan ze de waarde vast niet ten volle kon inzien. Mijn geld daarentegen had ze niet gestolen. Het was onbegrijpelijk. Een paar uur geleden had ik een brief van professor Jameson aan professor Cuvier in mijn bezit gehad, een brief waarin hij me aanbeval bij de hoogste kringen van medische en wetenschappelijke geleerden in Parijs. Ik had ook kostbare geschenken meegekregen. Nu was alles weg. Zonder Cuviers aanbevelingen en ondersteuning zou ik geen gesprekken voeren op de lommerrijke binnenplaatsen en in de zuilengangen van grote universiteiten; een illustere toekomst tussen de geleerden van Europa was niet meer voor me weggelegd.

Zo'n twintig minuten ijsbeerde ik door de kleine slaapkamer. Ik liep van raam naar wastafel, praatte in mezelf en zwalkte in mijn verwarring heen en weer tussen zelfverwijt en verontwaardiging. Pas toen ik mijn rechterhand lelijk had bezeerd door een paar keer tegen de muur te stompen, besloot ik naar de Sûreté te gaan.

Ik goot water uit de kruik naast de wastafel in een kom en vond mijn scheermes en het potje scheerzeep. Sinds ik uit Edinburgh was vertrokken, waren die dagelijkse rituelen belangrijk geworden. Ze hielden de band met thuis enigszins in stand. Om zeven uur opstaan, een ochtendwandeling, ontbijten, scheren. Ik bekeek mijn gezicht in de gebarsten spiegel; met elke haal van het scheermes werd meer van mijn huid zichtbaar. Het was een gezicht dat er elke morgen anders uitzag. Ondanks de vertrouwde trekken – zwarte krullen, blauwe ogen, een volle mond, het littekentje op mijn kin waar het haar niet wilde groeien – herkende ik mezelf niet.

Ik probeerde me het gezicht van de vrouw zo nauwkeurig mogelijk te herinneren om het aan de politie te kunnen beschrijven, toen er op de deur werd geklopt. Een zwaargebouwde jongeman met een baard en heldere ogen stond in het halfduister van de hotelgang voor de deur, met een fles champagne en twee glazen. Voordat ik iets kon zeggen, had hij mijn hand hartelijk vastgegrepen en was hij mijn kamer binnengekomen.

'Een landgenoot,' zei hij met een zangerig Schots accent. 'De conciërge heeft het al dagen over je, al sinds je een brief hebt geschreven om hier een kamer te reserveren. Het is monsieur Connor voor en monsieur Connor na. Ze noemt je de Engelse jongeheer. Wel, wel. Ik heet William, William Robertson, en ik kom van de Western Isles. Ik heb ook geneeskunde gestudeerd aan de universiteit van Edinburgh en ik ben nu een jaar in Parijs. Een paar weken geleden heb ik mijn intrek in dit hotel genomen. Het is duur, maar dichter bij het werk. Ik vond dat we wel iets te vieren hadden. Ik heb deze bewaard.' Hij hield de fles omhoog. 'Hij is niet zo koud als zou moeten, maar wat geeft het?' Hij zette de glazen op de tafel en trok de kurk met zijn tanden uit de fles. 'Aangenaam kennis te maken, monsieur Connor.'

'Daniel,' zei ik. 'Daniel Connor. Meneer Robertson, kunt u me vertellen waar het Bureau de la Sûreté is?'

'Weet je, iedereen noemt me Fin,' zei hij, 'want ze zeggen dat ik eruitzie als een vis. Dat komt door mijn mond, denk ik.' Hij gaf me een glas champagne en bekeek mijn boeken, papieren en bezittingen, die verspreid op het bed lagen.

'Ik vind niet dat je eruitziet als een vis,' zei ik, al vond ik dat eigenlijk wel. Een grote vis natuurlijk, met een grote mond.

'Je zou zeggen dat een man met een baard niet op een vis kan lijken,' zei hij. Hij bekeek zichzelf in de spiegel boven de haard, bewoog zijn kaken, deed zijn mond open en dicht, trok een grimas. 'Maar toch schijnt het zo te zijn. Voor anderen natuurlijk, niet voor mezelf. In het begin was het een grap – een grapje van Salomon –, maar het is blijven hangen. Niet dat ik het erg vind. Hoe dan ook, Daniel Connor, ik wil je graag wegwijs maken. Als je dat wilt.'

'Ik zou het op prijs stellen als...'

'Weet je, het stikt in Parijs op het ogenblik van de medische studenten uit Edinburgh. Bij de École de Médicine en in de collegezalen van de Jardin des Plantes kun je wel bijna van een kolonie spreken. Er zijn hier trouwens ook studenten uit alle mogelijke andere landen: Roemenië, Hongarije, Spanje, Rusland. Je komt op een goed moment. Waar ga je heen?'

'De Jardin des Plantes. Het is de bedoeling dat ik voor Cuvier ga werken en ik wilde me ook inschrijven voor de wintercolleges. Vergelijkende anatomie is mijn vak, tenminste op dit moment wel, maar...'

'Aha. Een baan bij Cuvier? Indrukwekkend. Dat is mij allemaal te theoretisch. Louter hersenwerk is mij niet genoeg. Ik slijt mijn dagen in ziekenhuizen, zoals de École de Médicine en de opleidingskliniek in het Hôtel Dieu, waar ik achter Sanson de chirurg aan loop. Amputeren, daar houd ik me vooral mee bezig...' Hij maakte een gebaar alsof hij houtblokken aan het zagen was.

'Amputeren?'

'Er komen nog steeds soldaten binnen van Waterloo. Het zijn er honderden. Ze liggen op matten in de ziekenhuisgangen, hun benen en armen zwart van de gangreen. De stank is zo verschrikkelijk dat je in sommige zalen nauwelijks adem kunt halen. De meesten zijn niet meer te redden, maar we proberen het evengoed. Alle buitenlandse anatomiestudenten leren hun vak hier nu met de beugelzaag. Lange uren en goede verdiensten. En Sanson laat je soms ook sectiewerk op de lijken doen.'

'In Edinburgh is bijna niet meer aan lijken te komen,' zei ik. 'De anatomiehoogleraren moeten er weken mee doen. Ze vechten erom.'

'Jezus. Hier zijn er honderden per week. De ziekenhuizen sturen de meeste lijken regelrecht naar de anatomiegebouwen, als ze nog warm zijn. Mag ik je iets te drinken aanbieden?'

De fles was leeg. Ik had dorst, ik had de champagne gedronken alsof het limonade was. Ik was geen drank gewend. In Edinburgh had ik nooit genoeg geld gehad om te drinken. Mijn vader had mijn toelage met opzet laag gehouden om er zeker van te zijn dat ik me verre hield van wat hij vleselijke verleidingen noemde. Het had me al de grootste moeite gekost om de havermout en aardappelen te kunnen kopen waar de meeste studenten op leefden. Ik had altijd honger.

'Nee. Ik bedoel ja,' zei ik, blij met het wazige gevoel dat de champagne me gaf. 'Ik zal jóu op iets te drinken trakteren. Ik heb hier ergens wat geld. Ik ben nooit eerder in Frankrijk geweest. Weet je, ik heb wel trek in een ontbijt.' Ik gooide mijn tas op het bed leeg en zocht naar het Franse geld dat ik voor mijn ponden had gekregen, geld dat ik nu mocht uitgeven waaraan ik maar wilde. 'Ik herken de munten nog niet goed.'

'Spreek je een beetje Frans?'

'Steeds beter. Ik spreek ook wat Duits en kan Grieks en Latijn lezen.'

'Heb je een sterke maag?'

'Ik geloof van wel. Waarvoor – alcohol of secties?'

'Beide. Ik heb vannacht drie amputaties gedaan, weet je: een hand en twee benen. Die hand was het ergst. Meer zenuwen. Meer bloed. Zodra we die arme stumpers hebben verbonden, gaan ze in hun uniform de straat op om te bedelen. Je ziet er hele rijen van in de galerijen van het Palais Royal. Ze verdienen behoorlijk. En de makers van houten benen in Parijs hebben het nog nooit zo goed gehad. Maar nu Napoleon gevangen is genomen, zullen ze gauw genoeg zonder werk zitten. Geen oorlogen, geen houten benen.'

'Ik heb me gespecialiseerd in embryologie,' zei ik. 'Tenminste, in Edinburgh. Ik geloof niet dat ik erg goed in amputaties zou zijn.'

Er vloog een zwerm duiven langs het raam. Ze wierpen schaduwen op de witte muur.

'Als ik nachtdienst heb gehad,' zei Fin, 'kan ik wel een paar glazen gebruiken. Anders vliegen die bloederige armen en benen in mijn dromen op me af.'

Hij keek naar de kaart die op mijn bed lag uitgevouwen. 'Je hebt niets aan die reisgidsen,' zei hij. 'Ze brengen je alleen maar naar de plaatsen waar de Britse toeristen heen gaan: al die stomme bezienswaardigheden. Dan zit je in hetzelfde circuit als die verrekte lady Carmichael en kleine Georgiana en al hun vriendjes en vriendinnetjes. Stort je gewoon in het Parijse leven, zou ik zeggen, en zoek je eigen weg. Ik laat je de stad zien. Wees daar blij om. Zo heb ik het ook gedaan. Me er gewoon in storten, bedoel ik. Ik heb vandaag vrij. Je mag je gelukkig prijzen. William Robertson gaat je Parijs laten zien. Een persoonlijke rondleiding. Waar wil je beginnen?'

'Het Bureau de la Sûreté,' zei ik.

'Waarom zou je daar in godsnaam heen willen?'

'Ik verkeer in moeilijkheden,' zei ik.

'Er zijn geen moeilijkheden waar je niet uit kunt komen,' zei Fin, en hij klopte me op mijn rug. 'Wat heb je met je hand gedaan?' Mijn knokkels waren geschaafd en gezwollen. 'Gevochten? Nu al?'

'Dom,' zei ik. Alle woorden die zinnen vormden leken in het niets te verdwijnen.

Ik vertelde Fin over de papieren en de fossielen. Nou ja, ik probeerde het te vertellen, maar dat lukte natuurlijk niet. Er zat geen logica in. Maar de gevolgen van wat er was gebeurd zag ik maar al te goed. Ik zag maar al te goed hoe de toekomst zich voor me ontvouwde – of niet ontvouwde. Ik kon Cuvier nu niet meer bewijzen dat Jameson er goed aan had gedaan uitgerekend mij uit te kiezen. Ik kon niet bewijzen dat ik *exceptionel* was. Al dat werk, al die tijd – late avonden, examens, boeken – hadden tot niets geleid.

'Cuvier is vast niet onredelijk,' zei Fin. Hij nam een stoel in de hoek, waar de ochtendzon schuin naar binnen viel. 'Weet je wat ik zou doen? Ik zou Jameson schrijven en hem vragen nieuwe brieven te sturen. Het duurt hooguit twee weken voor ze er zijn. En dan kun je opnieuw beginnen.'

'Het is nog erger. Ik had een manuscript van Jameson bij me – een exemplaar van zijn voorwoord voor een Engelse vertaling van Cuviers boek. Dat zou ik ter goedkeuring aan Cuvier voorleggen. Dat is ook gestolen. En ik had fossiele specimina bij me die ik aan hem moest geven. Die waren een fortuin waard. Cuvier verwacht ze.'

'Dat is niet goed. Nee, dat is helemaal niet goed... *Merde*. Jij verkeert inderdaad in moeilijkheden.'

'Ik denk dat ik naar huis moet. Alles aan Jameson uitleggen. Mijn toekomst is natuurlijk verloren. Ik voel me zo stóm.'

'Eerst iets anders. Per slot van rekening ben je in Parijs. Dat moet iets waard zijn. We gaan ontbijten, nemen nog wat champagne en maken er een feestmaal van. Met een paar goede flessen zetten we jouw zware nacht en de mijne aan de kant. En dan ga ik met je mee naar het Bureau de Sûreté, als je dat dan nog steeds wilt. Niet dat het zin heeft. De mannen van de Sûreté zal het een zorg zijn of je bezittingen worden teruggevonden. Er zit niets voor hen bij. Ontbijt?'

'Ja,' zei ik. Ik was te moe en had te veel honger om hem tegen te spreken.

'Je hebt je eigen messen meegebracht, mag ik hopen,' zei hij. 'Momenteel kun je in Parijs geen schaar, scalpel of zelfs fatsoenlijk tafelmes krijgen, niet voor geld of goeie woorden... en geloof me, ik heb beide geprobeerd.'

Nee, dacht ik, ze had mijn ontleedinstrumenten en messen niet meegenomen. Die zaten in de koffers. Dat was tenminste iets. Ik had nog iets over.

Toen we naar de eerste taveerne liepen, gaf Fin me telkens

nieuwe informatie. Hij wees naar links en rechts: de beste gelegenheid om te ontbijten, het veiligste adres om te gokken, de schoonste zwemplaats in de rivier, de goedkoopste boten om te huren, de mooiste serveersters, de leeszalen waar ze Engelse kranten hadden, de beste wasserij.

Ik deed mijn best om alles in mijn hoofd te prenten, maar zag steeds weer Cuvier voor me: Cuvier, zijn armen over elkaar geslagen voor zijn royale borst, Cuvier die voor me opdoemde en zei: 'Wát hebt u gedaan, monsieur Connor...? Bent u in slaap gevallen op de postkoets?' En achter hem stonden anderen te wachten: Jameson, mijn vader, mijn broers. Daniel Connor was niet goed wijs, een sufferd; je kon hem niets toevertrouwen.

En zo ging het door. De dag strekte zich eindeloos uit, lichtte op en verduisterde. Elke stap bracht nieuwe verdoving en liet Cuviers strenge gezicht in mijn gedachten vervagen. Ergens in het waas van die eerste dag, met het stof van de reis nog op mijn huid, zag ik een stad waaraan zelfs Londen niet kon tippen. Ze hadden gezegd dat ik mijn ogen uit zou kijken. En dat deed ik ook. Kaarttafels, spiegels, glas, roulette, het ene café na het andere, een variététheater, een wassenbeeldenmuseum aan de boulevard du Temple met beeltenissen van de koningen en koninginnen van Europa, kreeftensoep bij Beauvillier. Vrouwen met veren en kant in een bar gingen over in een oestermaal op de Quai de la Rapée, waar Fin en ik boven het water zaten, naar de nachtboten keken die vracht over de Seine aanvoerden en de schuitenvoerders naar elkaar hoorden roepen.

'Op zondagen,' zei Fin, 'geven de schuitenvoerders van La Rapée hun eigen voorstelling op de rivier voor het Hôtel de Ville. Ze duiken van verhogingen en draaien driemaal in het rond voor ze neerkomen. En ze hebben vuurwerk. Als je hier zit, kun je er gratis naar kijken. Het is spectaculair: alle kleuren van de kostuums weerspiegeld in het water. Célestes broer is een van de schuitenvoerders.'

'Céleste?'

'Mijn meisje. De meeste medische studenten hier leggen het met winkelmeisjes aan. Ze noemen ze *grisettes*. Ik weet niet waarom – er is niets grijs aan hen. Met jouw uiterlijk zul je ze van het lijf moeten slaan. Ze zijn anders dan Engelse meisjes. Ze zijn veel onafhankelijker en – hoe zal ik het zeggen? – voortvarender. En als je bij ze in de smaak valt, nou, dan laten ze je dat meteen merken. Geen omslachtig gedoe. Je moet haar ontmoeten, Céleste. Zondag. Ze heeft leuke vriendinnen.'

Hoe zou ik me bij zulke vrouwen gedragen? vroeg ik me af. Ik stelde me voor hoe ik stuntelige pogingen deed charmant te zijn in een taal die mij nog vreemd was. Ik kon nu al horen hoe die 'leuke vriendinnen' me zouden uitlachen.

'Ik ben hier zondag niet,' zei ik. 'Dan ben ik op weg naar huis.'

'Onzin, mijn vriend. Je geeft het veel te gauw op. Dat heb ik je al gezegd. Wat jou is overkomen was jouw schuld niet. Het had iedereen kunnen overkomen. Je moet alleen met Cuvier gaan praten. En een brief aan Jameson sturen om het uit te leggen... om het te regelen.'

'En dan wachten tot ik word gehangen en gevierendeeld? Nee, dank je. Ik heb nu slaap nodig,' zei ik, plotseling doodmoe. 'Je hebt me uitgeput. Nu moet ik echt naar huis. Ik heb veel te veel gedronken.'

Het water van de Seine bewoog zich zwaar en traag onder mijn bungelende voeten. Onder de brug was een vechtpartij uitgebroken tussen enkele schuitenvoerders.

'Je zult meer uithoudingsvermogen nodig hebben, mijn vriend,' zei Fin, 'als we kamers gaan delen.'

'Kamers delen?'

'Nou, er is een appartement te huur op de bovenste verdieping van het huis naast ons hotel. Twintig frank per maand. Een koopje. Veel voordeliger dan de hoteltarieven. Uitzicht op de straat. Een kacheltje. Ik heb er gisteren met de conciërge over gepraat en tegen haar gezegd dat ik iemand zou vinden die het met me wil delen. En toen kwam jij vanmorgen precies op het juiste moment. Het is ideaal. Er staan niet veel meubelen, maar we halen wel wat stoelen en zo van de vlooienmarkt. Wat denk je? Jij en ik, hè? We kunnen er over een week in. Zodra je het met Cuvier hebt geregeld.'

'Ja,' zei ik. 'Ik zal erover nadenken. Maar eerst moet ik naar de Sûreté. Het eerste wat ik morgenvroeg doe.'

'O ja, de Sûreté. De Sûreté. Altijd de Sûreté. Nou, als je geluk hebt, krijg je de beruchte Jagot te spreken – die heeft de leiding daar – en dan kom je misschien niet voor niets. Hij is hier in Parijs zoiets als een spin in een web. Hij heeft spionnen in de hele stad. Als iemand je kan vertellen hoe je die dievegge van jou kunt vinden, dan hij. Tenminste, als je hem aanstaat.'

'Jagot?'

'Henri Jagot. Een stroper die jachtopziener is geworden. Hij is beroemd in heel Europa. Tot tien jaar geleden was hij een van de succesvolste dieven van Frankrijk, een van de maar drie of vier mensen die ooit uit de gevangenis in Toulon zijn ontsnapt. Tegenwoordig heeft hij de leiding van de Sûreté. Ze zeggen dat hij zijn surveillancemethoden van Napoleons geheime politie heeft overgenomen. Hij is goed.'

'Een dief die de leiding heeft van de Sûreté? Hoe kan dat?'

'Ex-dief. Het hoofd van de politie deed hem een aanbod. Hij gaf informatie aan hen, en zij gaven hem zijn vrijheid en politiebescherming. En dus werkte hij jarenlang undercover in gevangenissen als Bicêtre en La Force. Dat was heel gevaarlijk werk, want als de gedetineerden erachter waren gekomen dat hij voor de politie werkte, hadden ze hem vermoord. Hij is keihard, zeggen ze, ambitieus en niet tegen te houden.

Maar hij is goed. Jammer genoeg zal hij zich wel niet voor jou interesseren.'

'Waarom niet?'

'Omdat hij op commissie werkt, natuurlijk. De prijs op het hoofd van jouw dievegge zal niet hoog genoeg zijn. Evengoed moet je gaan. Aangifte doen. Anders heb je geen rust.'

3

Toen ik de volgende morgen eenmaal in het Palais de Justice op het Île de la Cité was, kwam ik terecht in een lange rij mensen die op stoelen in een raamloze gang op de derde verdieping zaten, een gang met kaalgesleten blauwe muren en een glimmende vloer. De meeste wachtenden staarden met papieren in hun handen voor zich uit; anderen lazen kranten of praatten zachtjes met elkaar. Een kind liep met een hoepel door de lange gang totdat de klerk haar dat verbood.

Een andere klerk, die achter een loket stond, noteerde gegevens van de mensen die in de rij van nieuwkomers stonden: naam, adres, aard van de aanklacht. Hij stelde vragen en kruiste hokjes aan op zijn formulier. In zijn vragen hoorde ik woorden en frasen die ik nog niet kende: *cambriolage, vol à main armée*. Met wapen. Zonder wapen. Bekend bij het slachtoffer. Niet bekend. Ik zag dat hij een kleur kreeg van ergernis toen een vrouw zei dat ze niet wist of haar halssnoer uit haar slaapkamer of haar zitkamer was weggenomen. Zo'n onderscheid was blijkbaar van belang om nauwkeuriger te kunnen vaststellen wat voor soort misdrijf het betrof.

Toen het mijn beurt was en ik al zijn vragen had beantwoord, gaf de klerk me een genummerd papiertje en wees me een stoel aan. Er was hier geen klok. Dat was verstandig, dacht ik: geen klok hebben als mensen uren en misschien wel hele dagen moesten wachten. Zonder klok gaat de tijd sneller voorbij. In plaats daarvan moest je wachten op het geluid dat de klokken van de Notre Dame elk uur lieten horen. In die blauwe gang klonken ze extra hard, want we zaten in feite in de schaduw van de kathedraal.

Ik hoorde de stem van mijn broer Samuel alsof hij daar in de gang naast me zat. Samuel, de broer die in leeftijd het dichtst bij me kwam en predikant wilde worden, zou vast en zeker hebben gezegd dat die diefstal een manier van God was om tegen me te zeggen dat ik het verkeerde pad was ingeslagen. Hij zou me eraan hebben herinnerd dat het nastreven van wetenschappelijke kennis altijd een hersenschim was, een vorm van ijdelheid. Mijn moeder knikte altijd verstandig mee als Samuel zo praatte. Kom naar huis, Daniel. Kom naar huis, fluisterden ze in mijn hoofd.

Ooit hadden Samuel en ik vlinders, fossielen en watersalamanders verzameld en kikkers ontleed. We lazen de verslagen van wetenschappelijke genootschappen in de krant, hadden dezelfde huisleraar en hielden de nieuwste geologische theorieën bij. Nu Samuel theologie studeerde, had hij zijn verzamelingen en instrumenten opgeborgen en discussieerden we over God. Als ik rationele, maar lichtelijk ketterse vragen aan Samuel stelde over de transsubstantiatie of de exacte aard van de relatie tussen God, Christus en de Heilige Geest, was zijn antwoord altijd hetzelfde: als ik maar lang en nederig genoeg zou bidden, zou God me de weg wijzen. Die vrome weigering om mijn vragen te beantwoorden maakte me woedend. Samuel had me een duur exemplaar van *Evidences of Christianity* van Paley meegegeven naar Parijs, in de hoop dat het mijn geloof zou versterken. Ik had het niet geopend. Daar in die gang op het Bureau de la Sûreté probeerde ik te bidden, maar het lukte niet.

Toen ik twee uur had gewacht, bleek ik een van de gelukkigen te zijn.

'Monsieur Jagot zal u zelf ontvangen, monsieur Connor,' fluisterde de klerk, die zich verwaardigde om zo zacht als hij kon tegen mij te spreken. Zo te zien was hij onder de indruk. 'Monsieur Jagot interesseert zich voor uw zaak. Zijn kamer is de laatste deur rechts, aan het eind van de gang.'

Jagots kleren waren te klein voor zijn grote lichaam. Hij was zwaargebouwd en bijzonder gespierd, al was hij niet meer dan een meter vijfenzestig groot. In die dure maar slecht zittende kleren zag hij eruit als een vrucht waarvan het vel ieder moment kon opensplijten. Zijn gezicht was rood, bezweet en gezwollen; zijn haar was droog en ongekamd; zijn wangen waren ongeschoren. Zijn handen waren breed en dik, met plukjes rood haar op de knokkels. Zoals hij daar zat, leek hij niet op zijn plaats. Hij was een man van de straat, geen man die zich op zijn gemak voelde in een duur kantoor. Na al die jaren herinner ik me vooral de ogen van Jagot, felle, onderzoekende ijsblauwe ogen die niet helemaal menselijk leken. Het was niet gemakkelijk om het gewicht van die blik te dragen. Ik heb nooit zelfs maar een glimp van vriendelijkheid of medegevoel op zijn gezicht gezien, zelfs geen nieuwsgierigheid, alleen een meedogenloos beoordelende blik, alsof hij je gelaatstrekken voortdurend vertaalde naar aantekeningen in zijn dossier.

De kamer was zwak verlicht en grotendeels leeg, afgezien van een hele wand met kleine laden achter het bureau: een archiefkast die nog in opbouw was en zich vanaf die ene wand langs de andere uitstrekte, de ene na de andere rij kleine laden met rechthoekige koperen handgrepen. De kamer rook naar verf, zaagsel en lijm. Aan een andere wand hing een kaart van Parijs. De rivier was blauw en de grenzen van de arrondissementen waren rood.

Jagot gaf me een hand zonder te glimlachen en wees me de stoel tegenover hem te nemen.

'Welkom in Parijs, monsieur Connor. Mijn klerk zegt dat er enige voorwerpen van u zijn gestolen. Een vrouw. 's Nachts. U reisde alleen?'

'Ja. Dat deed ik.'

Hij keek me aandachtig aan. 'Er zijn tegenwoordig veel dieven in Parijs,' zei hij. 'Veel soldaten en krijgsgevangenen die naar Parijs zijn teruggekomen hebben slechte manieren opgedaan. Ze zijn allemaal hetzelfde. Een beetje van dit. Een beetje van dat.'

'Ik moet mijn papieren en pakjes snel terug hebben,' zei ik. 'Het is erg belangrijk.'

Jagot leunde achterover in zijn stoel, vouwde zijn grote handen samen op het bureau en nam alle tijd om me te bestuderen. 'Uw gestolen voorwerpen interesseren me, monsieur Connor. U zegt in uw aangifte: drie introductiebrieven van een hoogleraar in Edinburgh voor de hoogleraren hier in Parijs; een manuscript van een vertaling van een werk van professor Cuvier; twee notitieboeken – die zijn van uzelf, nietwaar? En enige fossiele specimina, die als geschenk voor professor Cuvier bedoeld waren. Maar geen geld. *Pas d'argent.*' Hij onderstreepte enkele details in de aangifte en maakte aantekeningen in de marge.

'Nee. Ik had geld in mijn tas, maar dat heeft ze niet meegenomen.'

Jagot keek me onder zijn zware wenkbrauwen aan en zei: 'Pas d'argent. Een vrouw pleegt 's nachts diefstal op de postkoets, maar ze neemt geen geld mee. Ja, dat interesseert me, monsieur. Die specimina, wat waren dat voor dingen? In uw aangifte zegt u alleen dat het specimina in dozen waren.'

Ik deed mijn uiterste best om me de woorden in het Frans te herinneren: 'Ik denk dat u zou zeggen: *trois fossiles rares et l'os d'un mammouth.*'

Hij noteerde dat. 'Ja, drie fossielen en een bot van een mammoet. U zegt dat ze zeldzaam zijn. Hoe zeldzaam?'

'De fossiele koralen en het mammoetbot hebben deel uitgemaakt van een waardevolle verzameling in Duitsland. Heel zeldzaam. De juiste verzamelaar zou er veel geld voor geven.

Het manuscript was minder waardevol, maar belangrijker. Roomwit papier, blauw omslag. Donkerblauw. Met de hand geschreven.'

Ik deed mijn best om de paniek niet in mijn stem te laten doorklinken.

'Ja, ja. Dat heb ik allemaal. Het staat hier in uw aangifte. De gegevens worden opgeslagen bij onze *service des objets trouvés*. Als iemand die objets naar ons toe brengt, sturen we u een brief. We hebben hier uw adres. Maar er zijn daar op dit moment geen koralen of botten, alleen de gebruikelijke dingen, zoals paraplu's, sleutels, brillen, en de gebruikelijke óngebruikelijke dingen, zoals een viool, een houten been en een duur stel pistolen. Iemand bracht vorige week een aap binnen, weet u. Hij had hem op het dak van een bordeel in de Notre Dame de Lorette gevonden. Ik zei tegen hem: "Monsieur, dat is geen objet trouvé. Dat is een dier. Hij moet naar de *fourrière pour animaux*." Hebt u uw dievegge gezíen, monsieur Connor?'

'Ja, maar het was donker. Ze zat naast me. Ik viel in slaap.'

'Heeft iemand anders haar gezien? Andere passagiers?'

'Nee. We waren de enigen die buiten op de postkoets zaten. De andere passagiers zaten binnen. Behalve het kind dat ze bij zich had.'

'Ja, het kind. Vertelt u me eens iets over het kind, monsieur. Langzaam. Het was het kind van de vrouw, nietwaar? Haar dochter?'

'Dat nam ik aan,' zei ik. 'Ze leken sterk op elkaar.' Ik vertelde hem zoveel als ik kon, met zo veel mogelijk details. Ik vertelde niet dat het kind wakker was geworden en met grote en angstige zwarte ogen had gezegd: '*Monsieur Napoléon, il est mort.*' Ik vertelde hem ook niet over de geur van de vrouw, die ik niet om haar naam had gevraagd, de lichte geur van bergamot die ze om zich heen had, of over haar wang, die een kleur had gekregen in de vorm van een continent, rood, bijna olijfbruin, of over de donkere boog van haar wenkbrauwen, of de bewegingen van haar lippen als ze sprak. En ik vertelde hem niet over de mammoeten die daar hadden rondgestapt, en niet over de zeebodem, waarvan ze me in het donker een beeld had geschetst. Omdat... nou, omdat we die mammoeten niet hadden gezien, tenminste niet in deze wereld. Dat alles was net een droom. Het hoorde niet in een politierapport thuis.

Ik probeerde het zo nauwkeurig mogelijk te vertellen, maar er waren zo weinig feiten. Ik zei tegen hem dat ze vermoedelijk lang was, maar dat ik haar niet goed had gezien. Ik zei tegen hem dat de vrouw het over een half Portugese, half Indische man had gehad die aan dierlijk magnetisme deed. Die abbé Faria had haar dingen geleerd. Ik had niet eens haar naam. Ik zei tegen Jagot dat het kind Delphine heette en dat ze me vier of vijf jaar oud leek. Jagot stelde me onevenredig veel vragen over het kind: de kleur van haar huid, ogen en haar, de taal die ze sprak, haar exacte leeftijd. Ik vertelde hem niet dat de vrouw me een nieuwsgierig, hunkerend en verdoofd gevoel bezorgde; dat de gedachte aan haar, aan haar geur, zelfs de herinnering aan haar stem, me met een hevig verlangen vervulde.

Hij schreef enkele woorden op het papier. '*Bon, c'est bien.*'

'Ze had het over heel ongewone dingen,' zei ik. 'Ze wist blijkbaar meer dan de meeste vrouwen.'

'Waarover bijvoorbeeld?'

'Geologie. De Jardin des Plantes. Zoöfyten. Ze wist veel van de natuur.'

'Een geleerde vrouw, monsieur. Ja, dat is ook interessant. Er zijn veel van zulke vrouwen in Parijs.'

'Het spijt me,' zei ik. 'Ik verspil uw tijd.'

'Ik ben een enquêteur, monsieur Connor,' zei hij met een zucht. 'Alle informatie die u me geeft, gaat in mijn archief. Misschien heb ik er nu niets aan, misschien is het maar een klein detail, maar op een dag is het nuttig. Wanneer we alle kleine details met elkaar in verband kunnen brengen.'

'Zijn die allemaal vol?' vroeg ik, en ik knikte naar de nette rijen laden tegen de muren achter hem.

'Mijn archiefkast?' Hij draaide zich om en streek met zijn hand over het gladde oppervlak van het eikenhout. 'Binnenkort zitten al deze laden vol kaarten, monsieur Connor. Informatie, beschrijvingen van gezichten, de toedracht van misdrijven – een kaart voor elke misdadiger in dit land. Dat wordt het geschenk van Jagot aan Frankrijk: een complete catalogus van dieven. Deze mensen willen onzichtbaar zijn, monsieur Connor. Ze proberen in de schaduw weg te kruipen. Ik maak ze zichtbaar. Ik zet ze in het licht. En u zult me helpen.'

'Ja,' zei ik, 'als ik kan.' De man maakte met zijn ambitie en vastbeslotenheid grote indruk op me, maar hij maakte me ook nerveus. 'Maar ik zie niet hoe.'

Hij boog zich naar voren. 'Monsieur Connor, ik zal u iets vertellen. De vrouw die u beschrijft en die van u heeft gestolen – de vrouw die lang en mooi is, met een litteken op de rug van haar linkerhand, met haar donkere huid, haar zwarte haar en ogen, de vrouw die een geleerde is en die uw mammoetbot en zeldzame fossielen heeft gestolen – die vrouw gaat door het leven onder de naam Lucienne Bernard. Ze heeft nog meer namen. Ze was de minnares van een slimme Parijse inbreker, Leon Dufour, een slotenspecialist. De vrouw die u beschrijft en de man met wie ze tegenwoordig samenwerkt – de man die ze Davide Silveira noemen – staan op een speciale lijst die ik bijhoud. Met deze mensen heb ik nog een appeltje te schillen. Dus Lucienne Bernard is in Parijs terug. Dat is erg interessant voor mij. U bent interessant voor mij geworden, monsieur Connor.'

'Maar wat zou zo'n vrouw met mijn spullen willen?' vroeg ik. 'Dat begrijp ik niet.'

Hij sloot zijn map. 'Wij zijn nu klaar, monsieur. Wij kunnen niets voor u doen. Maar u moet één ding begrijpen: als u madame Bernard opnieuw ziet, komt u hier onmiddellijk naartoe. Begrijpt u dat? En dan vraagt u naar mij persoonlijk. Geeft u me uw woord dat u dat zult doen?'

Ik knikte gerustgesteld. Als Jagot de zaak serieus nam, kon ik tenminste hopen dat ik het manuscript terugkreeg en de baan toch nog zou krijgen. Als Jagot zijn onderzoek discreet en snel tot een goed eind bracht, was de situatie misschien nog te redden.

Toen ik het Bureau de la Sûreté verliet, werd ik gevolgd door een man in een lange, flodderige jas, een man die zo te zien maar één arm had. Blijkbaar was het een nieuwe rekruut; hij had de volgtechnieken nog niet onder de knie.

4

Later die middag liep ik naar het Louvre om de Caravaggio's te bekijken. Ik ging eerst even naar een traiteur, waar ik een kom dikke rundvleessoep met vermicelli voor 15 sous bestelde. Ik noteerde de prijs en de datum in een van de nieuwe notitieboekjes die ik had gekocht. Die heb ik nog steeds, die kleine zwarte leren notitieboekjes, volgeschreven met rijen kleine cijfers, totalen en subtotalen. Met die boekjes was ik begonnen toen ik geneeskunde studeerde en mijn schamele toelage net genoeg was om elke dag voldoende eten te kopen. Nu, in Parijs, was ik in zekere zin rijk, tenminste wel in vergelijking met de jaren daarvoor. Aan de andere kant moest ik zo lang mogelijk met mijn erfenis doen. Daarvan was alles afhankelijk.

Ik moest mijn onkosten beperken. De dag die ik met Fin had doorgebracht was duur geweest. Omdat buitenlandse bezoekers gratis toegang tot het Louvre hadden, kon ik daar een hele middag doorbrengen om na te denken over wat me te doen stond. Ik zag Jagots agent niet meer, maar ik wist dat hij nog wel ergens in de buurt zou zijn. Ik vond het kwetsend dat ik door een politieagent werd gevolgd en dus blijkbaar een verdachte was. Ik ben het slachtoffer van een misdrijf, monsieur Jagot, geen verdachte, mompelde ik bij mezelf.

In het Louvre, tussen de zuilen die het grote gewelfde plafond met verguldsel en wit pleisterwerk boven de lange galerij droegen, hadden kunstenaars hun ezels neergezet, zo dicht mogelijk bij de schilderijen. Aan de muren hingen hier en daar wel vier of vijf schilderijen boven elkaar, lijst aan lijst. Een reusachtige Titiaan werd aan de ene kant geflankeerd door een Veronese, aan de andere kant door een Rubens. Elke overweldigende rechthoek van geoliede huid en theatrale gebaren en draperieën, elke heilige Sebastiaan, Venus, Mars of Heilige Familie die daar hing, werd door tientallen studenten van de kunstacademie als het ware in stukjes geknipt, gekopieerd, geïmiteerd, bestudeerd en in kleinere doeken op houten ezels omgezet. In vergelijking met de verstilde museumzalen in Edinburgh was het een chaos van kleuren en bewegingen.

Ik ondervond nog steeds de gevolgen van de grote hoeveelheid alcohol die ik de vorige avond had gedronken. Als een slaapwandelaar bewoog ik me door die vreemde zaal, met een stampende pijn in mijn hoofd. Ik volgde de menigten door de klassieke galerij, waar ik bleef staan voor de marmeren beeldengroep van de Griekse priester Laocoön en zijn zoons, die door zeeslangen werden aangevallen. De groep nam een hele alkoof in beslag. Het hoofd van de naakte priester was van pijn vertrokken en naar achteren geworpen; zijn zenuwen waren strak uitgerekt van pijn. De lussen van de gigantische slangen waren al om hen allen heen geslingerd. Een van de twee zoons, die met sprakeloos afgrijzen naar zijn broer en vader staarde, probeerde de slang van zijn rechterenkel te trekken.

Ik probeerde me de namen van de zenuwen in Laocoöns opgeheven arm te herinneren, toen ik merkte dat ze er was. Ik hoorde het ruisen van haar rok, rook de bergamot in haar parfum. Ik voelde haar hand op mijn arm en draaide mijn hoofd een beetje opzij.

Mijn dievegge bij daglicht, gehuld in blauw satijn. Ze stond naast me.

Ik mocht op dat moment van herkenning dan onuitsprekelijk kwaad zijn – vooral nu ik wist dat ik het onschuldige slachtoffer van een zeer vakkundige dief was geweest –, maar daarvan wilde ik niets laten blijken. Ik bleef bij mijn positieven en deed mijn best om maar aan één ding te denken: de terugkeer van de gestolen voorwerpen.

'U hebt er geen idee van hoe blij ik ben u te zien, madame,' zei ik. Ik keek haar nu aan en de woorden tuimelden over elkaar heen. 'Natuurlijk... Uw tas en mijn tas stonden naast elkaar, tussen alle andere bagage, en het was donker en u had misschien haast. Zo'n fout is gauw gemaakt. Het was niet uw schuld. Iedereen kan...'

'Ik zag u bij de Seine zitten,' zei ze, 'en ik volgde u hierheen. Is het niet verschrikkelijk?' zei ze, kijkend naar de Laocoöngroep. 'Dat iemand pijn zo mooi kan maken – dat is sublieme kunst.' Die ernstige stem van haar, die langzame, verleidelijke manier van spreken.

Ze was net zo lang als ik. Misschien zelfs een beetje langer. Bijna een meter tachtig, verontrustend lang voor een vrouw. Bij daglicht was haar huid donkerder dan ik me hem herinnerde en was haar schoonheid nog frappanter. Haar zwarte haar krulde zich om haar gezicht. Een hoofddeksel droeg ze niet; in plaats daarvan had ze een strook blauwe zijde om haar hoofd gewonden, waardoor ze eruitzag als een tekening van een beroemde Parijse actrice die ik had gezien. Ze droeg paarlen oorhangers. Op de ronde oppervlakken daarvan zag ik vervormde weerspiegelingen van de rechthoekige schilderijen. Jagot had haar Lucienne Bernard genoemd. Ze zag er anders uit dan alle dieven die ik ooit had gezien.

Ik keek of ik de bewaker of Jagots agent ergens zag, maar ik zag alleen andere bezoekers die naar de beeldhouwwerken stonden te kijken. Niemand had iets opgemerkt. Het bloed steeg naar mijn hoofd. Zolang ik geen kans zag dichter bij de bewaker te komen, kon ik haar maar het beste aan de praat houden, dacht ik. Ik wilde alleen dat ze me de dingen teruggaf die ze had gestolen. Het kon me niet schelen hoe.

'U hebt mijn papieren en een pakje, een kistje, meegenomen van de postkoets,' zei ik langzaam. Ik stuurde nog steeds aan op een gesprek dat tot teruggave van mijn bezittingen zou leiden. 'Kunnen we ze gaan halen? Ik heb ze namelijk nodig. Ze zijn erg belangrijk. Zonder die dingen...'

'U hebt u geschoren,' zei ze glimlachend. 'Bij daglicht ziet u er anders uit. Jonger. Is het niet vreemd hoe verschillend mensen er op verschillende plaatsen op verschillende tijden van de dag uitzien? Alsof een heleboel versies van onszelf voortdurend komen en gaan.'

Ik bracht mijn hand naar mijn kin en voelde hoe ruw de nieuwe stoppeltjes waren.

'Mijn scheerspiegel is te klein,' zei ik. 'Ik heb me vanmorgen gesneden.'

Ze liep langzaam om de Laocoöngroep heen en keek naar het beeld, niet naar mij. Ik liep achter haar aan.

'Mijn spullen?' Het kostte me grote moeite om de paniek niet in mijn stem te laten doorklinken.

'U ziet er moe uit,' zei ze zachtjes. Ze bleef staan om me aan te kijken.

Ze kon plotseling intiem worden – een aanraking, een stapje te dichtbij, een vraag, een blik die net even te lang duurde – om daar dan afstand van te nemen en zich weer formeel en afstandelijk op te stellen. In een gesprek ging ze ook steeds van het ene naar het andere onderwerp, van afstandelijkheid naar verleidelijke nabijheid, als een wegrennende haas die opeens rechtsomkeert maakt, recht op de honden af om ze in verwarring te brengen. Het was of ze voortdurend geheimen fluisterde en ze tegelijk achterhield. Nu streek ze met haar vingers over een roze ader in het witte marmer van Laocoöns arm.

'Ik ben ook moe,' zei ik. 'Ik heb niet veel geslapen. Ik maakte me zorgen. Zorgen over de papieren en de andere dingen die u hebt meegenomen. Ik wist niet waar ik u kon vinden. Ik wist niet wat ik moest doen of waar ik heen moest gaan om aangifte van vermissing te doen.'

Een Engelse vrouw tegenover me, die een catalogus in haar hand had alsof het een bijbel was, dirigeerde haar twee dochters onder het mompelen van 'ts, ts' de zaal uit. Te veel naakt vlees. Zelfs in marmer was het te veel.

'Wij behoren tot de laatste mensen die dit alles onder één dak zien,' zei Lucienne Bernard. 'Over een paar weken is deze zaal leeg. Alle kunstwerken die door Napoleon zijn gestolen gaan terug naar waar ze voor de oorlog waren.'

'Voor de oorlog?' zei ik, in verwarring gebracht doordat ze plotseling van onderwerp veranderde.

'Toen Napoleon zijn inval in Rome deed, heeft hij al deze beelden uit de Vaticaanse tuinen laten weghalen. De paus wil ze nu terug hebben en uw hertog van Wellington is daarmee akkoord gegaan. Vivant Denon, de directeur van het Louvre, schuift de zaak voor zich uit, maar zonder Napoleons bescherming zal hij de beelden moeten opgeven. Anders stuurt Wellington zijn soldaten hierheen. De Pruisen willen hun schilderijen ook terug. Het duurt nu niet lang meer.'

Ik schatte de afstand tot de deur, tot de bewaker, en dacht aan de mogelijke consequenties van de verschillende dingen die ik nu kon doen. 'Alstublieft,' zei ik op scherpere toon. 'Speelt u geen spelletjes met me. Dat is niet eerlijk.'

'Tegenwoordig staan en hangen alle lege kloosters en de huizen van émigrés in Parijs vol met schilderijen, beelden en verzamelingen die Napoleon uit de paleizen van Europa heeft gehaald...'

'Madame,' zei ik. 'Ik ben beleefd geweest. Ik ben serieus geweest. Ik heb bij u aangedrongen. Ik heb u gesmeekt. Maar blijkbaar wilt u het alleen over kunst hebben. Alstublieft. Ik heb geen tijd om over die dingen te praten. Ik word in de

Jardin des Plantes verwacht. U hebt mijn bezittingen meegenomen. Ik neem aan dat u ze nog hebt. We hoeven alleen
maar een regeling te treffen. Ik zal iemand sturen om ze op te
halen. U hoeft me alleen een adres te geven en ik doe de rest.'

'Uw notitieboeken...' zei ze.

'Hebt u mijn notitieboeken gelezen?' zei ik met gesmoorde
stem. Niemand had die notitieboeken gelezen. Ze stonden
vol speculaties, ideeën over soorten, strata en vergelijkende
anatomie, gelardeerd met poëzie en opmerkingen over mensen, vrouwen die ik had gezien, persoonlijke gevoelens.

'Uw werk op het gebied van homologie is erg goed,' zei
ze. 'Erg interessant. U hebt inzicht. En u bent nieuwsgierig.
Maar u leest de verkeerde boeken.'

'U had niet in mijn notitieboeken mogen kijken.'

Ze zag me naar de bewaker kijken. We wachtten allebei
tot ik iets deed. Haar zwarte ogen, die nu erg dichtbij waren,
glinsterden. Daagde ze me uit?

'En als ik weiger ze terug te geven?' zei ze. Ze leunde tegen
een marmeren zuil met die irritante vage glimlach die altijd
om haar mond leek te hangen als ze tegen me praatte. 'Wat
dan?'

Flarden van gesprekken in verschillende talen drongen tot
ons door van mannen en vrouwen die kriskras door de zaal
liepen, en verder waren er de geluiden van schoenen op marmer, de sleutels van een bewaker, het kraken van een deur.
Een schot ergens ver weg.

'Ik heb geld,' zei ik.

Ze lachte. 'Ik wil uw geld niet.' Ik zag dat de bewaker aan
zijn ronde door de zaal begon.

'Ik laat u arresteren,' zei ik, en ik pakte haar arm vast. 'Ik
roep de bewaker.'

'En wat zegt u dan tegen die bewaker?' zei ze, haar gezicht
plotseling dicht bij het mijne. 'Hoe bewijst u dat ik de vrouw
ben die u in het donker op de postkoets hebt gezien? Ik ont-

ken natuurlijk alles. Mijn Frans is beter dan het uwe en ik heb uitstekende identiteitspapieren. Het is allemaal een kwestie van bewijsvoering, weet u. Ik zeg tegen de bewaker dat u me hebt lastiggevallen. Dat u een beetje dronken bent. Dat ik u nooit eerder heb gezien. En nu moet u uw hand maar van mijn arm halen.'

'Ik breng u zelf naar het Bureau de la Sûreté.'

'U bréngt mij?' Haar zwarte ogen flikkerden. 'U stelt voor mij met geweld naar de Sûreté te brengen?' fluisterde ze. 'Denkt u dat een man als u een vrouw als ik kan dwingen ergens heen te gaan zonder dat iemand daar een stokje voor steekt? Als ik ga roepen, komen er mensen die me willen beschermen. Het is een grote afstand van hier naar het Île de la Cité.'

Ze had me opnieuw verlamd, dacht ik, als een wesp zijn prooi. Ik liet haar arm los. Ik was een drempel overgestoken en onder een betovering gekomen. Omdat ik nieuwsgierig was geweest, had ik niet meteen alarm geslagen toen ik haar zag. Dat uitstel was van kritiek belang geweest. De dingen die ze zei. Haar stem. Ik had gewild dat ze nog meer vertelde. En nu smeekte ik weer als een kind.

'Ja, ja, ik geef ze aan u terug,' zei ze. 'Ja. Maar komt u mee. Deze kant op. Ik wil u iets laten zien. Als u tijd hebt natuurlijk, monsieur Connor. Ik weet dat u grote haast hebt.'

Ze wendde zich van de Laocoöngroep af naar de deur van de lange galerij, waar tientallen modieus geklede buitenlandse bezoekers zich voor schilderijen van Veronese, Titiaan, Rubens en Rafaël verdrongen. We liepen door gewelven van licht die schuin door de hoge ramen naar binnen vielen en schaduwen vormden op de marmeren vloer. We bewogen ons tussen groepjes, glipten gedempte conversaties in en uit. Ik zag haar zwarte slippers verschijnen en verdwijnen onder de blauwe zijde van haar rokken, en nu en dan ving ik een glimp op van witte kant.

'Als je mij naar de Sûreté brengt, krijg je je spullen niet terug. Je schiet er niets mee op. En het zou mij in problemen brengen. Ik denk dat je beter kunt gaan zitten, Daniel. Je bent bleek.' Ze wees naar een marmeren bankje in een nis. Ik ging zitten. Mijn handen en benen trilden. Ze kwam naast me zitten.

'Jameson zal me nooit meer iets toevertrouwen,' zei ik. 'Zonder al die dingen heb ik geen baan, niets...'

Ze gaf geen antwoord. Ze keek naar een vrouw in het grijs die dichtbij zat. De lange mantel van de vrouw, vastgemaakt bij de hals, was vanaf haar armen naar achteren geworpen, en ze had haar wang neergevlijd op een mooie hand, waaraan ze geen handschoen droeg. Toen ze haar witte bonnet naar achteren schoof, vormde die muts een krans om haar eenvoudig gevlochten donkerbruine haar. Ze keek niet naar de schilderijen; haar grote ogen keken strak naar een bundel zonlicht die over de vloer viel.

'Wat wil je dat ik doe?' zei ik.

'Je hoeft nu niets te doen. Ik wilde je alleen maar de jongen van Caravaggio laten zien,' zei ze. 'Kijk. Daar is hij.' Ze wees naar een schilderij van een jongen. 'Hij is het evenbeeld van jou. Kijk maar. Het haar. De ogen. Het rode gezicht. Zou hij zojuist iets hebben gestolen? Kijk eens naar het plezier op zijn gezicht. Alsof hij voor het eerst zijn deugd heeft verloren.' Ze draaide zich naar me om en zei: 'Eerst ben je bleek en nu loop je rood aan.'

'Ik ben kwaad...'

'Je zult me moeten vertrouwen.'

'Wat wil je?'

Ze aarzelde even en zei toen zachtjes: 'Ik heb iets van je nodig. Er is iets waaraan alleen jij me kunt helpen.'

'Ik doe geen zaken met een dievegge.'

'Nee,' zei ze met een zucht. 'Dat dacht ik al.'

De klokken van de Notre Dame galmden over de stad. Het was vier uur.

'Ik moet nu gaan,' zei ze, en ze stond op. 'Voorlopig houd ik je papieren en je botten. Over een paar dagen zoek ik je op en leg ik het uit. Wacht op me, Daniel Connor. Je krijgt je dingen terug. Dat beloof ik. En misschien wil je dan iets voor me doen.'

En ja, ik liet haar weglopen. Een onverklaarbaar instinct gaf me in dat ik haar moest vertrouwen. Ik zag haar in een andere spelonk van de stad verdwijnen, de schaduw weer in.

Die avond zei ik niets tegen Fin; ik ging niet terug naar de Sûreté, vroeg niet naar Jagot. Ik hield het geheim en wachtte af, in het besef dat ik door een onzichtbare draad aan die vrouw gebonden was en al medeplichtig was aan iets wat ik niet begreep.

Die middag ging ik terug naar naar de jongen van Caravaggio. Van hoog op die muur vol schilderijen keek hij op me neer. Hij keek begrijpend, daagde me uit, beleefde zichtbaar plezier aan zijn eigen brutaliteit. Wat had ze in het gezicht van die geschilderde jongen gezien dat ze ook in dat van mij kon zien?

Die nacht droomde ik van Laocoön. Ik was verstrikt in de kronkelende slangen, maar ze waren van vlees, niet van marmer. Ze zaten in mijn mond en om mijn enkels; het was ondraaglijk. En ergens in een donker en leeg Louvre, waar Titiaan-vrouwen liepen en Caravaggio-jongens hun kleren uittrokken, zat een vrouw in een blauwsatijnen jurk. Ze boog zich naar me toe en zei: 'Daniel, ik moet je iets bekennen. Al die tijd dat we praatten wilde ik je kussen. Er is iets aan je mond, geloof ik, waardoor ik je wil... kussen.'

Ik werd wakker en ging rechtop zitten, bevend, opgewonden, en zag Fin in het maanlicht op het kermisbed liggen dat ik aan de andere kant van de kamer voor hem had gemaakt. Hij haalde diep adem en lag languit op zijn rug, alsof al die lange, zware ledematen van hem van grote hoogte waren komen vallen. Ik kleedde me aan, ging de Parijse nacht in. Ik liep door labyrinten en steegjes, in en uit de verdwenen zuilengangen en stenen trappen van denkbeeldige grote universiteiten, tot ik haar niet meer terug wilde kussen.

5

De volgende dag verdween de zon en hing er een grauwe hemel over de stad. De conciërge bracht me een pakje dat die
ochtend bij het hotel was afgegeven. Er zat een niet ondertekend briefje in: 'Ik ben weggeroepen. Ik schrijf over een paar
dagen opnieuw. Wacht op mij.' Ze wist dus waar ik woonde.
Het pakje bevatte ook een sierlijke scheerspiegel, veel groter
dan die ik had, en een exemplaar van *Confessions* van Rousseau.

Ze was van de kaart verdwenen, maar mijn papieren en de
specimina waren er vast nog wel. Die lagen ergens in een
hotelkamer of appartement in de stad. Keek ze nu naar me?
vroeg ik me af terwijl ik haar brief opvouwde en wegstopte. Ik
liep naar het raam, keek naar de straat beneden en zag alleen
kinderen die aan het kegelen waren, de fruitkraam op de hoek
en het limonadestalletje. Geen dievegge. Geen vrouw met
een valse naam die omhoogkeek en wachtte tot ik beneden
kwam.

Ik bezorgde mezelf die dag een beetje extra tijd. Met hulp
van Fin stuurde ik Cuvier een korte, formele brief waarin ik
zei dat ik vertraging had opgelopen doordat ik ziek was. Ik
schreef dat ik enige tijd nodig had om van mijn ziekte – waarover ik me niet concreet uitliet – te herstellen voordat ik met
mijn baan kon beginnen. Ik vroeg hem om begrip. Ik zou,
beloofde ik, in de laatste week van augustus bij hem zijn. Ik
schreef ook een brief aan mijn vader, die ik ervan verzekerde
dat alles goed ging en dat ik goed voor mezelf zorgde, waar-

na ik de loftrompet stak over de deugden en schoonheid van Parijs.

Ik vertelde niemand over mijn ontmoeting met Lucienne Bernard in het Louvre. Al had Jagot me verteld dat ze een crimineel leven leidde, ik had mezelf ervan overtuigd dat het althans voorlopig van mijn stilzwijgen, geduld en discretie afhing of ze terugkwam. Ik zou haar drie weken de tijd geven. Daarna zou ik mijn baan in de Jardin opgeven en naar Engeland terugkeren.

Op 29 juli, zes dagen nadat ik in Parijs was aangekomen, verhuisden Fin en ik naar ons nieuwe onderkomen op de bovenste verdieping van het huis naast ons hotel, vanwaar je voorbij de duiven die op de vensterbank zaten de torentjes van de Notre Dame kon zien. De conciërge zei dat we de vogels niet mochten voeren, maar we gaven ze toch ons oude brood, en zo werd ons kleine troepje een gevederde massa van duiven die elkaar verdrongen achter het gebarsten glas. 's Middags was het net of het licht, dat schuin over de vloer viel, ook gevederd was.

Er stonden al wat meubelen, maar we kochten ook het een en ander op vlooienmarkten: oude spullen die betere tijden hadden gekend. Ik kocht twee stoelen waarvan het verguldsel was afgebladderd, een bureau waaraan een la ontbrak en een mahoniehouten tafel. Die tafel had een diepe groef langs de zijkanten, maar we legden er een oud fluwelen gordijn overheen en stapelden daar onze steeds groter wordende bibliotheek en mijn microscoop op. We kochten linnen, versleten, maar nog wit en stijf, en gooiden dat over de paardenharen matrassen. Fin besteedde zijn toelage aan een met purperen fluweel beklede chaise longue, een antiek stel glazen en een kast met inlegwerk om wijn in te zetten. Ik noteerde alle onkosten in mijn boekje en deed mijn best om niet aan geld te denken.

Dit veranderlijke, onbegrensde leven van ons was heel anders dan wat ik gewend was geweest. Ik was soberheid gewend, en nu gingen we naar het Palais Royal als we kaarsen wilden besparen. Wijn was goedkoop; er was vermaak op elke straathoek. Ik hield mijn oude gewoonten zo goed mogelijk in stand en las de anatomieboeken die Fin bezat, maar zodra iets een gewoonte voor me was geworden, maakten Fins plotselinge impulsen en grillen er een eind aan. Dat gebrek aan orde bracht me eerst van mijn stuk, maar ik zei tegen mezelf dat het allemaal wel goed zou komen wanneer ik eenmaal achter mijn bureau in de Jardin des Plantes zat. Dit was een tussentijd. Deze dagen hoefde ik niet nuttig te besteden. Ik hoefde alleen maar te wachten.

's Avonds zagen we de bewoners van het huis tegenover ons in hun door kaarsen en olielampen verlichte kamers achter gerafelde gordijnen rondlopen. Studenten net als wij, achter stapels boeken over hun tafels gebogen, een stokoude violist die elke avond van elf uur tot ver na middernacht iets speelde wat als Russische zigeunermuziek klonk, twee jonge vrouwen die hun ondergoed aan hun balkon hingen en naar ons zwaaiden als ze dat deden. Fin noemde hen *Les dames aux sous-vêtements*.

'Zeg, als we een paar vrouwen vinden, kunnen we onze eigen salon beginnen,' zei Fin terwijl hij van het uitzicht genoot en naar Les dames terugzwaaide. 'Je kunt in Parijs geen salon hebben zonder vrouwen. Anders is het te beschaafd, veel te tam. Wat zou je zeggen van de woensdagen om middernacht? We moeten een thema bedenken, iets wat onze salon anders maakt. Misschien iets met opgezette dieren en dierenhuiden. Dan noemen we ons de Salon van Dode Dingen. In het Frans klinkt het veel beter: *Le Salon de Nécrologie*. Ik nodig madame de Staël uit om lid te worden. Het schijnt dat ze hier maar een paar straten vandaan is komen wonen; ze is eindelijk uit Engeland in Parijs terug. Al is ze nu erg oud, ze zeggen dat haar gespreksstof er niet minder op is geworden. Ze komt hier natuurlijk meteen zodra ze weet dat ze zulke illustere buren heeft, zodra ze weet wie we zijn.'

'Wie zijn wij,' zei ik, 'dat madame de Staël bij ons op bezoek zou willen komen?'

'*L'Amputateur* en *L'Homme qui a perdu ses choses*,' zei hij. 'Weet je, ik denk dat ik vandaag een beetje poëzie ga schrijven... *Poëzie uit de Salon van Dode Dingen.*'

Terwijl ik wachtte tot Lucienne Bernard terug was, vonden de dagen hun ritme en vulden ze zich met huiselijke genoegens. Voordat Fin 's morgens naar de ziekenhuizen vertrok, kocht hij brood, kaas en fruit bij de stalletjes aan het eind van de straat – druiven, vijgen, appels uit boomgaarden op het platteland. Ik hield de kamers netjes en ging eens per week met onze vuile kleren naar de wasserij aan het eind van de straat om ze een paar dagen later weer op te halen. Ik las de hele dag, studeerde, maakte aantekeningen van boeken die door Fins vrienden voor mij werden geleend uit de bibliotheek in de Jardin des Plantes, boeken en geologische en zoölogische artikelen van Cuvier. Op die manier wilde ik mijn Frans verbeteren, zodat ik, als ik de papieren en pakjes terug had, een intelligent gesprek met de grote man kon voeren. Ik bedacht en formuleerde de vragen die ik hem over homologieën en uitsterving wilde stellen. En 's middags las ik in de cafés op de linkeroever Lucienne Bernards exemplaar van *Confessions* van Rousseau. Ze had met potlood notities in verschillende talen gemaakt in de marges van alle bladzijden.

Enkele dagen nadat we daar onze intrek hadden genomen, bracht Fin planken aan voor wassen anatomische modellen die hij goedkoop had gekocht in de werkplaats van een modellenmaker bij ons in de straat, en ook voor de opgezette wulp en vos die hij op de vlooienmarkt op de kop had getikt.

Die dieren stonden in glazen stolpen vol krassen. Nu was Le Salon de Nécrologie geopend voor bezoekers, kondigde hij aan, en hij hing een goudkleurige doek over de levensgrote torso van de anatomische mens.

Sommige anatomiestudenten die Fin op die eerste avond van de salon naar huis meebracht waren studenten van professor Lamarck, de transformistische hoogleraar in de Jardin des Plantes. Francisco Evangelista en Louis Ramon waren fanatieke hervormers; ze noemden zichzelf de voorhoede van het volk. Al hun politieke ideeën waren gebaseerd op Lamarcks ideeën over soorten. Er kwamen voortdurend eenvoudige levensvormen tot stand door spontane generatie: sporen, bacillen, stofjes, maden die uit modder, aarde of vijverwater kropen. In duizenden of miljoenen jaren pasten ze zich aan aan hun woestijnen, bossen, oerwouden of zeeën – hier kregen ze een langere nek om bij hogere bladeren te kunnen komen, daar verloren ze een poot die ze niet meer nodig hadden. Zo werden deze simpele organismen complexe dieren; made werd vis, vis werd hagedis, hagedis werd zoogdier, zoogdier werd mens. Alles verbeterde, zei Lamarck. Alles streed om volmaaktheid. En voor Fins vrienden wilde dat zeggen dat de principes van de revolutie – vrijheid, gelijkheid, broederschap en de omverwerping van de macht van priesters en koningen – een natuurlijke zaak waren. En natuurlijk was er in Lamarcks wereld al veel langer leven op aarde dan volgens het verhaal uit de Bijbel, veel en veel langer.

'Stel je een arm voor,' zei Ramon, die een beetje dronken was, en hij strekte zijn eigen arm uit. 'Volgens de priesters begint de menselijke geschiedenis met Adam en Eva hier op de schouder en gaat ze door tot aan het topje van de vinger – het heden –, waar je nu bent. Hier bij de schouder heb je Herodotus en hier bij het eind van de wijsvinger heb je Napoleon. Maar in werkelijkheid past de hele menselijke geschiedenis – ja, de hele geschiedenis van de mens – op één

kleine nagel. Dit alles, dit alles van de schouder tot aan de nagel hier, is vóórmenselijke geschiedenis. Dus nu moet je met
een microscoop op zoek gaan naar Herodotus en Napoleon.
En wij, nou, waar zijn wij in heel die afgrond van tijd, en waar
is het "nu"? De tijd stopt niet voor ons. *La marche.*'

La marche. De slogan van Lamarck. Hij doelde daarmee op
een voorwaartse beweging. Marcheren. Lopen. Het klonk
zelfs als zijn naam: La marche, *La mark.* Voor anatomiestudenten als Ramon en Evangelista verklaarde het alles. La
marche betekende dat je het verleden van je afwierp en naar
voren marcheerde.

Terwijl de anderen over transformisme praatten, sprak
Céleste, de vriendin van Fin, met me over Rousseau. Ze
had zich behaaglijk in de purperen stoel onder de plank met
wassen koppen genesteld en streek haar lange blonde haar
naar achteren, dat altijd uit het knotje op haar achterhoofd
ontsnapte. 'Er mag dan een nieuwe koning op de troon van
Frankrijk zitten,' zei ze, 'en de priesters mogen dan nieuwe
gewaden kopen, ze kunnen niet alles weer zo maken als het
was. Er heerst een nieuwe geest in Parijs. Ze proberen die
geest de kop in te drukken, maar hij komt terug. Je zult het
zien – dit is nog niet het einde. Parijs heeft nog niet het laatste
woord gehad.'

In de ogen van de anatomiestudenten die op die avond naar
Fins salon kwamen was Cuvier intelligent, zelfs briljant, maar
had hij het mis; hij was een conservatieve beschermer van de
oude orde. Door Lamarcks transformistische ideeën te ver-
werpen en te bespotten, zei Ramon, beschermde Cuvier de
status quo en versterkte hij de oude waarden. Als Cuvier be-
nadrukte dat dierlijke soorten hiërarchisch en onveranderlijk
waren, sprak hij in werkelijkheid over maatschappelijke hiërarchieën, zeiden ze; in feite zei hij dat iedereen zijn plaats
in de samenleving had en daar moest blijven. Lamarcks wereld van verandering, waarin alles stroomde en bewoog en de

vooruitgang zich met rasse schreden voltrok, was in de ogen van Fins vrienden een wereld van horizontale lijnen en mogelijkheden, terwijl die van Cuvier een wereld van onveranderlijke, verticale hiërarchieën was. In politiek opzicht waren ze elkaars tegenpolen.

Ondanks mijn loyaliteit aan Cuvier, en misschien zelfs daardoor, hield ik me op de vlakte. Als me naar mijn mening over het transformisme werd gevraagd, gaf ik een ontwijkend antwoord. Trouwens, redeneerde ik als ik mezelf van intellectuele lafheid beschuldigde, mijn Frans was nog zo gebrekkig dat ik me niet in zo'n verhitte, snelle discussie zou kunnen handhaven. Ik zou alleen maar belachelijk overkomen. Ik besloot te observeren en te leren. 'Ken je tegenstander,' zei James altijd op de debatingclubs van de studenten. 'Probeer te begrijpen hoe hij denkt.'

'Alleen de toekomst telt,' zei Céleste met een blik op Fin, haar wenkbrauwen opgetrokken op die typische manier van haar. 'Als we vasthouden aan de vaders, de autocraten, de echtgenoten, de priesters – al jullie mannen die willen dat het hele leven om het verleden draait, omdat dat jullie goed uitkomt –, als we luisteren en gehoorzamen, als we precies doen wat onze vaders zeggen, dan handelen we in strijd met de natuur. Daarom moet de revolutie doorgaan. Daar mag geen eind aan komen.'

'Transformisme is een vorm van onttroning,' zei Ramon. 'Een bloederige, briljante onttroning van de mens. En als de mens eenmaal onttroond is, zijn we niet meer dan een van de vele organismen. Alleen een beetje groter en machtiger. En op de lange termijn zijn het altijd de kleine organismen die het pleit beslechten. De ménsen zullen de toekomst maken, niet meer de koningen...'

'Zegt Lamarck dat?' vroeg ik. 'Is Lamarck republikein?'

'Natuurlijk niet. Hij interesseert zich alleen voor wetenschap, niet voor politiek, maar als je erover nadenkt, nou, dan is het briljant. Als je de principes van het transformisme accepteert, moet je anders gaan denken, moet je jezelf in een ander perspectief zien, een perspectief waarin alles beweegt en verandert, waarin geen hoog en laag zijn. La marche is niet alleen een wetenschappelijke, maar ook een politieke bevrijding. En Céleste heeft gelijk: we moeten de oude boeken verbranden. Alleen dan kunnen we de stap naar de toekomst zetten.'

Ik had flarden van gesprekken over transformisme gehoord in de koffiehuizen en taveernes van Edinburgh, waar medische studenten over politiek praatten. De meesten van ons hadden *Zoonomia* van Erasmus Darwin gelezen, waarin hij betoogde dat alle soorten waren begonnen als vezels in het water, maar Erasmus Darwin werd door de studenten in Edinburgh meestal belachelijk gemaakt. Er deden daar allerlei grappen de ronde: stamden we nu af van oesters of van bloemkolen?

In Parijs noemden ze dat alles transformisme. In Edinburgh noemden ze het transmutatie of soms de ontwikkelingshypothese. Voor Jameson was het ketterij. Voor Cuvier was het onzin. Fins vrienden praatten openlijk over transformisme, en dan heel rationeel, dus niet speculatief of vergoelijkend, maar alsof er geen twijfel mogelijk was. Zij – de ketters en ongelovigen uit Fins salon – fascineerden me nu.

Jagots eenarmige man in zijn vuile jas kwam en ging. Als ik 's morgens van huis ging, ving ik soms een glimp van hem op bij de straathoek. En 's avonds, als ik uit het raam keek of Fins vrienden al kwamen, zag ik zijn grijze silhouet in het steegje tegenover de straat.

Jagots agent maakte me woedend, maar Fin vond het prachtig dat we door de politie werden geschaduwd.

'Kom nou, Daniel. Half Parijs wordt gevolgd,' zei hij. 'Nog nooit in de geschiedenis van de politieke surveillance zijn er zo veel rapporten over zo veel mensen geschreven. Het is prachtig. Iedereen wordt betaald om op iedereen te letten. Ze stellen rapporten op over alle ongelovigen en radicalen in de stad. Elke student wordt beschouwd als lid van een samenzwering om de stad te heroveren en Napoleon terug te brengen. Gisteren zei iemand tegen me dat de politie echt denkt dat Napoleon al ontsnapt is en zich met een groot leger in de steengroeven onder de stad verborgen houdt. Parijs is een kruitvat. Jagots agent interesseert zich niet voor jou, mijn vriend. Het gaat hem om Ramon en Evangelista. Uiteindelijk zetten ze alle radicalen op een lijst van mensen die verbannen moeten worden. Dan wordt er schoon schip gemaakt.'

'Bedoel je dat ik geen deel uitmaak van de intelligentsia?' zei ik, alsof ik diep gekwetst was.

'Natuurlijk wel, maar wat ben jij nu voor een gevaar, mijn vriend? Denk nu eens na. Daniel Connor vormt niet bepaald een bedreiging voor de nationale veiligheid. Geloof me, hij volgt Evangelista en Ramon.'

Maar Fin veranderde van gedachten toen ik op 4 augustus een brief van monsieur Jagot kreeg, in een schuin fijn handschrift, waarin hij me vroeg hem de volgende dag om drie uur in de Jardin des Plantes te ontmoeten.

'*Mon diable*, Daniel,' zei Fin. 'Een persoonlijke oproep van Jagot. Ik heb je schromelijk onderschat. Jij staat echt zelf op de surveillancelijst. Dat moet betekenen dat die dievegge van jou belangrijker is dan ik dacht. Mag ik met je mee? Ik trakteer je de rest van de week op eten als ik met je mee mag, Daniel. Het is een kans om Jagot te ontmoeten. Die kun je me niet ontzeggen.'

Met enige opluchting kon ik hem erop wijzen dat Jagot beslist wilde dat ik alleen kwam.

Omdat ik me zo voor mijn blunder schaamde, was ik nog niet in de Jardin des Plantes geweest, maar nu kon ik bijna niet wachten tot ik met eigen ogen alles zag waarvan ik had gedroomd en waarover ik had gelezen. Ik was vervuld van hoop. Misschien had Jagot nieuws. Ik stond op de pont d'Austerlitz en keek naar het befaamde smeedijzeren hek van de Jardin. De poort stond open en de schitterende bomen torenden er hoog boven uit. Ik zag bezoekers uit fiacres stappen. Ze stonden in groepjes met hun gids bij elkaar, reisgidsen en parasols in hun handen, op enige afstand gevolgd door bedienden met picknickmanden.

Bezoekers kwamen hier om de musea te bekijken, de botten, de dieren in de menagerie, de serres, de verzamelingen exotische bomen en planten. Ze kwamen voor clandestiene afspraakjes, kwamen om in het geheim kussen uit te wisselen; ze kwamen omdat de zon scheen of omdat hij niet scheen. Ik kwam om te zien wat ik had verloren en terug hoopte te krijgen – een utopie, dacht ik, terwijl ik door de poort ging en het toegangsgeld betaalde. Het middelpunt van een nieuwe wereld.

Daniel in de leeuwenkuil, had ze gezegd. Ik herinnerde me die opmerking van haar toen ik de poort voorbij was en naar de rechte zandkleurige paden keek die tussen de klassiek gerangschikte bloembedden door leidden, een reeks van lijnen en paden helemaal tot aan het Musée Zoologique in de verte, waarvan de gele steen roze kleurde in het middaglicht. Dit museum met botten was ooit het paleis van een koning geweest.

Tussen de poort waarbij ik stond en het Musée Zoologique lagen minstens tien bloembedden, elk zo groot als een Engels veld en beplant met zorgvuldig geëtiketteerde botanische en medische specimina uit de hele wereld. Ze bevatten elke denkbare schakering van groen met elke mogelijke structuur: puntig, gebogen, uitwaaierend, gevederd. Explosies van nazomerbloemen, rood, goudgeel, wit en oranje. Daarachter glinsterde het licht in het glas van meer dan tien serres, die de oost- en westkant van de rechthoek als spiegels flankeerden.

Binnen de muren van de Jardin woonden meer dan vijftig gezinnen, had Jameson gezegd. De professoren woonden met hun assistenten en gezinnen in de stijlvolle huizen langs de hoge muren. Honderden studenten kwamen naar de professoren luisteren of werkten voor hen in de musea en bibliotheken. Daar produceerden ze tientallen boeken en honderden artikelen per jaar, over botanie, scheikunde, vergelijkende anatomie, taxonomie, mineralogie – of ze sorteerden en prepareerden de duizenden botten, planten en fossielen, prikten insecten en vlinders op, elk in hun eigen doosje, conserveerden slangen of zetten de vogels op die van allerwegen naar de Jardin werden gestuurd.

Daniel in de leeuwenkuil. Er waren leeuwen hier in de Jardin des Plantes, rechts van me in de menagerie. Parijs was een soort Babylon, dacht ik, maar Daniel Connor... was geen Bijbelse Daniel. Die Daniel, die andere, was een ontvoerde joodse jongen die gedwongen was aan het hof van het heidense Babylon op de oever van de Eufraat te leven; die Daniel was de jongen die standvastig bleef, die zijn principes trouw bleef, zelfs onder die verleidelijke heidenen. Toen ze hem bij de leeuwen gooiden, raakten de dieren hem niet aan. Hij werd beschermd door de kracht van zijn overtuigingen.

Mijn overtuigingen waren aan het verdwijnen.

Nee, ik was niet die Daniel, maar een andere, en beslist niet zo standvastig. De leeuwen zouden mij zonder aarzeling verslinden. 'Parijs zal u opslokken,' had ze gezegd. 'De stad zal u verslinden. Bent u niet bang?'

Ik vond Jagot in de palmenserre. Hij zat op de bank aan de noordkant onder de vuurrode bloesems van een rododendron. In de warmte had hij zijn jasje uitgetrokken en was hij in slaap gevallen, zijn handen achter zijn hoofd gevouwen. Toen mijn schaduw over zijn gezicht viel, sprongen zijn ogen zo vlug open als die van een krokodil.

'Monsieur Jagot, hebt u mijn bezittingen teruggevonden?' vroeg ik meteen, terwijl ik hem een hand gaf.

'Non, monsieur,' zei hij, geeuwend en zich uitrekkend. 'Jammer genoeg niet. Maar ik heb ander nieuws. Ik heb bepaalde informatie ontvangen, monsieur Connor.'

'Waarover?'

'Over u, monsieur. Over uw doen en laten. En ook over madame Bernard. Ze heeft vragen over u gesteld. Ik heb rapporten.' Hij sloeg een notitieboekje open.

'Madame Bernard?' zei ik. 'Wie is madame Bernard?'

'U weet wie madame Bernard is, monsieur Connor,' zei hij met een zucht. 'U kent haar. Zij kent u.'

'Welke vragen heeft ze gesteld?' zei ik. Ik ging naast hem zitten. 'En als u rapporten over haar hebt, moet u weten waar ze is. En als u weet waar ze is...'

'Ze is weer verdwenen. We hebben geen spoor. Dat ergert mij buitengewoon. Maar mijn agenten zeggen dat madame Bernard voor haar verdwijning vragen over u heeft gesteld, monsieur Connor, over het adres waar u woont. Blijkbaar heeft ze belangstelling voor u gekregen. Weet u waarom? Kunt u dat enigszins verklaren? Hebt u haar teruggezien?'

'Nee, monsieur, ik heb geen idee waarom ze belangstelling voor me heeft gekregen. En ik weet ook niet zeker of de ellendige vrouw die ik op de postkoets heb gesproken de vrouw is die u zoekt. Het kan een vergissing zijn,' zei ik vlug. Ik herinnerde me de vage, halfslachtige belofte die ik Lucienne Bernard in het Louvre had gedaan. Jagots onderzoek had me blijkbaar in gevaar gebracht en nu was het zaak dat ik me aan dat gevaar onttrok. 'Ik denk dat ik mijn verklaring maar beter kan intrekken... Het was donker. Ik weet niet zeker hoe ze eruitzag...'

Jagot boog zich naar voren. Toen nam hij mijn kin in zijn hand en draaide mijn gezicht even naar zich toe. Hij sprak langzaam. 'U ziet er goed uit, monsieur Connor. En u verwacht iets van het leven. U bent... veelbelovend.'

'Monsieur?' Ik zweette nu overdadig. Jagots zurige geur vermengde zich met het zoete, weeïge parfum van de rododendrons.

'Het leven is kort,' verzuchtte hij. 'Soms nemen zulke onderzoeken veel tijd in beslag. Mijn agenten worden ongeduldig. Ze willen resultaten, ze willen dossiers afsluiten, ze willen dat hun werk wordt beloond. Ongeduldige mannen zijn moeilijk in de hand te houden.' Hij zweeg en knikte naar het eind van het pad, waar de eenarmige man tegen de ruit geleund stond. 'Hebt u me iets te vertellen, monsieur Connor? Iets wat u misschien bent vergeten?'

'Ik heb haar maar één keer gezien,' stamelde ik. Ik begreep de dreiging die onder zijn woorden schuilging.

'Ja,' zei hij. 'Dat weet ik. U hebt haar op 23 juli om halfvier 's middags ontmoet. In het Louvre, heb ik gehoord. Ik heb gisteren in mijn dossier naar uw rapport over die ontmoeting gezocht, monsieur Connor, maar ik kon het niet vinden. Misschien heb ik niet goed genoeg gezocht.'

'Ik dacht niet dat het...'

'Laten we zeggen dat uw rapport is zoekgeraakt. We zullen het een bureaucratische fout noemen. We zullen zeggen dat het niet belangrijk is. Natuurlijk zal het volgende rapport dat u voor de Sûreté schrijft niet zoekraken. En nu, monsieur Connor, moet ik u om uw identiteitspapieren vragen. Uw paspoort?'

'Mijn paspoort, monsieur Jagot? Waar hebt u mijn paspoort voor nodig?' Ik greep in de zak van mijn jasje.

'Wij hebben regels in Parijs, monsieur, en volgens die regels mag een man of vrouw die bij een politieonderzoek betrokken is de stad niet verlaten. Uw papieren zijn veilig bij mij, monsieur Connor. Ik geef u mijn woord.' Hij nam ze van me over, vouwde ze op en legde ze in een zilveren foedraal.

'Voor hoe lang?' stamelde ik. 'Ik ben van plan naar Engeland terug te keren.'

'Totdat we weten hoe de vork in de steel zit, monsieur Connor. Hoe lang dat duurt? Wie zal het zeggen? Natuurlijk sluiten we het dossier als we madame Bernard vinden, of als iemand haar naar ons toe brengt. Dan zeggen we dat het een afgedane zaak is. Maar tot aan dat moment is de zaak nog niet afgedaan. U mag nu gaan, monsieur, maar u mag niet over onze ontmoeting praten. Met niemand, begrijpt u dat? Het is een persoonlijke aangelegenheid.'

Ik stond op. 'Monsieur Jagot...' wilde ik protesteren.

'*Au revoir*, monsieur Connor.'

De eenarmige man keek me niet aan toen ik langs hem liep. Hij spuwde in de struiken.

Woedend om Jagots versluierde beschuldigingen en bedreigingen, en in het besef dat ik in een web verstrikt was geraakt zo dicht als een woud, een web waarop ik geen enkele invloed had, besloot ik door de Jardin te wandelen tot ik een plan had. Ik liep de collegezaal in het amfitheater in toen daar even geen college werd gegeven en wachtte tot een groep studenten die levendig met een hoogleraar praatte het grindpad op was gegaan en zich had verspreid. De lege collegezaal, met gebogen rijen van zitplaatsen hoog achter me, rook naar boenwas en warme lichamen. Op het schoolbord stond een tekening van een inktvis met gespreide tentakels; er stonden pijltjes en letters bij, en alle delen van zijn lichaam waren van namen voorzien. Links op hetzelfde bord had iemand een tekening geprikt van iets wat eruitzag als een krokodil. Op het podium van de hoogleraar stonden apenschedels op een rij, naast twee opgezette maki's die in een tak klommen.

Ondanks alles, redeneerde ik tegen mezelf, zou de knoop zichzelf binnen een paar dagen ontwarren. Als het Jagot eenmaal was gelukt Lucienne Bernard op te sporen en me mijn bezittingen had teruggegeven, zou hij mijn onschuld inzien. Ik had misschien naar de Britse ambassadeur kunnen gaan om mijn zaak te bepleiten, of naar een advocaat die de teruggave van mijn paspoort had kunnen eisen, maar mijn verhaal zat nu vol met gênante wendingen die me verdacht maakten. Waarom had ik in het Louvre de bewaker niet geroepen? Waarom had ik geen rapport bij Jagot ingediend, hoewel ik dat had beloofd? Waarom was ik op de postkoets in slaap gevallen terwijl ik zulke waardevolle en belangrijke voorwerpen bij me had? Hoe je het ook bekeek, het zag er niet goed uit.

Op 4 augustus hees de HMS *Bellerophon, die bijna een week in de baai van Torbay voor anker had gelegen, eindelijk de zeilen om naar diepere wateren te vertrekken. Onzichtbaar voor de Engelse journalisten, die hun telescopen in alle ramen aan de zeekant van alle pensions in Plymouth hadden geïnstalleerd om een glimp van de beroemde overjas op te vangen, zou de keizer van Frankrijk overstappen op een ander schip, de* HMS *Northumberland, een linieschip met vierenveertig stukken geschut. De* HMS *Bellerophon was ondanks zijn roemruchte verleden en zijn mythische naam niet sterk of jong genoeg, zeiden de admiraals, om de keizer helemaal naar Sint-Helena te brengen, een eiland in de Atlantische Oceaan, tweeduizend kilometer van het dichtstbijzijnde vasteland verwijderd. Aan boord begon de keizer in een neerslachtige stemming aan een nieuw kaartspel.*

Twee dagen eerder, toen de vertegenwoordiger van de overheid een brief van de Britse regering had voorgelezen waarin werd bekendgemaakt dat de krijgsgevangene naar het eiland Sint-Helena werd verbannen en hij slechts drie officieren, zijn lijfarts en twaalf bedienden mocht meenemen, had Napoleon heftig geprotesteerd. 'Wat moet ik beginnen op dat stukje rots aan het einde van de wereld?' had hij gebulderd. 'Het is daar te warm voor mij. Nee, ik ga niet naar Sint-Helena. Botany Bay is nog beter dan Sint-Helena. Als uw regering mij ter dood wil brengen, laat dat dan nu meteen gebeuren.' Maar binnen enkele uren was zijn woede gezakt en kwam hij weer aan dek om zich aan de grote menigte te laten zien, die in boten de baai op was gekomen om een glimp van hem op te vangen.

Toen de Bellerophon op de ochtend van 4 augustus het zeegat koos om zich naar de Northumberland te begeven, was het aantal boten in de baai gevaarlijk toegenomen. Het leek wel of alle boten van Devon door toeristen waren afgehuurd. In de chaos voer een barkas die om de Bellerophon heen voer om de menigte op een afstand te houden over een boot vol toeschouwers. Verscheidene mensen, onder wie twee vrouwen, kwamen om in de golven.

'Het zij zo,' zei de keizer later die avond tegen zijn secretaris, comte de Las Cases. 'Op die eenzame rots zullen we onze memoires schrijven. We moeten iets te doen hebben – bezigheid is de zeis van de tijd. Want wat kan een man anders doen dan wat zijn lot bepaalt? Mijn lotsbestemming is nog niet bereikt.'

6

Ik voelde haar altijd in mijn nabijheid, in de schaduw, net als de man van Jagot. Ik stelde me voor dat ze keek naar alles wat ik deed. Een paar dagen geleden had ik er nog alle vertrouwen in gehad dat ze me zou komen opzoeken, maar nu was ik daar bang voor, want ik wist dat het me in Jagots ogen alleen maar verdachter zou maken. 's Nachts vloog ze mijn dromen in en uit, door labyrinten en steegjes, in en uit het zicht. Het was een kwelling.

Na Jagots dreigende woorden in de Jardin kostte het me steeds meer moeite om me te concentreren op de lectuurstudie die ik mezelf had opgelegd. Omdat ik Parijs niet mocht verlaten en nu afhankelijk was van het welslagen van het onderzoek, sliep ik meestal een gat in de dag en werd ik een nachtwezen, net als de bezoekers die Fin naar de salon meebracht: medische studenten met wallen onder hun ogen die over secties, tyfus en huidziekten vertelden, en filosofisch ingestelde studenten die over transformisme, taxonomie en homologieën praatten, of over tekenmodellen, winkelmeisjes en danseresjes. Madame de Staël liet zich niet zien. Ik durfde er niet aan te denken wat mijn vader zou vinden van het leven dat ik nu leidde. Omdat ik er nog steeds vertrouwen in had dat het allemaal in orde zou komen, zei ik tegen mezelf dat hij het misschien nooit hoefde te weten.

Toen ik in de tweede week van augustus een avond had gedronken met Fin, liep ik naar huis terug door een zijstraatje van de rue de Chartres, bij de achteringang van het Théâtre de Vaudeville. Het was donker; ik liep als een slaapwandelaar, de ene voet na de andere, met galmende voetstappen, steeds dieper de schaduw in. Twee houten kelderluiken in de straat werden opengegooid. Uit het gat tussen de keistenen doken drie mannen op. Ze droegen vrouwenkleding – pruiken, parels, veren, satijn en zijde, rood, goudgeel en oranje op zwart. Ze werden van onderen verlicht en fladderden de nacht in als gigantische motten die hun vleugels uitschudden. Manmotten, dacht ik, hun gezichten naar de maan gekeerd, tegen de huizen op, hun ogen een en al pupil, net als de hare. De hele nacht behoorde hun toe.

Nu, achteraf, denk ik soms dat wij de lotuseters waren, Fin en ik, Odysseus' zeelieden die op het schiereiland aan de Afrikaanse kust bleven hangen, bedwelmd door de lotusbloemen van Parijse nachten. De grenzen van droom en werkelijkheid waren verschoven; ik kon niet meer zeggen waar ze lagen. De wereld van de Jardin des Plantes, met zijn taxonomieën, classificaties en etiketten, had zich teruggetrokken, en de fascinerende wetenschappelijke en politieke gesprekken in de salon hadden de leegte gevuld als een opkomend getij. En als ik in die droomnachten Ramon, Evangelista en Céleste hoorde praten, was het of ik sommige dingen voor het eerst inzag. Hun bewijzen voor hun transformistische ideeën – fossielen, strata, tussensoorten, uitgestorven soorten – waren overtuigend. In dat appartement in Saint-Germain hadden de randen van de tijd zich opgerekt – niet van mijn tijd, niet van dat kleine leventje van mij, maar van de tijd die zich in mijn ogen tot dan toe in rechte lijnen door geschiedenisboeken had uitgestrekt, via koningen, koninginnen, oorlogen en stammen, Romeinen en Britten, helemaal terug tot de fragmenten van Herodotus die ik me herinnerde, tot aan een hof waar God een vrouw schiep uit de rib van een man. Niet dat ik me nooit eerder over de oorsprong van alles had verwonderd, maar ik kende alleen het verhaal van de rib, de appel en de slang. En de geest van God over de wateren. En die versie was nog steeds onbetwistbaar. Het stond in de Bijbel.

In Derbyshire was me altijd geleerd dat het eeuwige gevolgen had als je de waarheid van de Bijbel in twijfel trok. Toen ik zeven was en op een dag in mijn beste zondagse kleren in de familiebank in de kerk van Ashbourne zat, met mijn vader aan mijn ene en mijn broers aan mijn andere kant, had ik de priester een huiveringwekkende preek over de diverse folteringen van de verdoemenis horen geven. In het stille gebed dat daarop volgde had ik Satan gezien – of tenminste, ik dacht dat ik hem had gezien, vanuit mijn ooghoek, bij de deur van de consistoriekamer. Hij was een ding met schubben, een boosaardig wezen; zijn hoeven maakten een roffelend geluid op de vloertegels van de kerk. Hij grijnsde naar me. Dagenlang kon ik niet slapen.

Toen Céleste me had gevraagd wat mij over God was geleerd en ik had geantwoord dat ik Satan bij de deur van de consistoriekamer had zien staan en dat ik me als kind zorgen had gemaakt over de eeuwigheid, en hoe lang die zou duren, had ze gezegd dat priesters op die manier te werk gingen: met angst en beven. Een kind kun je daar gek mee maken, had ze gezegd. Alleen omdat ze tegen je zeggen dat er een hel is, hoef je dat nog niet te geloven. Maar ja, zei ik later die avond tegen mezelf, mijn broer zou zeggen dat Céleste aan de kant van Satan stond. Ze was dus toch een ketter. Die zeiden zulke dingen.

Toen ik Lucienne Bernard voor de derde keer zag, haar echt zag, in vlees en bloed, niet in een droom, maar in werkelijkheid, was het de avond van 10 augustus. Het was in de crypte van een voormalig kapucijnerklooster bij de place Vendôme. Fin en Céleste hadden me die avond meegenomen naar de

Fantasmagorie – een beetje afleiding, had Céleste gezegd, voor *le garçon perdu*, de verloren jongen, zoals ze me noemde. Een Belgische illusionist, Étienne-Gaspard Robertson, had daar een theater binnen de crypte gebouwd als toeristenattractie. Ze noemden dat het theater der doden.

Ik protesteerde, maar ik ging. Ik was natuurlijk nieuwsgierig.

Het was zeven uur. Schemerig. De eerste zwak verlichte kamers van het klooster, voorbij de verweerde, met metaal beslagen deur, waren ingericht als een klein museum van wetenschappelijke curiositeiten en optische illusies, klein van schaal en nogal smakeloos in de stenige, dompige spelonken van het klooster. Daarachter, in de versluierde duisternis van de refter, sprak een vrouw die La Femme Invisible werd genoemd ons in het Engels aan, alsof ze vlak naast ons stond, maar dan onzichtbaar, een stem zonder lichaam, een gemechaniseerde geest. Ik zocht naar een geluidstoestel in de muren, een spreekbuis of zoiets, maar kon niets vinden. Ze daagde ons uit vragen aan haar te stellen.

'Waar vindt mijn vriend de vrouw die van hem heeft gestolen?' vroeg Fin.

'In het Palais Royal,' zei ze, 'want als hij genoeg *livres* kan betalen, steelt de vrouw alles voor hem wat hij maar wil, vanwaar hij maar wil.'

Naarmate we dieper in het klooster afdaalden, werden de kamers donkerder. We volgden een enkele kaarsvlam een stenen trap af en kwamen door nog meer sluiers in de vochtige crypte zelf: de Salle de la Fantasmagorie. Zodra we daar onze plaatsen hadden ingenomen, doofde de assistente de flakkerende kaars. Ik hoorde gedempte kreten en gelach van Céleste en Fin, gezucht en gefluister van andere toeschouwers, maar ik zag letterlijk geen hand voor ogen. Toen kwam het geluid van wind en donder uit alle richtingen door de duisternis, en daarbovenuit het geluid van een glasharmonica – onzichtbare vingers die over de gebogen randen van tal van onzichtbare glazen streken, ergens in de nog diepere duisternis buiten het toneel. Robertson sprak beurtelings Frans en Engels. Hij mompelde iets onsamenhangends over onsterfelijkheid, dood en bijgeloof. Onwillekeurig kwamen de haartjes op mijn huid omhoog.

Toen leek het of er spookachtige silhouetten boven ons in de lucht werden gegooid, het ene na het andere. Lichtgevende figuren, sommige zo dichtbij dat je ze zou kunnen aanraken, vlogen over ons hoofd: glinsterende zeewezens die in donkere wateren zwommen, een Egyptisch meisje, de drie gratiën flakkerend in de gedaante van skeletten, Macbeth, een non, een heksensabbat, het afgehakte hoofd van Medusa, Orpheus op zoek naar Eurydice. Ik zocht naar het licht van de toverlantaarn achter de zijgordijnen, maar vond niets. De fantomen bewogen zich in alle richtingen en deden uitvallen naar ons, te snel om ze goed te kunnen volgen.

Het was te midden van die rokerige lichten die onophoudelijk aanflikkerden en doofden, en die illusies die over onze hoofden scheerden, dat ik een ogenblik, misschien niet langer dan een seconde of twee, Lucienne Bernard zag zitten, haar hoofd tussen de andere hoofden in het publiek, niet meer dan drie of vier rijen bij me vandaan. Haar gezicht lichtte even op in het schijnsel van de lampen, en ze keek met duistere ogen naar me om. Ik zag herkenning op haar gezicht, toen schrik, misschien zelfs angst. Ik stond op om bij haar te komen, strompelend tussen de stoelen, maar Robertson deed het licht uit, en toen het weer aanging voor het volgende spektakel – het geraamte van een jonge vrouw dat met een champagneglas in de hand op een voetstuk op het toneel stond –, was Lucienne weg. Haar stoel was leeg.

'Denk aan de Fantasmagorie,' bulderde Robertsons stem, en in één klap waren we weer in diepe duisternis gehuld. 'Denk aan uw einde.'

Na afloop zetten we koers naar de bar van het Palais Royal om daar cognac te drinken, maar onderweg verdwaalden we. Ik zei niets. Ik was niet zeker van wat ik tussen de schimmen en spookbeelden had gezien. Toch bleef ik in de zijstraten van de place Vendôme naar haar uitkijken. Ik was er zeker van dat ze dichtbij was, dat ze ons gadesloeg en misschien zelfs volgde. Ze zou zich weer laten zien; daar was ik van overtuigd. Maar het gebeurde niet.

'Die verrekte straatjes en doodlopende steegjes – om gek van te worden,' klaagde Fin. 'Neem alleen al de namen van willekeurige straten – kijk, hier, op je kaart – de rue Croix-des-Petits-Champs. Dat is de straat van het kruis van de kleine velden. De rue Vide-Gousset, dat is natuurlijk de straat van de zakkenrollers. Dat brengt me op de passage des Petits-Pères, dat zal wel een bijnaam van een kloosterorde zijn. Hier heb je de rue des Mauvais-Garçons, de straat van de stoute jongens, en de rue Femme-sans-Tête, de straat van de vrouw zonder hoofd, en de rue du Chat qui Pêche, de straat van de vissende kat. *Alors.* Het is een rommeltje. Nonsens. Een beetje van dit, een beetje van dat... dat alles bij elkaar gegooid zonder logica, zonder plan...'

'Jij bent een filistijn,' schimpte Céleste terug. 'Ik ben blij dat jij het hier in Parijs niet voor het zeggen hebt. Jij zou alles nummers geven. Het is mooi. Ik houd ook van de oude huis-namen. Die zijn beter dan nummers – Ster van Goud, Naam van Jezus en Mandje Bloemen, of Jachthuis of Het Hof van de Twee Zusters. Net een gedicht.'

Céleste had natuurlijk gelijk, al was ik het op dat moment niet met haar eens. Later zijn die straten aan stadsvernieuwin-gen ten prooi gevallen. Ze hebben plaatsgemaakt voor gaslan-taarns, winkelgalerijen en orde. En al die tijd, terwijl Fin en Céleste praatten en ruzieden, al die tijd dat we daar door de avond liepen, bij elke stap die ik zette, drong de realiteit van de situatie waarin ik verkeerde duidelijker tot me door. Het feit dat Lucienne de Fantasmagorie had verlaten en zich niet meer had laten zien, kon maar één ding betekenen: ze was niet van plan me op te zoeken en me mijn bezittingen terug te geven. Als Jagot haar niet kon vinden, kon niemand dat.

'Parijs is een zee,' zei een advocaat die Honoré heette later die avond in een café aan de place Vendôme tegen me. We waren erg dronken. 'Wat je ook doet, je kunt zo veel peilingen doen als je maar wilt, maar je bereikt nooit de bodem. Je kunt alles verkennen, in kaart brengen, beschrijven, maar hoe grondig je ook te werk gaat, hoe zorgvuldig en nauwgezet ook, er blijft altijd iets buiten bereik. Je vindt altijd weer een grot die niet op de kaart voortkomt, en monsters, parels, dingen waarvan je niet had kunnen dromen en die door ieder ander over het hoofd worden gezien. Ik denk daar veel over na,' zei hij.

'Kon ik maar naar de kerk,' zei ik. Een ogenblik wenste ik dat ik om hulp kon bidden en er vertrouwen in kon hebben dat er redding kwam.

'Ga maar naar de kerk,' zei de advocaat. 'Dat zal je niet helpen. Je moet doden of gedood worden. Bedriegen of bedrogen worden. Dat is de wet in Parijs. God heeft deze stad opgegeven. Hij heeft jou ook opgegeven, mijn vriend.'

Ondanks mijn beloften aan mijn familie was ik niet naar de kerk geweest sinds ik in Parijs was aangekomen. Ik wist de vier protestantse kerken op de kaart van Parijs te vinden. Ik was zelfs langs twee ervan gelopen – de Sainte-Marie in de rue Saint-Antoine en de Saint-Louis in de rue Saint-Thomas du Louvre. Beide keren was ik blijven staan om naar de stenen façade te kijken en daarna doorgelopen. Ik voelde me schuldig, maar het was ook bevrijdend om me te laten meeslepen door de glitter van Parijs. Mijn ziel verkeerde ongetwijfeld in groot gevaar, dacht ik, maar ik moet bekennen dat ik de staat waarin mijn ziel verkeerde algauw was vergeten.

In Edinburgh hadden de vorige zomer geruchten de ronde

gedaan over een student, een zekere John Rivers, die gek was geworden nadat hij enkele maanden anatomie had gestudeerd in de ziekenhuizen van Parijs. Hij was bezweken voor de verleidingen van de ongelovige materialisten, had Jameson tegen ons gezegd. Hij had te veel naar de betogen van de materialisten en atheïsten geluisterd. Een Engelse predikant had hem tegen de ochtend dwalend door de straten van Parijs aangetroffen, nauwelijks gekleed en tekeergaand over zijn ziel. God heeft me verlaten in de snijkamers van het Salpêtrière, had hij gezegd. Ik ben al in de hel. En toen zijn familie hem naar een duur sanatorium in de Alpen had gestuurd, zei Rivers zeven maanden lang geen woord. Het was een vorm van catalepsie, veroorzaakt door te hard werken en spirituele nood, zei Jameson. Ik heb John Rivers een keer gezien toen hij uit Parijs was teruggekomen. Hij liep in de regen door Edinburgh en krabde aan zijn gezicht.

De volgende dag ging ik naar de kerk, in de hoop daar de troost en vastberadenheid te vinden die ik nodig had om uit de put te komen. Eerst ging ik naar de Schotse kerk in de rue d'Aguesseau, waar de preek van bisschop Luscombe me in slaap bracht, zodat ik rillend wakker werd in een lege kerk. Toen ging ik naar de kerk in de rue Bouloi, waar dominee Newstead over verlossing en genade preekte voor een gemeente van voor het merendeel Engelse dissenters. Ik probeerde na de dienst met de dominee over verlossing te praten, maar ik wist niet meer waarvan ik verlost wilde worden.

Enkele dagen later stapte Jagot bij ons voor de deur uit een fiacre, net toen ik naar buiten kwam. Hij zag eruit als een arbeider: stoffige kleren met verf- en moddervlekken, een pet laag over zijn hoofd getrokken. Het was een van zijn vermaarde straatvermommingen, nam ik aan. Ik kwam langzaam de trap af, mijn handen in mijn zakken, en voelde dat hij alles registreerde: mijn lengte, lichaamshouding, kleding, zelfs de kleur van mijn schoenveters, en al die dingen ter plekke in een rapport opnam. Jagot wist zo langzamerhand alles wat er over mij te weten viel, dacht ik. Mijn naam. Mijn adres. De namen van mijn vrienden. Zelfs de moedervlek op mijn rug. Was er al een kaart voor mij? Wat zou daarop staan?

'Ik moet u een paar vragen stellen, monsieur Connor,' zei hij.

'Wilt u binnenkomen?' vroeg ik.

'Misschien wilt u een eindje met mij mee komen,' zei hij, en hij opende de deur van de fiacre. De koetsier van de fiacre keek me met een nietszeggende blik aan. Ik stapte met tegenzin in, bang dat ik in gevaar verkeerde. Jagot kwam naast me zitten, sloot de deur en trok de blinden aan weerskanten half omlaag. De fiacre rook naar sinaasappelen, muffe koffie en zweet. Jagot pakte een stapeltje papieren uit de hoek en stopte een notitieboekje in zijn zak. Toen het rijtuigje schommelend in beweging kwam, trok hij de blinden aan de achterkant dicht en stelde een spiegeltje aan de zijkant bij, zodat hij gemakkelijker in de straat kon kijken. Hij stompte een keer tegen het dak van de fiacre en we gingen langzamer rijden. Blijkbaar had hij iemand in het vizier.

'U bent nu drie weken in Parijs, monsieur Connor. U ziet veel interessante dingen. U praat met veel mensen. U beweegt zich in interessante kringen. Hebt u madame Bernard weer gezien?' Hij keek me aandachtig aan.

'Nee, monsieur, dat heb ik niet,' zei ik, vastbesloten me niet nader te laten ondervragen over iets wat ik me misschien alleen maar verbeeld had.

'Hebt u een van uw nieuwe vrienden de naam Silveira horen noemen?'

'Silveira? Nee, monsieur. Ik heb hen die naam nooit horen noemen.'

'Het schijnt,' zei Jagot langzaam, 'dat ook hij in Parijs terug is.'

'Met alle respect, monsieur Jagot, wat heeft die Silveira met mij te maken?'

'Monsieur Silveira is een heel gevaarlijke man. Hij is de bankier van het Genootschap van Tienduizend. Ik had hem vijf jaar geleden in het oog, maar hij is uit Parijs verdwenen. Ik heb een van mijn agenten naar hem laten zoeken in Livorno en Marseille, waar hij ook huizen heeft. Ik heb die agent drie maanden betaald om naar Silveira te zoeken, maar hij vond hem niet. Maar nu is Silveira terug in Parijs, zeggen mijn agenten. Geen van hen heeft hem al gezien, maar hij is hier ergens. En ik zal hem vinden.'

'Genootschap van Tienduizend?' vroeg ik.

'Het Genootschap van Tienduizend is de aristocratie onder de dieven van Parijs, meneer Connor. Die rijke mannen en vrouwen nemen een karwei alleen op zich als het minstens tienduizend frank oplevert. Silveira is een Portugese jood. Hij handelt in diamanten. Ze noemen hem *Trompe-la-Mort*. De man die de dood te slim af is.'

'Zo te horen hebt u meer agenten nodig,' zei ik.

'Ja, monsieur, ik heb meer agenten nodig. Maar eerst moet ik Silveira te pakken krijgen. Dan geven ze me meer agenten.'

'Ik begrijp nog steeds niet wat dit met mij te maken heeft,' zei ik.

'Davide Silveira, monsieur Connor, is een vriend van Lucienne Bernard. Lucienne Bernard is een vriendin van Davide Silveira. Als ik de een heb, heb ik de ander ook. Begrijpt u dat? En Lucienne Bernard is een vriendin van Daniel Connor. Of misschien is Daniel Connor de medeplichtige van Lucienne Bernard. U ziet hoe het een tot het ander leidt.'

'Medeplichtige?' protesteerde ik. 'Die vrouw heeft van mij gestólen. Hoe kunt u in godsnaam denken dat ik haar medeplichtige ben?'

Hij glimlachte, alsof hij me op de proef stelde, mijn reacties bestudeerde. Ik had hoofdpijn.

'Ik heb niet gezegd dat u medeplichtig was, monsieur Connor. Ik zei "misschien". Ik moet alle mogelijkheden nagaan. Madame Bernard is op zoek naar u. Ik weet niet wat ze met u wil. Bent u slachtoffer? Medeplichtige? Onschuldig, schuldig? Wie zal het zeggen?'

Jagot stompte twee keer tegen het dak van de fiacre, en we kwamen tot stilstand.

'In Parijs is iedereen iemand anders,' ging Jagot met een schittering in zijn ogen verder. 'Kijk, die man daar.' Hij legde zijn vinger op de spiegel en gaf me een teken dat ik er van dichterbij naar moest kijken.

'Die in het zwart? De man die we hebben gevolgd?

'*Oui*. Dat is Pierre Coignard, een juwelendief. Ik heb in 1788 een cel met hem gedeeld in de gevangenis van Toulon. Hij ontsnapte naar Spanje en kwam aan het hoofd te staan van de Catalaanse bandieten. Toen leerde hij in een bar in Catalonië een vrouw kennen die Maria-Rosa heette. Toen haar baas overleed, stal ze zijn papieren, en zo werden Coignard en Maria-Rosa de *comte* en *comtesse* Sainte-Hélène. Coignard vocht zelfs als comte in de legers van Napoleon in Spanje. De koning heeft hem enkele weken geleden aan het hof ontvangen. Hij heeft het heel ver gebracht.'

'Waarom volgt u hem?'

'Iemand die hij in Toulon kende heeft hem herkend. Chantage. Coignard weigert te betalen. Gisteren vonden we het lijk van Coignards lijfknecht in de steengroeven. Nu wil Coignard natuurlijk wraak nemen. Het een leidt tot het ander, tenzij we er een eind aan maken. En nu Silveira terug is, wordt het allemaal nog erger. In Parijs maak je een eind aan iets en duikt er meteen iets anders op.'

Hij stapte uit de fiacre. 'Neemt u me niet kwalijk, monsieur Connor,' zei hij, 'maar ik moet met monsieur Coignard praten. De koetsier brengt u terug. Blijft u luisteren, monsieur Connor, en als u de naam Silveira hoort vallen of als u de vrouw Bernard ziet of spreekt, komt u het mij vertellen. U bent de ogen van Jagot.'

Hij sloot het raam van de fiacre en verdween bijna meteen in het straatleven, gecamoufleerd als een luipaard in vlekkerig licht.

Maar Lucienne Bernard kwam niet en ik kreeg een hekel aan mijn eigen lamlendigheid. Vijf dagen later, toen ik ontwaakte uit een onrustige nacht, mijn geld bijna op, de tijd vervlogen, een carrière in rook opgegaan, bijna een maand nadat ik in Parijs was aangekomen, besloot ik Jagot te gaan opzoeken, hem om de teruggave van mijn paspoort te vragen en weer naar huis te gaan. De stad had me al veranderd. Binnenkort zou ik zo'n half menselijk wezen van Ovidius zijn, dacht ik, wezens bij wie de menselijke huid veranderd was in leer, klauw of hoef. Ik zou mezelf niet meer kennen.

Ik stopte mijn bezittingen zorgvuldig in mijn tassen, liet ze bij de deur staan, pakte het geld bij elkaar dat ik nog over had en ging Fin opzoeken in het Palais Royal. Ik liep langs de wachters bij de ingang, die de haan van hun musket gespannen hadden, liep door de galerij met winkels waar ze sieraden, porselein, prenten, boeken, bloemen en linten verkochten. Ik liep langs de speeltafels en biljarttafels, de restaurants en taveernes, de stoffige trap op naar de tweede verdieping, langs appartementen waar affiches hingen voor lezingen over elke tak van wetenschap en filosofie die elk uur werden gegeven.

Babylon, dacht ik. Het werd tijd dat ik verlossing vond.

Toen ik daar liep, langs dure snuisterijen en dronken gokkers, kregen de dingen weer strakke contouren. Het kwaad aan de ene kant. Het goede aan de andere kant. Waar. Onwaar. Nu ik weer kon zien, dacht ik, zou alles goed komen.

Ik vond Fin in de buitenste rij van een menigte van vijftig

of zestig mensen die naar een kaartspel keken. Ik kwam langs de rand van de zaal dichterbij, maar bleef uit het licht van de kroonluchters. De lucht was benauwd van de rook van kaarsen, olielampen en sigaren. Ik dacht aan Coignard, de comte en zijn comtesse, en vroeg me af hoeveel anderen hier in het Paleis Royal zoiets veinsden en dus het leven van iemand anders leidden.

'Net op tijd, mijn vriend,' zei Fin zonder zijn blik van de tafel te halen. 'Dit is een erg goed spel. Heel goed. Kijk en leer.'

'Fin,' zei ik. 'Ik moet je spreken...'

'Later... Ik wil hier even naar kijken...'

Door het woud van staande mensen ving ik nu en dan een glimp op van de kaartspelers: witte vingers, ringen, een knokige, vergeelde, krabachtige hand die zich uitstrekte om een stapeltje munten te grijpen. Toen zag ik enkele gezichten: het grote, magere gezicht van een man met ogen diep in hun kassen en grijze wenkbrauwen, een vrouw met droge lippen, evenzeer verwelkt als haar kunstbloemen, een man die op een respectabele koopman uit Edinburgh leek die ik had gekend, blond en met zachte handen, zijn sluike haar netjes in een scheiding. En toen een gezicht dat ik herkende. Een half profiel.

Zij was het, Lucienne Bernard, maar niet zij, want 'zij' was nu een 'hij', die aan een tafel niet ver bij me vandaan zat te kaarten. Haar gezicht, maar niet haar lichaam. Het was Lucienne, maar ze was het ook niet.

Ik werkte me tussen de toeschouwers door om zekerheid te krijgen. Ja, ze zat daar aan een kaarttafel, gekleed als man: groene zijden jas, zilverkleurig vest, een halsdoek die netjes om haar keel was gelegd. En niemand die het merkte. Het was een schilderij, dacht ik op dat moment, een in de tijd verstild tableau van een kaartspel in het Palais Royal. Ik kwam er ook in voor, ingelijst in de spiegels achter haar.

Ze won fenomenaal en blijkbaar ook onverwachts, als ik mocht afgaan op het applaus en de zuchten die door de menigte in het rokerige kaarslicht gingen. Toen haar vingers, gestoken in delicate lichtgrijze handschoenen, de munten die naar haar toe werden geschoven sorteerden om ze weer in te zetten, keek ze op en om zich heen. Haar zwarte ogen keken in de mijne, en ze glimlachte plotseling met een vlaag van onbevangen plezier, zelfs opluchting, voordat ze haar blik weer op de kaarten in haar hand richtte en verder ging met spelen. Telkens wanneer haar inzet van de tafel werd geveegd, verdubbelde ze hem. Er keken nu veel mensen naar haar, maar ik was er zeker van dat ze zich alleen van mijn ogen bewust was. Toen de menigte voor haar laatste spel applaudisseerde – een sublieme combinatie, in triomf uitgewaaierd over het groene laken – en ze weer naar me opkeek, deed ze dat met een geamuseerde blik.

'Een opvallende man, nietwaar?' zei Fin. 'Al dat groen en zilver. Een goed opgebouwd gezicht.'

'Ja.'

'Je bent vandaag in een vreemde stemming. Wat is er?'

'Zijn mond...'

'Zijn mond?' zei hij. Zag hij het niet? Zag hij het echt niet? Haar lippen hadden de kleur van rokerig purper, rijk, vol en enigszins van elkaar verwijderd. Ze was mooi. Helemaal geen man.

'Een tikje te zelfvoldaan misschien?' zei Fin. 'Bedoel je dat?'

'Arrogant.'

'Maar hij kan goed kaarten. Ik geloof niet dat ik ooit iemand in één middag zoveel heb zien winnen. En hij komt blijkbaar ook geen geld tekort. Aan zijn kleren te zien, bedoel ik.'

Toen het spel was afgelopen en de toeschouwers weer applaudisseerden, zag ik dat ze opstond en keek waar ik was. Ze zou wel weer proberen te ontsnappen, dacht ik. Ik balde mijn vuisten en voelde hoe de nagels zich diep in mijn huid groeven.

Fin draaide zich om. 'Zei je dat je me wilde spreken?'

'Nee. Het doet er nu niet toe,' zei ik. 'Ik zie je later thuis wel. Ik moet eerst iets doen...'

Plotseling wilde ik niet meer naar Edinburgh terug. Er was nog hoop, als ik haar er alleen maar van kon weerhouden weer te verdwijnen. Een laatste kans, dacht ik, terwijl ik me zo discreet mogelijk een weg baande naar wat ik nog van haar kon zien: het stukje zeegroene zijde dat werd opgeslokt door een menigte gelukwensende bewonderaars. Deze keer, nam ik me voor, zou ik haar regelrecht naar de Sûreté brengen, wat er ook zou gebeuren en hoe hard ze ook protesteerde. Deze keer zou ik desnoods een scène maken. Dan zou ik tenminste weten dat ik iets had gedáán. Dan zou ik tenminste met een zekere mate van zelfrespect naar Schotland terugkeren, zelfs als het manuscript en de specimina voorgoed verdwenen waren.

Maar toen de menigte uiteenging, liep ze langzaam, maar recht naar me toe, haar gezicht een beetje nerveus, haar voorhoofd doorgroefd. 'Verraad me niet,' fluisterde ze. 'Jagots agent is hier, ik heb hem gezien, maar hij heeft me niet herkend.'

Ik zweeg. Ik kon amper ademhalen.

'Waar heb je gezeten?' mompelde ik. 'Je hebt het me beloofd. Ik ben in allerlei problemen gekomen.'

'Waar heb jíj gezeten?' zei ze. Ze trok me mee, sleurde me bijna met geweld weg, naar een bank aan een raam in een nis, waar ze een roodfluwelen gordijn voorlangs trok om ons enigszins aan het oog te onttrekken. 'Ik heb brieven gestuurd. Ik ben naar je huis gekomen, maar de conciërge zei dat je niet meer in het hotel woonde. Ik heb naar je gezocht in de Jardin, in de collegezalen. Maar toen werd het gevaarlijk... Ik moest een tijdje Parijs uit. Waar ben jíj heen gegaan?'

'Ik ben met een vriend in een appartement gaan wonen,' zei ik. 'Dat was goedkoper dan in het hotel. Ik heb een boodschap achtergelaten.'

'Natuurlijk. En de conciërge vond natuurlijk dat ik er onfatsoenlijk uitzag en wilde me je nieuwe adres niet geven. Natuurlijk. *Comme je suis bête.* Ik had het kunnen weten.'

'Maar,' zei ik, 'je was die avond in de Fantasmagorie. Je hebt me gezien. Je had toen met me kunnen praten.'

'Jagots agent zat achter je. Ik zag hem zodra jij mij zag. Ik moest de achtertrap nemen om de crypte uit te komen. Moet je horen, Daniel,' zei ze, haar stem nauwelijks hoorbaar, 'ik wil je je bezittingen teruggeven. Het was dom van me om ze te stelen. Ik had er spijt van zodra ik dacht aan de problemen die jij door het verlies ervan zou krijgen. Twee uur,' zei ze. 'Ik heb twee uur nodig. We ontmoeten elkaar om zeven uur in het steegje dat uitkomt op de passage des Petits-Pères. Onder de derde lantaarn vanuit het oosten. Let wel: precies zeven uur. En als ik hier wegga, moet je me niet volgen, want dan volgt Jagots agent jou. Begrijp je dat? Je mag me niet volgen.'

Ze gaf me een harde duw, alsof ze me wakker moest maken, me uit een staat van verdoving moest wekken. Ik zou haar willen omhelzen. De belofte dat ik mijn bezittingen terug zou krijgen, dat de tijd zou worden teruggedraaid, dat ik opnieuw zou kunnen beginnen, had een uitwerking als een stevige slok laudanum. Ik dacht niet aan Jagot, dacht er ook niet aan hoe ik zou kunnen verklaren dat ik mijn spullen terug had. Het maakte niet eens uit of haar verhaal waar was of niet. Ik was duizelig van verwachting en opluchting.

'Dank je. Ja, ik begrijp het,' zei ik. 'Zeven uur. Passage des Petits-Pères. Derde straatlantaarn vanuit het oosten.'

'Dan trakteer ik je nu op iets te drinken,' zei ze. 'Ik moet mijn zenuwen tot bedaren brengen en het zet Jagots agent op het verkeerde been. Hij herkent me niet in deze kleren.'

Ik volgde haar naar de bar, zag haar grote stappen nemen,

een beetje zwierig, en stond er versteld van dat ze zich met haar vrouwenlichaam zo goed in die mannenkleren kon bewegen.

Lucienne bestelde twee glazen champagne en ging op een hoge barkruk zitten, rechts van een witharige man die een sigaar rookte. Ik ging links van haar zitten. De man rechts van haar had een in kalfsleer gebonden exemplaar van *Childe Harold's Pilgrimage* van Byron op de bar gelegd. Hij zat voorovergebogen en flirtte met de serveerster; zo te zien had hij een beetje te veel cognac gedronken. Lucienne boog zich naar hem toe.

'Bonjour, Alain,' zei ze.

De man verstijfde, drukte zijn sigaar uit en draaide zich naar haar om. 'Pardon, monsieur, maar u vergist zich,' zei hij, asgrauw en geschrokken. 'Ik heet Thomas. Thomas Gutell. Deze jongedame hier zal u dat vertellen. Mijn naam is Thomas Gutell.'

'Neemt u me niet kwalijk, monsieur Gutell. U lijkt opvallend veel op een oude vriend van me, *citoyen* Alain Saint-Vincent. Hij leest ook poëzie.' Ze pakte zijn boek op, sloeg het open en liet haar blik over de woorden gaan. 'Ja,' zei ze. 'Byron. Ja. Daar houd ik van. Hij is goed. Mijn vriend Saint-Vincent zou hier ook van houden. Jammer genoeg is hij niet meer in Parijs. Hij is uit Frankrijk verbannen omdat hij zich tegen de koning heeft uitgesproken. Hij is het land uit gegaan, zeggen ze. Misschien moet ik hem een exemplaar van dit boek sturen.'

'Alstublieft, ik verzeker u dat ik het niet erg vind. Zo'n vergissing is gemakkelijk gemaakt.' De man die zich monsieur Gutell noemde nam weer een slok van zijn cognac. Lucienne stond op, gaf de serveerster enkele munten en maakte aanstalten om weg te gaan.

'Hebt u vandaag geluk aan de kaarttafel gehad, monsieur?' Blijkbaar wilde Gutell het gesprek met Lucienne nog even op gang houden.

'Ja. Veel geluk.' Ze glimlachte en gaf hem het boek terug.

'Mag ik u iets te drinken aanbieden?'

'Ik houd niet van de cognac hier.'

'Mag ik u het Café des Invalides aanbevelen?' zei hij. 'De beste tijd is rond zes uur, als het orkest speelt. De cognac is daar erg goed.'

'Zes uur? Dank u, monsieur, voor uw aanbeveling. Ik wens u een aangename middag.' Ze knikte in mijn richting. 'Au revoir, monsieur Connor,' zei ze. 'Tot later.'

Ik keek op de klok. Het was halfzes.

7

Ondanks de belofte die ik had gedaan volgde ik haar wel, want toen ik het Palais verliet, zorgde ik ervoor dat ik Jagots agent afschudde. Maar ik had hem niet afgeschud; hij had zich alleen onzichtbaar gemaakt. Na al die weken van wachten kon ik haar niet gewoon weer in die ondoorgrondelijke stad laten verdwijnen. Ik was uitbundig bij het vooruitzicht dat ik respijt zou krijgen van mijn verbanning uit de Jardin. Toch vertrouwde ik haar nog niet.

Ik volgde haar door de menigte, de trap af en naar de galerijen langs de tuin van het Palais Royal. Daar stonden Russische en Oostenrijkse soldaten tussen groepen vrouwen in smoezelig witte en vaalgele japonnen van chiffon die hun dijen strak omsloten, japonnen waarvan knoopjes los waren. De vrouwen glimlachten, spoorden hen aan, charmeerden hen, wezen naar de bovenramen van het bordeel. *Racolage*. Geld en seks. Soldaten met een schittering in hun ogen liepen over de binnenplaats en kozen de vrouwen met de fijnste huid of het volste figuur, alsof ze fruit uitzochten in een stalletje. Ik walgde ervan en tegelijk fascineerde het me. De prostituees in Edinburgh, die 's avonds mager en koud op een rij stonden onder de lantaarns bij de haven, zagen er heel anders uit. Al deze mannen en vrouwen leken net trots voortstappende pauwen in de menagerie van de Jardin, vond ik, met al die pluimen en al dat bont op de helmen van de soldaten en met de hoofdtooien van de vrouwen. Sierlijke hondjes speelden tussen de plooien van broeken en rokken.

Ik zag Lucienne in haar mannenkleren tussen de groepjes mannen en vrouwen door lopen. Enkele vrouwen begroetten haar. De prostituees gingen voor haar opzij. Ondanks haar vermomming was ze hier bekend. Gerespecteerd, leek het wel. Uit wat voor een vreemde voorgeschiedenis zou dat respect zijn voortgekomen?

Mijzelf verging het heel anders, daar in die galerijen. De vrouwen kwamen van beide kanten op me af. Ze liepen met schitterende ogen en rouge op hun gezicht achter de boogpoorten vandaan, daagden me uit, prikkelden me, en, ja, mijn lichaam verried me bij elke aanraking. Warme vingers volgden de spieren op de binnenkant van mijn dij; geverfde monden fluisterden obsceniteiten. Enkele stappen verder pakte een blonde vrouw die een tand miste mijn hand vast en drukte hem tegen haar borst, waar ik voelde dat een tepel hard werd onder het chiffon.

Ik keek strak naar voren en hield mijn blik gericht op een reeks bogen boven mijn hoofd. Ik concentreerde me op de verbleekte letters waarmee de zaken links en rechts hun waren aanprezen: *Bureau de Change de Toutes Sortes de Monnaie, Ombres Chinoises Séraphines, Café Américain, Cabinet de Consultation à l'Entresol*. Ik zag haar door de laatste galerij gaan en in het heldere namiddaglicht verschijnen.

Ze bleef staan, keek om zich heen en liep toen naar een vrouw in een witte jurk, die op een bank onder een plataan zat en in de vlekkerige schaduw van die boom een boek voorlas aan een klein donkerharig kind. De vrouw op de bank droeg haar haar in een knot met een strook purperen zijde en deed me daardoor denken aan Griekse beelden. Ze was klein en gracieus. Delphine, het kind van de postkoets, zat op de schoot van de vrouw en keek aandachtig naar het boek. Zo te zien kostte het haar grote moeite wakker te blijven.

Lucienne stond roerloos op een paar meter afstand. Ze keek

naar de vrouw die het kind voorlas, totdat het kind opkeek, haar zag, van de schoot van de vrouw af klauterde en over het gras naar haar moeder toe rende. Lucienne nam haar in haar armen en zwaaide haar hoog door de lucht. Het meisje droeg een jurk van een zacht oranjebruine stof, en die zwaaide nu achter haar aan. Toen gingen ze met zijn drieën, opgewekt en lachend, in de lange schaduwen van de namiddag onder de plataan zitten. Lucienne liet de gouden munten die ze aan de kaarttafel had gewonnen in het gras vallen, zodat het kind ermee kon spelen. Het was een mooi tafereel.

Nog maar enkele uren eerder had ik besloten naar huis te gaan. En nu stond ik naar Lucienne Bernard te kijken, die in de tuinen van het Palais Royal in de zon zat, gekleed als man, met het kind Delphine en een andere vrouw, misschien een nicht of een vriendin.

Zou haar belofte een list zijn geweest om mij zand in de ogen te strooien? Ik had haar wel erg gemakkelijk geloofd, vooral wanneer je bedacht hoe snél ik haar had geloofd. Ik vroeg me al af of ik er niet beter aan deed haar niet zomaar te volgen, maar Jagot te laten waarschuwen, zodat hij met zijn agenten kon komen. Ik had geen keus, redeneerde ik. Ik zou haar naar haar adres volgen, goed letten op alles wat ik zag en hoorde, en als ze om zeven uur niet in de passage des Petits-Pères kwam opdagen, ging ik regelrecht naar de Sûreté. Dan kon Jagot met zijn agenten naar haar adres gaan om mijn papieren, de koralen, de mammoetbotten en de kostbare manuscriptpagina's op te halen en haar en haar handlangers te arresteren. En dan ging ik naar Cuvier en begon ik opnieuw. Deze keer goed. Er was bijna een maand verstreken, maar het werk aan Cuviers boek zou er nog steeds liggen. 'Ik heb een leger van assistenten nodig om mijn grote werk te voltooien,' had hij in die brief aan Jameson geschreven. Hij zou me nog steeds kunnen gebruiken.

Lucienne liep nu met de vrouw en het kind door het labyrint

van straten met bordelen en gokhuizen. Op een driesprong gingen ze uit elkaar. Lucienne liep in de ene richting en de vrouw en het kind namen de andere straat. Toen Delphine even naar Lucienne omkeek, zag ze mij. Haar zwarte ogen bleven even naar me kijken en ze glimlachte.

Tot mijn opluchting werd Lucienne afgeleid door de eta-lages en de mensen die haar voorbijliepen. Ik volgde haar op enige afstand door drukke straten, telkens uitkijkend naar de zeegroene zijde en het hoofd met glanzend zwart haar dat zich daar ergens voor me bewoog. Zwart als de veren van een kraai.

We kwamen in de vergulde passage des Panoramas. Etalages lieten hun waren zien achter glanzend glas, en ook op de gemarmerde wandelweg werd veel geëtaleerd: stoffen, paraplu's, laarzen, bloemen, kasjmieren halsdoeken, boeken, prenten, muziekinstrumenten. Ik streek met mijn handen over goedkope souvenirs, voorwerpen in walnootdoppen, tandenstokers die samen een voddenrapersmandje vormden, Vendôme-zuilen en obelisken met een thermometer. Ik pro-beerde te verdwijnen, probeerde eruit te zien als al die man-nen en vrouwen hier, geboeid door de opzichtige droomhui-zen van de passage.

Ik volgde haar de boulevard Montmartre op en naar de bou-levard des Italiens, waar ze naar binnen ging bij het Café des Invalides en een plaats bij het raam nam. Ik ging in een don-kere hoek van een winkelportiek staan, tegenover het café. De weerspiegelingen van passerende rijtuigen en vrouwen met parasols zwommen als vissen door het glas. Ik stak de straat over om een beter zicht te krijgen en leunde enkele meters links van het raam tegen een muur. Het was zes uur.

Gutell kwam van het andere eind van de straat. Hij liep het café binnen en ging bij Lucienne aan de tafel zitten. Ze stond op om zijn wang te kussen; hij beantwoordde de kus en keek behoedzaam om zich heen. Ze waren geen vreemden voor elkaar. Door het caféraam zag ik hem haar een sigaar aanbieden, maar Lucienne maakte een afwijzend gebaar. Terwijl ze praatten, kringelde de rook van zijn sigaar om hen heen omhoog. Hoewel hij duidelijk nerveus was, had hij toch iets van een dandy.

Na ongeveer twintig minuten verlieten ze samen het café. Ik volgde hen door steeds smallere straten, tot ze uiteindelijk een donker straatje insloegen, de passage des Petits-Pères, onder lijnen met wasgoed die vanuit ramen van bovenwoningen waren gespannen. Ik bleef op de hoek staan wachten, luisterend naar het geluid van hun voeten op de kinderhoofdjes en het wegstervende geluid van hun stemmen. Ik hoorde een grendel die terug werd getrokken, het kraken van een grote deur die open- en dichtging. Ik keek het straatje in. Dat was leeg, afgezien van een kat en drie schurftige jonge poesjes die op wat rottende botten kauwden. De twee personen waren verdwenen. Mijn hart bonkte.

Ik ontdekte dat maar één deur groot genoeg was om het geluid te maken dat ik had gehoord. Het was een deur van donker hout, met sierlijk snijwerk en twee dof geworden koperen kloppers in de vorm van leeuwenkoppen, hun manen uitwaaierend over het hout. Blijkbaar was het de zijdeur van wat eens een gebouw van enig belang was geweest. Er had hier ooit een bord op de muur gezeten, maar dat was weggehaald; ik zag de gaten die waren achtergebleven toen de spijkers uit de muur waren getrokken, en er was een rechthoek van schone steen achtergebleven. Ik keek omhoog. De ramen waren dichtgespijkerd.

Ik ging op een kist bij de deur zitten, onder de derde straatlantaarn vanuit het oosten. Misschien zou Lucienne haar belofte toch nog nakomen. Al de dingen die ze van me had gestolen waren misschien zelfs daar achter die deur, in dat huis. Ondanks de verklaring die ze had gegeven kookte mijn bloed bij de gedachte aan de schade die ze had aangericht: hoe wei-

97

nig had het gescheeld of alles was verloren geweest! En zo zat ik daar te wachten. Ik keek naar de wasvrouwen die kwamen en gingen, luisterde naar flarden van hun gesprekken, naar zoemende vliegen en nu en dan de roep van zwaluwen op de huizendaken.

8

Toen de straatdeur openging en ze in haar eentje naar buiten kwam, brak er iets in mij. Al mijn zorgvuldig uitgedachte strategieën verdwenen als sneeuw voor de zon. Ik duwde haar tegen de muur en dacht aan niets anders meer dan dat ze niet opnieuw mocht verdwijnen. Ze verzette zich niet. Ik voelde de zeegroene zijde van haar jasje onder mijn handen, voelde de spieren en botten van haar schouders onder mijn greep. Ik rook de vage geur van haar zweet, zag een blos als een eiland op haar linkerwang. Ze bewoog bijna niet en hield haar hoofd iets naar achteren, alsof ze verwachtte dat ik haar zou slaan. Plotseling – mijn gezicht dicht bij het hare, haar mond zo dichtbij – was ik helemaal in de war.

'Alles is nu verpest,' zei ik. 'Ik heb geen geld, geen baan en geen vooruitzichten.'

'Monsieur Connor. Je doet me pijn.'

'Jij hebt alles voor me verpest.' Toch liet ik haar los. Ze veegde met haar handen over haar schouders om de plooien van haar jasje glad te strijken.

'Ik heb je al verteld dat ik naar je op zoek was,' zei ze. 'Je hebt je niet aan je belofte gehouden.' Ze keek nerveus door de straat. 'Je zei dat je me niet zou volgen. Je hebt er geen idee van hoe gevaarlijk dat was.'

'Geváárlijk?' Ik hoorde de hoon in mijn stem.

'Gevaarlijk voor míj. Ja. Maar ja, dat zal jou een zorg zijn.'

'Nu ben je onredelijk,' zei ik. 'Hoe lang moest ik wel niet op je wachten? Weken? Maanden? Wat doe je? Is dit een spelletje?'

'Niet doen,' zei ze.

Ze liep een eindje bij me vandaan. Ik bleef dichtbij.

'Ik weet wie je bent,' zei ik onhandig, 'en wat je doet. Ik weet alles van je.'

Plotseling deed ik een uitval naar haar, bang als ik was dat ze me weer zou ontglippen. Ik struikelde, viel tegen haar aan en gaf haar een harde duw. Ze viel in de richting van de muur, struikelde over een paar kistjes en stootte haar schouder. Toen herwon ze haar evenwicht, draaide zich om, liep naar me toe en sloeg me hard met haar vuist op mijn gezicht. Het geluid van de stomp, haar knokkel tegen mijn kin, galmde tegen de muren. Boven ons zong een gekooide vogel. Keer op keer herhaalde hij zijn refrein.

'Je weet niets. Je bent blind,' zei ze, wrijvend over haar hand. 'Zo blind als iemand maar kan zijn, monsieur. Je hebt geen idee. Je kijkt niet verder dan jezelf.'

Ik schopte hard tegen de muur. In de vallende schemering leek het wel of al het andere om me heen in water veranderde.

'Merde,' zei ik. 'Verdomme. Verdomme. Verdomme. Dat deed pijn. Ik heb hier de pest aan. Wat wil je dat ik doe? Ik ga akkoord met alles. Met alles. Ik doe... alles wat je maar wilt. Ik ben moe. Ik wil alleen...'

'Wat? Wat wil je...?'

'Ik ben naar Parijs gekomen om iets van mezelf te maken. Jij weet niet hoe hard ik heb gewerkt en hoe lang ik heb gewacht om deze positie te krijgen. Jij weet niet hoe moeilijk het was om mijn vader zover te krijgen dat ik hierheen mocht gaan. En in één nacht heb je alles verpest.'

'En hoe ziet dat eruit – wat je van jezelf wilt maken?' Ze leunde naast me tegen de muur. 'De grand tour, en dan naar huis, 's zondags naar de kerk, een praktijk, een tijdje in de gemeenteraad, gesprekken met dames die 's middags theedrinken? Wat ga je met je leven doen, monsieur Connor?'

'Als ik meteen naar Cuvier was gegaan,' zei ik, 'of iets had gedaan wat ook maar enigszins verstandig was, had ik misschien nog iets kunnen redden...' Ik deed mijn ogen dicht en keek naar de speldenknopjes van licht in de duisternis.

'Maar dan zou je nu niet hier zijn,' zei ze. Haar stem was milder geworden. 'Houd je ogen dicht,' zei ze. Ze kwam dichter naar me toe en duwde me tegen de muur. 'Vertel me nu welke kleur je ziet als ik dit doe.'

Ik zag blauw toen ze me kuste, daar in dat schemerige straatje. Ik kon mijn ogen niet opendoen, bang dat ik dan wakker zou worden in mijn kamer of ergens anders waar zij niet was, ergens waar de geur van bergamot niet hing, vermengd met de lucht die van de straatstenen opsteeg, een lucht van oud bier en geplette kruiden of zoiets – ergens waar het niet blauw was.

'Blauw?' zei ze toen ik haar antwoord gaf. 'Ik zie purper.'

Toen ik mijn ogen opendeed, was het donkerder in het straatje; de randen van alles waren zachter geworden; de kleuren waren weggetrokken. Aan het eind van het straatje liet de lantaarnopsteker een lantaarn aan zijn touw zakken, stak hem aan en hees hem weer omhoog.

'Ik heb geen plan, Daniel,' zei ze, leunend tegen de muur. 'Ik improviseer maar wat. Ik maak fouten. Dit alles – en jij ook – werkt op mijn gemoed. De jongen van Caravaggio, de koraalfossielen, de slimme vragen die je stelt in die notitieboeken van je, je prachtige tekeningen. Ik heb van je gedroomd – ik probeerde met je te praten, maar je schreeuwde. Maar... er zijn andere dingen. Dingen waar jij niet van weet en... je bent...'

'Niet doen,' zei ik.

'Wat niet doen?'

'Zeg niet tegen me dat je me niet vertrouwt.'

'Ssst,' zei ze, en ze kuste me opnieuw. Ik voelde haar adem, zag haar dikke, donkere wenkbrauwen, de kraaienpootjes bij haar ooghoeken. Ik deed mijn ogen weer dicht en zag in de duisternis bloemen die zich eindeloos langzaam openden, roestbruine bloemblaadjes tegen een donkerblauwe achtergrond, meeldraden met goudstof.

'*Doucement*,' zei ze. 'Kom binnen. Er is altijd iemand die luistert. Overal.' Ze keek naar weerskanten van de straat en wees omhoog, waar witte lakens als zeilen in de wind golfden tussen rijen ramen. Een luik klapte dicht.

'Maar de man in het café? Gutell?'

'Saint-Vincent?' zei ze. 'Zijn echte naam is Saint-Vincent. Hij is weg. Er is hier niemand.'

Ze haalde de deur van het slot en leidde me naar een binnenplaats. Onverzorgde bomen, bananenpalmen en vijgenbomen waren tegen de zijkant van het huis opgegroeid, en vandaar weer opzij, zodat het een jungle van bewegende schaduwen was geworden. Hier en daar zag ik een vaas waarin ooit bloemen hadden gestaan maar die nu alleen nog maar aarde en sigarenpeuken bevatte. Een oude klaptafel was bezweken en lag op zijn kant; stoelen lagen verspreid als de ledematen van iets wat allang dood was.

We liepen over de binnenplaats en ik volgde haar over een met bladeren bedekte stenen trap naar een open deur, waarvan de ruitjes hier en daar gebroken waren. Zo kwamen we in een stoffige gang. De meeste deuren in die gang waren dichtgespijkerd. Ik vertaalde de beroepen die op een plaquette in de hal vermeld stonden: een drukker, een messenslijper, een ijzerhandelaar, een linnenhandelaar, een slotenmaker, een handelaar in curiositeiten. Het was stil in het huis, afgezien van de zwakke geluiden van duiven ergens boven ons.

'Voor de revolutie was dit een heel voornaam huis,' zei ze. 'Toen splitsten ze het op in werkplaatsen en huurkamers, en nu, wel, nu is er bijna niemand meer. Op de begane grond heb je nog Sandrine de linnenkoopvrouw en Pierre de inktmaker, en ik zit op de tweede verdieping. We delen het huis met de katten. Sandrine heeft er vijf. Ik ben hier niet veel. Als ik hier vaker was, zou ik iets aan de binnenplaats doen en een paar dingen repareren. Wat ruik je?'

'Katten,' zei ik. 'Ik ruik katten en vochtigheid.'

'Ja, het huis is nu eindelijk van de katten, en van de duiven. Wij zijn de indringers.'

Boven aan een sierlijke gietijzeren balustrade die zich om een grote wenteltrap heen naar een dakraam slingerde, zo'n dertig meter boven de grond, zag ik de onrustige contouren van wat blijkbaar duiven waren. In het stoffige halfduister gingen we de trap op. Als ik een uur geleden had gedacht dat ik een plan had, had ik dat nu opgegeven. Het enige wat nu voor mij vaststond was dat ik haar zou vertrouwen.

Ik wist niet wat dat zou betekenen.

Op de tweede verdieping bleef ze staan om een deur open te maken. Op de muur hing een klein beschilderd bord met *Serrurier*. Slotenmaker. Jagot had me verteld dat Lucienne voor een slotenmaker werkte die Duluc of Duford heette. Nee, dat niet. Dufour. Leon Dufour. Hij had gezegd dat ze minnaars waren.

We kwamen in een donkere kamer met planken, tafels en alle benodigdheden van een slotenmaker: metaalzagen, metaalpersen en mallen, hoge stapels dozen met schroeven en lopers. Er hing een lucht van metaal en stof. Er hingen spinnenwebben aan tafels en muren. Over sommige kasten hingen vuile lakens met hier en daar duivenpoep. We hoorden een flard van een lied van een straatventer ergens beneden het raam.

'De slotenmaker, Dufour...' zei ik. Ik stelde me de slotenmaker en zijn lange minnares voor, hier in het gestreepte vochtige licht van warme middagen, en meteen deed ik mijn best om daar niet aan te denken. 'Is hij hier?'

'Hij is dood,' zei ze. 'Dufour is dood.'

'Wie is hij?'

'Een vriend. Iemand die hier ooit heeft gewoond. Sloten-maker en dichter. Omdat hij me dit alles heeft nagelaten, ben ik soms Dufour de slotenmaker.' Ze wees naar haar kleren. 'Vandaag ben ik Dufour de slotenmaker. Morgen ben ik lin-nenhandelaar of botanisch illustrator of drukkersassistent. In Parijs ben ik veel mensen. Wanneer ik zo gekleed ben als nu, kan ik komen en gaan waar ik maar wil.'

Ik voelde een tinteling. Warmte die zich door mijn lichaam verspreidde. Ja, dacht ik. Natuurlijk. Voor nog een kus van jou zou ik je alles willen geven.

'Ik ben het niet gewend om hier in de werkplaats gasten te ontvangen. Mag ik je wat wijn aanbieden? Ik heb hier ergens een fles bourgogne, geloof ik. Kom maar mee.'

Ik was niet voorbereid op wat er nu kwam. Achter de kamer met sloten, sleutels en stof, de werkplaats van de slotenmaker, die daar al lang niet meer werkte, bevond zich nog een ka-mer...

'Mijn kabinet,' zei ze.

Het had een grot onder de zeespiegel kunnen zijn. Het laat-ste avondlicht viel van links door hoge ramen op planken die bedekt waren met spiraalvormige schelpen, uitwaaierende sponzen en rode koralen met ingewikkelde vertakkingen. Alle wanden waren bedekt met planken, en in het midden stonden kasten met lange laden van verschillende lengte en breedte, en verpakkingskisten waaruit slierten gedroogd zeewier hin-gen. Aan een plafondbalk hing een opgezette krokodil; op de vloer lagen grote schelpen. Voor het raam stond een lange tafel met stoffige boeken, papieren en kleine roomwitte eti-ketjes waar rode zijdedraad doorheen gestikt was.

'Mijn specimina,' mompelde ik. 'Zijn ze hier? Je hebt ze gestolen. Hiervoor? Een verzameling?'

'Ja, ze zijn hier ergens. Ik zal ze voor je vinden. Maar eerst moet je wat wijn drinken.' Ze pakte twee glazen uit de kast en blies het stof eraf, waarna ze de fles ontkurkte.

'Ik heb nooit zoiets gezien...'

'Dit is nog niets,' zei ze. 'Zelfs maar een paar straten hiervandaan zijn er veel grotere verzamelingen. De comtesse de Sévignon...'

'Mag ik ze bekijken?' vroeg ik. Ik trok een lade open waarin witte koralen, met tentakels en patronen van lussen of netten, op donkerblauw fluweel lagen. 'Hoe lang heb je al die dingen al? Is dit alles gestolen? Hoe lang heb je...'

'De meeste dingen komen uit de verzameling van mijn grootmoeder, die ze bij haar dood aan me naliet. Sommige komen uit de Rode Zee. Andere zijn nieuw. Ze zijn allemaal zeldzaam en veel geld waard. Sommige, ja,' zei ze glimlachend, 'zijn "verworven". Gestolen. Het is voor mij meer dan alleen maar een verzameling. De verzameling heeft natuurlijk een zekere geschiedenis, die haar belangrijk maakt, maar ik ben ook een boek aan het schrijven.'

Ze trok een lade open en gaf me een zwarte waaierkoraal. Terwijl ze haar vingers over het delicate netpatroon liet glijden, vertelde ze me dat hij van de zeebodem van de Rode Zee was geplukt door een duiker uit Alexandrië, die hem later in de haven van Al Qusayr aan een Hollandse zeeman had verkocht, die koralen opkocht voor een scheepskapitein die iets van koralen en verzamelaars wist. In een Londense veilingzaal, gehuurd door een Russische vorst, kocht de schrijver Horace Walpole hem voor zijn vriendin, de hertogin van Portland, en daarna lag hij tot aan de dood van de hertogin in 1786 in het museum dat ze voor haar koraal- en schelpencollectie had laten bouwen op haar landgoed in Bulstrode Park in Buckinghamshire in Engeland. Na haar dood werd haar hele verzameling – vogelnestjes, koralen, snuifdozen, schilderijen, porselein, vogeleieren, fossielen – verkocht om de schulden van de hertogin af te betalen.

'Mijn grootmoeder stuurde haar agenten naar Londen om de koralen van de hertogin te kopen,' zei ze. 'Jammer genoeg was de helft van de andere koraalverzamelaars in Europa daar ook op afgekomen, en de prijzen waren dan ook schrikbarend. Ze moest drie schilderijen verkopen om de stukken te krijgen die ze wilde hebben, en dit was er een van. Dit stukje koraal uit de Rode Zee. Ze heeft hier een tekening van Rembrandt voor verkocht.'

Lucienne Bernard was aristocratisch, of tenminste, haar familie was dat geweest. Hoe was iemand met zo'n achtergrond een ordinaire dievegge geworden die door Jagot werd opgejaagd?

'Maar waarom?' vroeg ik. 'Waarom heb je al die moeite gedaan? Waarom doe je dat nog steeds?'

'Mijn grootmoeder verzamelde koralen omdat ze van zeldzame en exotische dingen hield. Voor mij ligt het anders. Mijn interesse is van filosofische aard. De koralen weten dingen die wij niet weten,' zei ze.

'Wat bedoel je, wéten? Ze hebben geen geest, geen ogen, geen ziel. Ze kunnen niets weten.'

Ze legde het stuk zwarte koraal op de tafel en verpakte het in dun wit papier. Vervolgens zette ze enige tekens en letters op het papier, bond er rood zijden draad omheen en legde het diep in het gedroogde zeewier in de kist. Ze pakte nog een koraal van de plank en deed daar hetzelfde mee.

'Ze weten hoe oud de aarde is,' zei ze. 'Ze weten hoe het leven op aarde is begonnen. Ze weten hoe dieren daar beneden op de zeebodem zijn veranderd, hoe hun lichaam muteerde en ze van vis in reptiel veranderden. Dat hebben ze gezien. Ze weten het.'

'Dat is belachelijk.' Ze praatte als een dichter, vond ik, helemaal niet als alle natuuronderzoekers die ik ooit had gekend.

'*Alors*,' zei ze. 'Misschien kunnen ze het ons niet vertéllen, maar we kunnen ze lezen en erachter komen, zoals wanneer je een boek leest of op een klok kijkt. De koralen zijn een klok die ons vertelt hoe oud de aarde is.'

'Maar we weten hoe oud de aarde is,' zei ik, 'of tenminste, hoe lang het geleden is dat de laatste grote catastrofe alles heeft weggevaagd. Drieduizend jaar. Dat heeft Cuvier vastgesteld.'

'Maar Cuvier heeft het mis en het is zo gemakkelijk te bewíjzen dat hij het mis heeft. Als een koraalrif met tweeënhalve centimeter per jaar groeit,' zei ze, en ze liet de afstand tussen haar wijsvinger en duim zien, 'en sommige riffen zijn driehonderd meter dik, hoeveel jaar zouden ze er dan over hebben gedaan om zo groot te worden?'

Ik rekende het uit. 'Ongeveer twaalfduizend jaar,' zei ik. 'Dat kan niet zo zijn.'

Het was de bedoeling dat ik mijn eigen koralen terugkreeg, zei ik tegen mezelf, niet dat ik naar haar kritiek op Cuviers werk luisterde. Maar ik was gefascineerd.

'*Oui, c'est vrai. C'est merveilleux, n'est-ce pas?* Stel je voor. De riffen zijn volkomen regelmatig. Dat betekent dat ze niet verstoord zijn. Het betekent dat er mínstens twaalfduizend jaar geen catastrofes zijn geweest, geen kokende zeeën, geen uitbarstingen of getijdengolven of engelen van de Apocalyps. Cuvier heeft het mis. Hij hoeft alleen maar eens goed naar de koralen te kijken om dat te kunnen inzien. Maar dat doet hij niet.'

Ik knikte naar de kisten en de geopende laden. 'Dus je gaat weg? Uit Parijs weg?'

'Ik ben naar Parijs teruggekomen om mijn verzameling op te halen en alles naar Italië terug te brengen,' zei ze. 'Nu Parijs wordt bezet, is niets hier veilig. Maar het kost veel meer tijd dan ik dacht. Ik moet vlug vertrekken, over een paar dagen.' Ze gaf me een glas wijn. 'Ik wilde je je bezittingen teruggeven voordat ik wegging. En me verontschuldigen. Je sliep en ik wilde zien wat je voor Cuvier meebracht, en nou, toen ik twee koraalfossielen uit de Ambras-verzameling in je kistje zag liggen, kon ik de verleiding niet weerstaan. Wist je dat ze ooit van Ferdinand II zijn geweest? Toch had ik ze niet moeten stelen en nu kan ik ze teruggeven.'

'Italië?' zei ik met bevende stem. 'Ga je naar Italië?'

'Ja, daar woon ik.'

'Het kind,' zei ik. 'Delphine?'

'Ze wil niet uit Parijs weg.'

'Waar is ze?' Ik had in de werkplaats uitgekeken naar dingen die op de aanwezigheid van een kind wezen – speelgoed, boeken, schoenen –, maar ik had niets gezien.

'Ze is in een klooster aan de noordkant van de stad. De nonnen hebben daar een school. Hier in deze werkplaats is ze niet veilig. Niet meer. Ik zie haar bijna elke dag, ze is niet ver weg.'

'Kun je een raam openzetten?' zei ik. 'Ik heb het warm.'

Het was benauwend warm in de kamer. Ik trok mijn jasje uit, deed mijn ogen dicht en dacht aan de donkere druk van haar zachte lippen. Toen ze naar me toe kwam en me opnieuw kuste, voelde ik een ondraaglijk verlangen, zachter en donkerder dan de zeebodem.

'Het is te warm,' zei ze. 'Je mag trouwens blij zijn dat je de schilderijen in het Louvre op die dag hebt gezien,' zei ze. 'De muren van het Louvre vertonen nu al veel lege plekken. Veertien dagen geleden hebben de Pruisen hun schilderijen teruggehaald, en Wellington heeft vandaag honderdvijftig schutters gestuurd om de Italiaanse schilderijen op te halen. Ze hebben ze in nog geen twee uur van de muur gehaald, behalve natuurlijk de doeken die Denon heeft verstopt – de werken waar hij geen afstand van kan doen. Kom eens mee, dan steek ik een paar kaarsen aan. Hier kunnen we niet zitten. Straks is het te donker om iets te zien.'

'Het Louvre? Ben je daar vandaag geweest?'

'Ja. Ik zocht jou,' zei ze. 'De soldaten kwamen de grote trap op met hun geweren. Denon stond alleen maar te kijken. Hij raakt eraan gewend. Toen de Pruisische soldaten een paar weken geleden de marmeren zuilen terug wilden halen die Napoleon uit de dom van Aken had meegenomen, zei Denon dat het dak van het Louvre naar beneden zou komen als ze die zuilen weghaalden. Dus lieten ze ze staan, maar ze namen al het andere mee. Die arme Denon.'

Ik volgde haar door een lage deuropening naar een kamer waar alleen een matras op de vloer lag, met verkreukelde lakens en een lichtblauw zijden nachthemd als een afgeworpen huid. Ze bracht een kandelaar en zette hem bij het hoofdeinde van het bed op de vloer.

'Wanneer ga je weg?' vroeg ik. Mijn stem sloeg over toen ze de knoopjes van mijn overhemd losmaakte.

'Gauw. We hebben dus weinig tijd. Ik wilde je naar je notitieboeken vragen. Je stelt daarin vragen over ongewervelden die... Er zijn boeken die je zou kunnen lezen...'

'Ik kan nu in Parijs blijven,' zei ik. 'Nu je me mijn bezittingen hebt teruggegeven. Jij kunt misschien ook blijven.' Een ogenblik lang vroeg ik me af of ik haar over mijn gesprekken met Jagot moest vertellen, of ik haar moest waarschuwen dat er blijkbaar een hoge prijs op haar hoofd stond, maar toen ze haar blouse over haar hoofd trok en haar haar loskwam van zijn lint en in het licht van de kaarsen glansde, dacht ik daar ook niet meer aan. Onder de blouse waren stroken wit linnen om haar borst gewonden.

'Je zult me hiermee moeten helpen,' zei ze.

Toen ik de witte bandjes aanraakte die om haar lichaam waren gebonden, probeerde ik aan de soldaten in het Louvre te denken. Ik stelde me voor dat ze ladders beklommen om bij de hoogste schilderijen te komen. Ze reikten schilderijen van Rubens, Caravaggio en Titiaan omlaag, haalden de doeken uit hun lijsten en rolden ze op. Als ik me op het Louvre concentreer, dacht ik, houden mijn handen misschien op met beven. Zonder erbij na te denken boog ik me naar voren om haar te kussen in de holte waar haar schouders in haar hals overgingen. 'Je kunt van gedachten veranderen,' zei ik. 'Je kunt blijven.'

Ze was naakt, afgezien van een witte zijden lange onderbroek die wit afstak tegen haar donkere huid.

'Je bloost,' zei ze toen ze zich glimlachend naar me omdraaide. Ze pakte een laken en sloeg het om zichzelf heen. Toen ik de laatste stroken linnen op de vloer liet vallen, raakte ze me aan. Haar vingers tastten naar de huid onder mijn open hemd. 'Wellington heeft tegen de Venetianen gezegd dat ze de paarden terug mogen hebben.'

'O ja?' Ik probeerde mijn gedachten te richten op de lege witte vlakken op de muren van het Louvre, terwijl ze mijn overhemd van mijn rug trok en mijn riem verwijderde. 'De paarden? Welke paarden?'

'De vier Venetiaanse bronzen paarden die Napoleon van het San Marcoplein heeft gehaald en op de Arc de Triomphe heeft gezet.' Ze liet zich op de matras zakken en trok me naast zich neer.

'De paarden die omlaagkomen,' zei ze. 'Dat zal een heel schouwspel worden.' Ze lag op haar zij met haar gezicht naar me toe, en volgde met haar vingers de lijnen van mijn dij en heup.

'Ik zie nu purper,' zei ik, mijn ogen dicht, mijn mond op de hare, mijn hand op haar borst, onder het laken.

'Parijs wordt nooit meer zoals het nu is,' zei ze. 'Alles verandert hier. Jij zult erbij zijn om het allemaal te zien, ook als ik weg ben. Jij zult alles zien.'

Op de avond van 20 augustus zat Napoleon, nadat hij acht of negen keer het dek van de HMS *Northumberland op en neer was gelopen, op zijn gebruikelijke plaats bij het tweede kanon vanaf de valreep aan de stuurboordkant. Hij dicteerde zijn memoires aan zijn secretaris Las Cases en dacht terug aan een bepaalde avond in zijn jeugd op Corsica: de geur van het huis in Ajaccio, zijn eerste militaire uniform, de geschiedenis van zijn familie – emigrés die uit Italië naar Corsica waren getrokken. Hij dacht er ook aan dat de vroedvrouw van zijn moeder hem, een te vroeg geboren baby, op de vloer van de slaapkamer had gelegd, op een kleed met scènes uit de* Ilias, *terwijl ze zijn moeder had verzorgd. Die scènes van Homerus waren de eerste beelden die ik zag, zei hij tegen Las Cases: Menelaos en Achilles in het strijdgewoel en Hectors lijk dat om de muren van Troje werd gesleept.*

Dagenlang had de keizer vanaf het dek naar een ononderbroken horizon getuurd of naar de verre landmassa's gekeken die voorbijgleden: kaap Finisterre op de noordwestelijke hoek van Spanje, de schitterende kliffen vol vogelnesten van kaap Saint-Vincent op de zuidkust van Portugal, langs de straat van Gibraltar, waar koopvaardijschepen samenkwamen om van de Atlantische Oceaan naar de Middellandse Zee te gaan, begrensd door wat eens de zuilen van Hercules werden genoemd. De HMS *Northumberland en de escorterende marineschepen vervolgden langzaam hun weg langs de kust van Afrika naar Madeira en voorbij Madeira naar de evenaar. Het zou nog minstens een maand duren voordat de keizer weer voet op vaste grond zette, duizenden kilometers bij Parijs vandaan.*

Het was zo warm dat Napoleon niet kon slapen; hij klaagde over zijn voeten, die door gebrek aan beweging waren opgezwollen. Elke dag bogen Las Cases en hij zich urenlang over de kaarten in de historische atlas die Las Cases enkele jaren eerder in Engeland had gepubliceerd en die hij had meegenomen om de keizer af te leiden. Als de keizer 's avonds zijn wandeling over het dek had gemaakt, speelde hij vingt-et-un of schaakte met zijn generaals, Las Cases en zijn lijfknecht, en trok zich dan in zijn hut terug. Alleen had hij die dag bericht gekregen dat Wellington had toegestaan dat het Louvre door Pruisische soldaten werd geplunderd. Waar moet het heen, vroeg hij zich af, nu er gieren over de keizerlijke stad cirkelen? Kon je maar een musket voor me vinden, fluisterde hij tegen Las Cases, dan konden we misschien iets doen.

9

Die ochtend maakten de katten ons wakker met bijna menselijke kreten die over de daken buiten haar raam schalden. We lagen naar de regen te luisteren, de eerste regen die we in weken hadden gehad.

'Blijf nog een paar dagen,' zei ik. 'Ik wil je nog eens zien. Ik wil...'

'Wat wil Daniel Connor?' vroeg ze glimlachend, half slapend. 'In Parijs loop ik gevaar,' zei ze, haar hoofd zwaar tegen mijn borst. 'Dat vergeet je steeds.'

'Ik ben alles buiten deze kamer vergeten,' zei ik. Ik streek met mijn vingers door haar haar en herinnerde mezelf eraan dat ze geen geestverschijning was. 'Buiten is niets.'

'Henri Jagot is er,' zei ze. 'Hij is er altijd. Hij vergeet niet.'

'Wat kan Jagot toch met jou willen? Er moet een vergissing in het spel zijn.'

Ik herinnerde me wat Jagot me over Silveira en Dufour had verteld. Ze was niet verstandig bij het kiezen van haar vrienden, dacht ik. Een ogenblik stelde ik me voor wat mijn vader over zo'n vrouw zou zeggen. Hij zou haar een gevallen vrouw noemen, al zou hij nu misschien ook van mij zeggen dat ik ten val was gekomen. Het waren lege frasen. Ze hadden geen betekenis meer voor mij.

'Het was een lelijke vergissing,' zei ze. 'Zes jaar geleden was er een vuurgevecht in een oud pakhuis in Montmartre. Een van Jagots agenten kwam om.'

'Heb jíj hem doodgeschoten? Die agent van Jagot?' Het leek me een verachtelijk idee.

'Nee, maar Jagot arresteerde mij en andere mensen. Hij zag ons voor anderen aan. Het was een persoonsverwisseling.'

'En dus wil hij wraak nemen. Werd Saint-Vincent, de man in het Palais Royal, ook opgepakt?'

'Ja. En Manon. Vier van ons ontsnapten uit het Bureau de la Sûreté, maar mijn vriend Dufour ontsnapte niet en werd naar de gevangenis van Toulon gestuurd. Jagot slaapt nooit en houdt nooit op met zoeken. Uiteindelijk zal hij me vinden, zelfs in Italië. Waar ik ook ben. Jij bent een mooie jongen, Daniel Connor, maar weet je, ondanks je schoonheid en slimheid en al die vragen van jou waar nooit een eind aan komt: ik kan niet in Parijs blijven.'

'Blijf dan om te zien hoe de Venetiaanse paarden omlaagkomen,' zei ik. 'Dat zijn maar een paar dagen. Blijf vijf dagen. Blijf ten minste nog vijf dagen.'

En zo begon het.

Die ochtend ruilde ik de koraalfossielen in voor vijf dagen van haar. Ik nam een paar uur later alleen het mammoetbot, het manuscript en de notitieboeken uit de werkplaats van de slotenmaker mee. Toen stapte ik de regen in, alsof er een nieuwe tijd was aangebroken, met een nieuwe lucht. Ik zou wel een manier vinden om de verdwijning van de koralen te verklaren, dacht ik. Ik zou tegen Cuvier zeggen dat ze in Londen vertraging hadden opgelopen en later in het jaar zouden komen. Ik was roekeloos geworden.

Ik kon bijna niet geloven dat het lot zich ten gunste van mij had gekeerd. De vorige dag nog had ik diep terneergeslagen besloten mijn baan op te geven en naar huis te gaan. Nu Lucienne me Cuviers manuscript en het mammoetbot had teruggegeven, was alles mogelijk. Alle deuren stonden open, niet alleen de deuren die ik had verwacht – de Jardin, de colleges, de baan –, maar ook die van een heel nieuwe gang met kamers waarvan ik het bestaan nooit had kunnen dromen, en achter elk van die deuren was Lucienne Bernard, de mooie geleerde, de dievegge, de vrouw die zich als man kleedde en de taal van koralen kende. Ik had een gevoel alsof me de sleutels van de stad waren gegeven.

Hadden we alles maar vooruit geweten. Ik had de koraalfossielen ingeruild voor vijf dagen van haar. Als ik niet helemaal in haar ban was geweest, en als zij niet had willen zien hoe de Venetiaanse paarden van de Arc omlaagkwamen, en als Jagots agent me niet naar de werkplaats was gevolgd, zoals zij vermoedde... zou ze weg zijn geweest. Dan zou ze misschien zijn ontkomen.

Ik wist dat ik niets voor Fin verborgen kon houden. Ik had die nacht niet in mijn bed geslapen en voor Fin kon dat maar één ding betekenen. En dus moest ik een verhaal bedenken. Toen ik de volgende avond in ons appartement terugkwam, was hij klaar voor me. Hij was vroeg uit het ziekenhuis naar huis gekomen, had de kamers opgeruimd en zat met een medisch studieboek op de chaise longue. Ondanks zijn enorme nieuwsgierigheid was hij blijkbaar van plan tenminste in het begin te doen alsof mijn terugkeer hem volkomen koud liet. Dat lukte hem niet.

'*Bonsoir*, monsieur Connor,' zei hij, en hij keek me aandachtig aan over de rand van het boek.

'Bonsoir, monsieur Robertson,' antwoordde ik. 'Je bent vroeg thuis.'

'En jij bent laat thuis, mijn vriend. Een hele nacht later dan anders.'

'Het is een mooie avond. Ik kwam langs een groep Pruisische soldaten die onder de Petit-Pont aan het zwemmen waren, en er waren circusartiesten op de kade. We zouden uit moeten gaan.'

'Waar ben je geweest?' vroeg hij.

'Op weg naar huis ben ik naar het badhuis aan de rivier gegaan.'

'Daarvoor, bedoel ik.'

'Geluncht... en daarvoor ontbeten in het café in de rue de Rivoli. Ik heb soep, kaas en een half brood gegeten. Vanmiddag ben ik naar de kapper in dat zijstraatje bij de Tuileries geweest om mijn haar te laten knippen.'

'Connor, ik verlies mijn geduld... Je bent gisternacht niet thuisgekomen.'

'Ja, dat weet ik,' zei ik. 'Ik heb ergens anders geslapen.'

'*Mon Dieu*. Dus Daniel Connor had eindelijk geluk? Heb je een meisje gevonden dat goed genoeg is voor jou? Zie je haar terug? Hoe ziet ze eruit – blond, brunette, lang, klein?'

'Ik ga andere kleren aantrekken voor het diner,' zei ik. 'En laten we daarna uitgaan. We hebben iets te vieren.'

Ik legde het houten kistje met het mammoetbot en de reistas op de tafel, liep de slaapkamer in en deed de deur dicht.

Even later riep hij: '*Mon diable!* Is dit wat ik denk dat het is? Dat is verdomme een mammoetbot. Merde. Heb je háár ook gevonden? De mooie dievegge? En heeft ze het je gewoon allemaal teruggegeven? Zomaar? Dan moet je wel goed zijn geweest...'

'Later,' zei ik, blij dat hij de blos op mijn gezicht niet kon zien. 'Fin, weet je wat dit betekent?'

'Ja. Daniel Connor heeft geluk gehad. Mon diable – dat werd tijd.'

'Het betekent dat ik in de Jardin terug ben. Het betekent dat ik op tijd ben. Ik heb Cuvier laten weten dat ik aan het eind van augustus met werken zou beginnen. Dat kan nu. Ik kan beginnen over...'

'Waren er naast het manuscript en het mammoetbot niet meer dingen?' vroeg Fin. 'Fossielen?'

'Ja, maar ik bedenk wel iets om daar een verklaring voor te

geven. Fin, je begrijpt het nog niet. Ik kan in de Jardin gaan werken. Ik zal geld hebben. Ik kan mijn schulden aflossen en de huur betalen. Ik hoef niet naar huis. Ik kan in Parijs blijven.'

'En zij? Vertel me over haar... *immédiatement*. We hebben geen tijd te verliezen. Fin is nieuwsgierig. Je moet Fin niet laten wachten.'

Ik had een verhaal bedacht dat zowel Fin als Lucienne zou beschermen wanneer Jagot vragen kwam stellen. Toen we naar het eerste café liepen, terwijl de hemel aan de horizon van donkerblauw in roze overging en de straten afkoelden en de geuren van knoflook en kruiden overal in de lucht hingen, vertelde ik Fin dat mijn dievegge helemaal geen dievegge was, maar een weduwe die madame Rochefide heette – Victorine – en dat ze mijn bagage per ongeluk had meegenomen. Ik zei dat ik haar die middag in het Palais Royal had gezien en dat ze me had meegenomen naar haar woning om me mijn bezittingen terug te geven. En van het een was het ander gekomen. Nou, het was bijna waar. Ik schaamde me een beetje voor het gemak waarmee ik de filosofische dievegge in een raadselachtige weduwe met een heel eigen levensverhaal kon veranderen. Nu hoefde ik dat verhaal alleen nog maar te onthouden, dacht ik. Dat zou niet gemakkelijk zijn.

'Het was je eerste keer, nietwaar, Connor?' zei Fin in dronkenschap, ergens in de vroege uurtjes van de morgen, toen we in een nis van de bar achter het Café des Deux Chats zaten. 'Daar moeten we op drinken. Je weet dat je je niet hoeft te schamen. Ik zal je een geheim vertellen: Céleste was mijn eerste en enige... Er zijn niet veel mensen aan wie ik dat zou toegeven, weet je. Maar jij, mijn vriend...'

Hij sliep al voordat hij de zin had afgemaakt.

Twee dagen na de nacht die ik in Luciennes bed had doorgebracht zat ze in de schaduw op de trappen van het Louvre een krant te lezen, wachtend op mij. Ik stond dichtbij in de schaduw, keek naar haar en liet me meevoeren door herinneringen. Ik bleef zo lang naar haar staan kijken als ik durfde. Mijn hart bonsde. Ik was ervan overtuigd dat ze weer zou verdwijnen, of in iets met vleugels zou veranderen en op zou vliegen om boven het plein rond te cirkelen.

De straten van Parijs waren warm en stoffig. Buitenlanders in vakantiestemming liepen met reisgidsen naar het museum om de nieuwste lege plekken op de muren te zien. Iedereen praatte. Wellingtons naam werd overal gefluisterd. Door Napoleon bij Waterloo te verslaan was Wellington een soort god geworden. En nu was de Britse generaal de poppenspeler die in Parijs aan alle touwtjes trok. Ze zeiden dat hij het Pruisische leger toestemming had gegeven het Louvre binnen te gaan. Wellington speelde het spel voorzichtig, zo diplomatiek als hij kon, maar als hij soldaten het Louvre in stuurde, streek hij lucifers aan boven een kruitvat, zeiden de Engelse kranten.

De Parijzenaars waren woedend. De trofeeën die Napoleon naar Parijs had meegebracht waren van hen, van Frankrijk. Het waren hun schilderijen, hun Venetiaanse paarden, hun beelden. Ze behoorden Parijs toe. En natuurlijk wilde iedereen nog steeds geloven dat Napoleon weer Parijs zou komen binnenwandelen alsof er niets gebeurd was en alle ambassadeurs, diplomaten en soldaten weg zou sturen.

Die dag daar op die stenen trappen was Lucienne alleen maar een man in een grijsgroene, enigszins versleten jas en een bruine broek en met laarzen aan. Haar uiterlijk, die maskerade, was er zorgvuldig op berekend dat ze geen aandacht zou trekken, dacht ik. Ze zag eruit als wel duizend kunstenaars en schrijvers in Parijs. Haar haar viel sluik langs haar gezicht, zoals dat van veel kunstenaars. Zou ze mij zijn opgevallen, vroeg ik me af, als ik het niet had geweten, als ik haar niet bij kaarslicht van die linnen stroken had ontdaan? Zou ze mij zijn opgevallen tussen de mensen in een koffiehuis of café? Zou ik mijn metgezel hebben aangestoten en gezegd: dat is een vrouw die verkleed is als man? Bijna zeker niet. Ze gebruikte geen trucs. Ze had geen vals haar. Ze was gewoon een erg lange vrouw die als man verkleed was en dus door iedereen als zodanig werd beschouwd. En ze was maar een van de velen in Parijs die zich vermomden, vrouwen die voor mannen doorgingen, mannen die voor vrouwen doorgingen, dieven die politieagent werden, dieven die graaf werden.

'Stel je de menigten voor die hier op het plein geweest moeten zijn,' zei ze, wijzend naar de place du Carrousel, waar de vier bronzen paarden zwart en gespierd tegen de hemel afstaken op de top van de Arc de Triomphe. 'Het is zeventien jaar geleden dat ze de paarden naar Parijs brachten. Het was een lange stoet van wagens, geflankeerd door dieren uit de menagerie: struisvogels, kamelen, gazellen en gieren. Soldaten en een militaire kapel.'

'Was jij erbij?' Mijn schouder kwam tegen de hare aan. We keken over het plein naar de Arc, die straalde in de zon, het wegdek glanzend na twee dagen regen.

'Nee. Ik was in Egypte,' zei ze. 'Ik heb er daar in de Franse kranten over gelezen.'

'Ben je in Egypte geweest?' Ik hoorde het ongeloof in mijn stem. Mijn jongensachtige ontzag en jaloezie klonken er duidelijk in door. 'Met de veldtocht van Napoleon mee?'

Ik wist dat Napoleon geleerden had meegenomen naar Egypte: archeologen, botanisten, astronomen, medici en ingenieurs. Ze gingen mee om over Egypte te leren en eeuwenoude kennis naar Frankrijk te brengen. Ik vond het een glorieus verhaal, dat van Napoleon en zijn geleerden en soldaten in Egypte. Het leek me een typisch keizerlijke daad. Jameson had ons de krantenverslagen van de expeditie in de collegezaal voorgelezen. Hij had met onmiskenbare jaloezie over de scheepsladingen met wetenschappelijke benodigdheden en boeken gesproken die met de honderdzevenenzestig geleerden waren meegegaan. En ik interesseerde me voor twee mannen in het bijzonder, Étienne Geoffroy Saint-Hilaire en Marie Jules Savigny. Geoffroy, toen nog maar zesentwintig en al hoogleraar aan de Jardin des Plantes, kreeg de leiding van al het onderzoek naar gewervelde dieren, terwijl Savigny, nog maar eenentwintig, het onderzoek naar ongewervelden leidde.

'Ik was in Egypte toen de paarden naar Parijs kwamen,' zei Lucienne. 'Ja, eind juli 1798. Ik was daar een van de assistenten van Geoffroy. Ze lieten ons een uniform dragen. Het was ontzettend heet.'

'Lieten ze vrouwen een uniform dragen?'

'Ik ging natuurlijk als man,' zei ze lachend. 'Ze lieten geen vrouwen meegaan naar Egypte, behalve als marketentster, en ik wilde geen marketentster zijn.' Ik stelde me felgekleurde uniformen tegen een achtergrond van wit zand voor, duizenden mannen en jongens ver van huis. Ja, ik kon haar in de straten van Caïro zien, een Franse soldaat die zich door menigten mammelukken, kamelen en danseressen bewoog.

'Geoffroy verzamelde nieuwe vissoorten,' zei ze. 'En dus ging ik met de vissers aan de kusten of op de rivieren mee, of liep ik de viskramen in afgelegen vissersdorpjes langs. Haaien, roggen, kogelvissen, longvissen – ik bracht ze allemaal naar Geoffroy, verpakt in kisten met stro en ijs. Er zijn daar vissoorten die je je niet kunt voorstellen. Waar de woestijn aan het vruchtbare land grenst en waar zoet water en zeewater bij elkaar komen.'

'Hoe was het om voor Geoffroy te werken? Is hij zo briljant als ze zeggen?'

'Het was vooral frustrerend,' zei ze. 'Hij werkte zo hard dat hij er ziek van werd. Hij vond in de wateren van de Nijl een vis waarvan hij dacht dat het een *chaînon manquant* was. Hoe zeg je dat?'

'Een ontbrekende schakel,' zei ik. 'Een vis?'

'Toen Geoffroy hem ontleedde, vond hij bronchioli die aan de long van een mens deden denken. Dat veranderde alles voor hem. Het liet hem inzien dat we allemaal uit één primaire vorm voortkomen. Ik zei steeds weer tegen hem dat we de koralen in de Rode Zee moesten onderzoeken. Nog verder in de tijd terug. Zij zijn de sleutel, Geoffroy, zei ik, niet de vissen. Maar hij wilde niet luisteren. Hij wilde niet verder kijken dan die vis van hem, zelfs niet toen de Engelsen hun kamp al buiten Alexandrië hadden opgeslagen.'

Naast de tekeningen en beschrijvingen van de Egyptische veldtocht die ik in Jamesons vergeelde kranten had gezien of gelezen, zag ik daar nu ook een andere wereld, een wereld waarin mannen in helder verlichte kamers, met glazen potten vol dode zeewezens, over hun microscopen gebogen zaten en discussieerden. En koralen in de Rode Zee. Ik was niet dom. Zelfs toen al, op mijn eenentwintigste, wist ik dat de Rode Zee niet rood was, maar toch zag ik dat toen ik mijn ogen dichtdeed: de tentakels van roomwitte en roze gepunte koralen, deinend in rood water. En ik zag haar daar ook, haar haar golvend als zeeslangen, zo naakt als de Japanse parelduikers die ik op afbeeldingen had gezien, die als roofvogels het water in doken.

'Zie je die soldaten daar naar boven kijken?' zei ze. 'Ze kijken hoe ze de paarden naar beneden kunnen halen.' Een groepje Engelse soldaten stond aan de andere kant van het plein naar de Arc omhoog te kijken en te wijzen. 'Nog een paar dagen.'

'Dan gaan Napoleons oorlogstrofeeën terug naar Venetië, waar ze thuishoren,' zei ik.

'Ze zijn al minstens duizend jaar oorlogstrofeeën,' zei ze. 'Ze zijn heen en weer gegaan tussen keizers en indringers. Napoleon heeft ze uit Venetië gehaald, maar daarvoor hadden de Venetianen ze uit Constantinopel gestolen. En daarvoor had keizer Constantijn ze uit Rome geroofd, en de Romeinen hadden ze van de Grieken gestolen, of gekopieerd. Dus waar zouden ze heen moeten gaan? Venetië, Constantinopel of Griekenland? Alleen zijzelf weten waar ze zijn begonnen.'

'Ze zijn van brons,' zei ik. 'Net als jouw koralen kunnen ze niets wéten.'

'Je vat alles zo letterlijk op, monsieur Connor,' zei ze lachend. 'Waar is je fantasie?'

Ik vroeg me af hoe we eruitzagen – twee mannen die samen opkeken naar de Arc de Triomphe. We moeten broers of vrienden hebben geleken. Maar we waren minnaars. Ik wilde haar weer aanraken. De herinnering aan haar lichaam was een kwelling.

'Waar is Jagots agent vandaag?' vroeg ze plotseling. Ze keek de straat door.

'Hij is weg.' Ik probeerde niets van mijn voldoening te laten blijken. 'Ik heb hem afgeschud.'

'Niemand schudt een van Jagots agenten af,' zei ze. 'Geloof me. Jagot moet zijn volgers om de een of andere reden hebben teruggefloten. Ik vraag me af wat dat betekent.' Ze aarzelde, dacht na. 'Dat maakt de dingen gemakkelijker,' zei ze. 'Voorlopig. Totdat ik Parijs uit ben. Wat ga je doen, nu je je bezittingen terug hebt?'

'Ik heb Cuvier geschreven,' antwoordde ik, 'en hem de brieven van Jameson gestuurd. Hij schreef gisteren terug. Het was geen probleem. Maandagmiddag om drie uur heb ik een afspraak met hem, en dan begin ik dinsdag te werken. Ik wou dat het eerder was. Ik wil zo veel dingen met hem bespreken.'

'Vandaag over een week,' zei ze. '*Bon*. Een nieuw begin voor Daniel Connor. Ja, dat is goed. Waar ga je werken? Hoe lang?'

'Zeven uur per dag. Van maandag tot en met zaterdag. In de Galerie d'Anatomie Comparée. Ik krijg mijn eigen bureau. Ik heb die afspraak met hem in zijn studeerkamer. Hij zegt dat hij bedolven wordt onder het werk voor zijn nieuwe boek.'

'*Bon,*' zei ze. 'Dat is heel goed. Je hebt geluk. In Cuviers huis zul je veel leren.'

'Hij schrijft een catalogus van het hele dierenrijk,' zei ik, 'met een beschrijving van alle soorten op de wereld. Geen wonder dat hij bedolven is onder het werk. Het is het meest ambitieuze werk sinds de boekdelen van Buffon. Stel je voor: alle soorten op de aarde bij elkaar.' Ik vond het een opwindend idee dat mijn naam tussen andere op de titelpagina van een van die delen zou staan.

'Alle soorten die ontdékt zijn,' zei ze. 'Dat is niet hetzelfde als alle soorten op aarde. Het lijkt me een vreemd project, als je bedenkt hoeveel belangrijke vragen er in deze tijd beantwoord moeten worden, bijvoorbeeld hoe het leven is begonnen of waarom soorten veranderen. Cuvier wil nog steeds bewijzen dat soorten onveranderlijk zijn.'

'Ik ga aan het deel over vogels werken,' zei ik, een beetje gekwetst door haar laatdunkende woorden over Cuviers werk. 'Daar begin ik mee. Met de vogels. Het werk is in volle gang, maar blijkbaar ligt het achter op het schema. Hij heeft meer assistenten nodig.' Hoewel ik alles wat ik ooit had geweten al in twijfel trok, zelfs de definitie van het begrip 'soort', deinsde ik toch nog terug voor de implicaties van het transformisme. Waar zouden we zijn als we niet meer in orde, structuur en voorzienigheid geloofden? De goddeloosheid van zo'n wereld maakte me bang.

'En als jij aan je werk voor de baron begint,' zei ze, 'ben ik weer in mijn studeerkamer in Italië, tussen mijn boeken en papieren.'

'Het einde van de zomer,' zei ik. Nu ik eraan dacht dat ik haar zou verliezen, werd iets wat me belangrijk had geleken plotseling onbeduidend. 'Blijf in Parijs tot het einde van de zomer. Tot de bladeren zijn gevallen. Jagot kan je niet vinden.

Hij heeft te veel te doen en te weinig agenten. Je verkeert momenteel niet in gevaar.'

En Lucienne liet me die lome glimlach van haar zien die me vertelde dat ze wel beter wist. Toch beloofde ze nog even te blijven, en in die laatste week voordat mijn werk in de Jardin begon, toen de dagen korter werden en de tuinlieden de late zomerrozen verzorgden, liet ze me het Parijs zien dat ze zich herinnerde – haar Parijs: huizendaken, verborgen koffiehuizen en cafés bij de rivier, traiteurs die voor een paar sous de beste vis van Parijs verkochten, uitgestorven parken en oude paleizen. Op een middag lagen we urenlang op de bodem van een boot onder een wilg in de zon en praatten over bloedsomloop, spontane generatie en de kleuren van de koralen op de zeebodem voor de kust van Egypte.

Fin en Céleste kregen er nooit genoeg van om me naar madame Rochefide, de mooie weduwe, te vragen: wat ze droeg, met wie ze omging, wat ze deed. Als ik kon, verzon ik dingen, al had ik daar geen prettig gevoel bij en was ik er ook niet erg goed in. Maar ik had geen keus. Ik sprak altijd alleen in vage termen over de straat waar ze woonde. Omdat ik zulke ontwijkende antwoorden gaf, geloofde Fin ten slotte dat madame Rochefide helemaal geen weduwe was en dat er een jaloerse echtgenoot in de coulissen stond.

10

Op 28 augustus stond ik in de nieuwe hemelsblauwe jas die ik me speciaal voor deze gelegenheid had laten aanmeten, voor Cuviers huis in de Jardin. Ik drukte het mammoetbot in zijn kistje en het manuscript tegen me aan en wachtte op het klokgelui van het uur van mijn afspraak. Alle luiken waren gesloten om de warme middagzon buiten te houden. Een familie van Franse toeristen had witte tafellakens over picknicktafels gespreid in de schaduw van de platanen. Vrouwen met strohoedjes gaven kinderen borden met koekjes aan en goten melk uit aardewerken kruiken in glazen. Voorbij hen en voorbij het hekje van latwerk dat ongeveer een meter hoog was en alle vakken van de Jardin afschermde, was een tuinman witte rozen aan het snoeien.

De vrouw die opendeed, stelde zich voor als Cuviers stiefdochter, Sophie Duvaucel, een lange, aantrekkelijke maar vermoeid kijkende jonge vrouw die als Cuviers assistente fungeerde. Ze was ook een van zijn talrijke illustratoren. Vanuit de gang zag ik kamers met glanzende vloerplanken, vol boeken, bloemenvazen en kleurrijke kleden.

We gingen een trap op en liepen door een lange bibliotheek die uit een reeks kamers bestond, elk met werken over een bepaald onderwerp – osteologie, recht, ornithologie – en vervolgens naar Cuviers werkruimte. Dit was Cuviers befaamde sanctum sanctorum, waar hij zijn boeken schreef, zijn gedachten dacht en de raadsels van tijd en oorsprong oploste.

'Niemand mag hier binnenkomen,' fluisterde Sophie terwijl ze de zware deur openduwde, 'behalve op uitnodiging. Zelfs niet de assistenten.'

Overal in de kamer – donker, met de luiken dicht en met elf bureaus langs de wanden – zag ik botten, boeken en papieren. Cuvier zat achter zijn bureau als een oosterse sultan die een stoffige buitenlandse afgezant ontving in zijn privévertrek. Ja, ik had een lange reis gemaakt met deze geschenken, dacht ik. Langer dan hij kon beseffen.

Het was een beetje moeilijk om adem te halen.

Cuvier was indrukwekkend: zijn lichaamsmassa, zijn houding, zijn kleren, zelfs zijn hoofd met dikke losse krullen, doorschoten met grijs. Hij had de houding van een staatsman en droeg medailles op zijn donkerblauwe jacquet.

Zijn korte welkomstwoord klonk ingestudeerd, maar dat vond ik niet erg. Maar het zat me wel dwars dat Cuvier me in de tien minuten dat ons gesprek duurde nauwelijks aankeek. Ik wist dat ik een van de vele tientallen assistenten was die hadden gestaan waar ik nu stond, maar ik had mezelf ervan overtuigd dat ik als beschermeling van Jameson, als de student uit Edinburgh die was uitverkoren en werd aanbevolen op grond van zijn grote vaardigheden op het gebied van ontleding en observatie, de student die met geschenken naar de grote Franse hoogleraar was gestuurd, een belangrijke nieuwkomer voor hem zou zijn. Blijkbaar was dat niet het geval. Cuvier was er niet helemaal met zijn gedachten bij en blijkbaar ook een beetje ongeduldig, al lukte het hem wel een zekere mate van warmte in zijn begroeting en handdruk te leggen. Hij sprak Frans met een opvallend Duits accent. Zijn stem klonk afgemeten, een beetje gesmoord, een kleine stem voor zo'n grote man.

'Ik neem aan dat u weer helemaal gezond bent,' zei hij, en hij keek me een beetje behoedzaam aan, op zoek naar tekenen van zwakte. 'Mademoiselle Duvaucel zegt dat u erg ziek bent geweest sinds u in Parijs bent aangekomen. We hebben hier jongemannen met een sterk gestel nodig. Ik neem aan dat u goede ogen hebt.'

'Ik ben volledig hersteld, monsieur. Dat verzeker ik u,' zei ik, in de hoop dat mijn manieren goed genoeg waren als ze in het Frans werden vertaald. 'Ik wil graag zo gauw mogelijk met het werk beginnen. Ik wil nuttige dingen doen. En mijn ogen zijn uitstekend.'

'Ja, ja,' zei hij. 'Goed. Dat is goed. Jameson laat zich erg lovend over u uit.'

Ik had een kort toespraakje namens Jameson voorbereid, maar nadat Cuvier me naar de reacties op zijn nieuwe boek, de *Discours Préliminaire*, in Engeland had gevraagd, enkele complimenteuze opmerkingen over Jameson had gemaakt en naar diens gezondheid had geïnformeerd, maakte hij duidelijk dat ik kon gaan. Toen ik aarzelde, hem het kistje met het mammoetbot voorhield en iets mompelde over vergelijkende anatomie, Jameson en nieuwe betrekkingen tussen Frankrijk en Engeland, maakte hij zelfs een gebaar om me weg te sturen. Sophie nam het kistje voorzichtig van me over, zette het op de dichtstbijzijnde tafel neer en deed de deur open.

'U moet het niet persoonlijk opvatten, monsieur Connor,' zei ze, toen we naar de bibliotheek terugliepen. 'Mijn stiefvader heeft het erg druk. U zult hem niet veel te zien krijgen. Hij heeft veel werk aan zijn nieuwe boek, en nu de koning terug is, heeft hij veel verantwoordelijkheden in Frankrijk. U moet dus nooit iets persoonlijk opvatten. Iedereen die voor hem werkt, ziet dat in. Het werk is goed. Het levert zijn eigen beloningen op... Die blauwe jas,' voegde ze eraan toe, 'is erg mooi, maar de professor ziet zijn assistenten liever in sombere kleuren. Zwart of bruin is goed.' Ze glimlachte.

En zo begon ik de volgende dag eindelijk aan mijn werk als assistent van professor Cuvier in de bibliotheek van de Galerie d'Anatomie Comparée in de Jardin des Plantes in Parijs. Het was nauwgezet, moeizaam werk waar geen eind aan leek te komen. We werkten die zomer met zijn tienen aan het deel over vogels van Cuviers *Règne Animal* – elf, als je Sophie Duvaucel meerekende, die daar ook werkte. We zaten aan een lange rij bureaus bij de ramen van de bibliotheek. De andere assistenten waren, afgezien van Sophie, allemaal jongemannen van in de twintig; met Achille en Joseph ging ik elke dag eten in de Jardin. Achille Valencienne was in Parijs geboren en had een artikel over parasitaire wormen gepubliceerd. Joseph Risso, uit Nice, had een boek over de ichtyosaurussen in de omgeving van Nice gepubliceerd en was aan een onderzoek naar de natuurlijke historie van sinaasappels begonnen. Geen van beiden interesseerde zich erg voor vogels, maar ze waren assistenten van Cuvier en dat betekende dat ze deden wat hun gezegd werd.

Als assistenten van Cuvier maakten we een leertijd door. En het werk was competitief; we stonden allemaal onder druk om te presteren. Achille en Joseph wilden uiteindelijk allebei naar India worden uitgezonden, of naar de Himalaya of Sumatra, om daar monsters voor het museum te verzamelen, maar je kreeg pas opdracht voor veldwerk als je eerst hard had gewerkt, je vak had geleerd en je sporen had verdiend, zeiden ze. En vanwege Cuviers nieuwe boek betekende dat in het najaar van 1815 dat je je met vogels bezighield – illustraties van vogels, beschrijvingen van vogels, taxonomie van vogels. Alfred Duvaucel, Cuviers stiefzoon en Sophies jongere broer, was volgens Achille en Joseph aan de beurt om naar het buitenland te worden uitgezonden. Hij zou met Pierre-Medard Diard naar Chandannagar gaan. De twee jongemannen waren klaar met hun werk in de bibliotheek en leerden nu taxidermie in het laboratorium aan de andere kant van de Jardin. Ze moesten in de natte hitte van India, op de oevers van de Ganges, in staat zijn vogels op te zetten. Ze waren al veel verder dan Achille en Joseph.

Ik verlangde naar een gesprek met Cuvier over embryologische vraagstukken, maar ik kreeg hem bijna niet te zien. Als pasbenoemde staatsraad had hij veel officiële verplichtingen, zodat hij 's morgens vaak niet in het museum was. En zoals Achille zei, wanneer hij de spot met mijn optimisme wilde drijven: Cuvier maakte er geen gewoonte van om gesprekken over wat dan ook te voeren met zijn assistenten, ook niet als hij daar de tijd voor had.

'U bent alleen maar illustrator en klerk, monsieur Connor,' zei Achille met een theatrale imitatie van Cuviers Duitse accent. 'Een nederige voetsoldaat in de mars naar kennis. U moet het niet te hoog in de bol krijgen. En u moet de filosofische vraagstukken aan de professoren overlaten. Feiten, monsieur Connor, daar hebben we behoefte aan. Wij toleren hier geen speculaties.'

Evengoed dacht ik na over de vragen die ik zou stellen, en als het werk nog moeizamer en pietepeuteriger was dan gewoonlijk, herinnerde ik mezelf aan de belangrijke rol die ik speelde bij de totstandkoming van het magnum opus van Cuvier. Ik hoopte uiteindelijk zijn aandacht te trekken, niet alleen met mijn ijver, maar ook met de precisie en snelheid van mijn beschrijvingen. Misschien zou ik hem dan op een dag in het voorbijgaan zo'n briljante vraag stellen dat er niets anders voor hem op zat dan me in zijn werkruimte te laten komen om te práten.

Ik maakte langere uren dan de andere assistenten. Vaak was ik de laatste die wegging, hoe graag ik ook naar Lucienne toe wilde. Er was alleen het probleem dat ik Cuviers taxonomische ideeën niet los kon zien van Luciennes speculatieve ideeën. Dat kwam door de uren dat ik met taxonomie van vogels bezig was. Waarom, wilde ik vragen, zijn er zo veel minuscule variaties in de klauwstructuren van vogels uit heel sterk op elkaar lijkende ondersoorten en uit leefmilieus die dicht bij elkaar liggen maar toch van elkaar te onderscheiden zijn? De feiten bleken geen feiten; ze veranderden steeds in moeilijke vragen over divergentie en variatie. Ik nam die vragen mee naar Lucienne Bernards bed in de werkplaats van een slotenmaker, waar ik nogal controversiële antwoorden kreeg. Ze gaf me ook andere wetenschappelijke boeken en artikelen te lezen dan professor Cuvier me zou hebben gegeven.

Een week nadat ik in de Jardin was begonnen, en nadat ik had geklaagd dat ik niets over haar vrienden wist, nam Lucienne Bernard me mee naar Café Zoppi in Saint-Germain-des-Prés, waar Manon Laforge, de vrouw die ik in de tuin van het Palais had gezien, en Alain Saint-Vincent zaten te kaarten in een nis achter een gordijn. In diezelfde nis, zei ze, had Rousseau eens gekaart met een befaamde weduwe wier naam ze was vergeten.

Het eerste wat Alain Saint-Vincent tegen me zei, was: '*Monsieur Connor, je suis un homme mort.*' Dat was typisch iets voor Alain. Zo praatte hij. Theatraal. Melodramatisch. *Ik ben een dode man.* Hij bedoelde alleen: *Ik verlies met kaarten.*

'Nog niet, Alain, nog niet helemaal,' zei Lucienne met een blik op zijn kaarten.

'Wel, wel,' zei Alain. Hij stak zijn kaarten in zijn borstzak en kwam overeind om me de hand te schudden. 'Een van Cuviers beschermelingen. Dat is nog eens een verrassing! Lucienne, kun je me tweeduizend frank lenen? Manon heeft me van mijn allerlaatste kleingeld beroofd. Ze heeft geen medelijden.' Hij trok een stoel voor me bij. 'Kaart u, monsieur Connor?'

'Nee, het spijt me.'

'Ik zal het u leren. Je kunt geen man vertrouwen die niet kaart. Laten we verder spelen.'

'Dat kan niet, Alain,' zei Manon. 'Dat weet je. Je kent de regels. Geen geld, geen kaarten.'

Lucienne boog zich naar voren en stopte wat bankbiljetten in Alains borstzak.

'Genoeg?' zei ze.

'Ja. Weet je het zeker?'

'Natuurlijk. Jij zou hetzelfde voor mij doen als het andersom was. We zijn het je schuldig.'

'Je hebt het al duizend keer terugbetaald.'

Alain Saint-Vincent rookte te veel sigaren en dronk te veel whisky; hij had een lelijke hoest. Van dichtbij leek hij ouder dan zowel Manon als Lucienne. Hij had een hoog voorhoofd met dunne lijnen en expressieve wenkbrauwen. Hij droeg dure kleren in felle kleuren; zijn overhemden hadden dure kanten manchetten. Hij was charmant en welbespraakt, maar hij mocht graag ruziemaken. Eigenlijk was hij ondergedoken, maar hij wist blijkbaar niet hoe hij zich moest schuilhouden of zich onzichtbaar moest maken.

Manon Laforge was klein, slank en gespierd en zag er dan ook meer uit als een acrobate dan als een danseres. Haar zwarte haar was kortgeknipt, maar soms droeg ze een tulband, zoals in die tijd de mode was, en ze droeg ook armbanden; dat weet ik nog. Met al die sieraden en die zijde om haar haar had ze wel iets van een zigeunerin. Ze was kalm en beslist niet theatraal.

Manon mocht me niet erg. Dat kon ik van meet af aan zien. Ze vertrouwde me niet en was het er niet mee eens dat Lucienne me wel vertrouwde. Ze was het er niet mee eens dat ik in de werkplaats bleef slapen. Dat vond ze een fout. Dat kon ik zien. Als ze praatte, keek ze steeds even naar Lucienne. Die twee hadden geheimen, en dat vond ik niet prettig. Ze waren familie. Ze woonden samen in Italië. Ze reisden met elkaar, kookten met elkaar. Ze hadden grapjes die zij alleen kenden; ze lachten om dezelfde dingen.

'Hoe oud bent u, monsieur Connor? Veertien? Vijftien?' vroeg Saint-Vincent.

Ik liet me niet uit mijn tent lokken. 'Drieëntwintig.'

'En zo'n fraai Engels accent. Drieëntwintig. U kunt niet veel jonger worden. Of mooier om te zien.'

Manon keek strak naar Lucienne, die een nerveuze indruk maakte. Lucienne nam een sigaar uit Saint-Vincents doos, stak hem aan, nam een paar trekken, trok een vies gezicht en drukte hem uit in een asbak.

'Er was een tijd dat we het gordijn in Café Zoppi niet dicht hoefden te trekken,' zei ze.

'Je hebt een slecht geheugen, Lucienne Bernard,' zei Saint-Vincent. 'Zo is het al het grootste deel van de afgelopen twintig jaar. Sinds wanneer vind jij het erg? Jij hoeft alleen maar op je hoede te zijn voor Jagot. Ik heb ook nog met de spionnen van Wellington en de Franse koninklijke garde te maken. Verbanning,' zei hij. 'De schande! Wie zijn zij om te zeggen dat ik niet meer in Frankrijk mag zijn? Wie heeft het recht om dat te zeggen?'

'Je hebt op het verkeerde paard gewed, mijn vriend.' Lucienne trok stoelen voor ons beiden bij. 'Verbanning? Is dat het ergste? Denk eens aan Sint-Helena, de gravin, de drie Corsicaanse broers... Moet ik nog verdergaan?'

'Ik had gelijk toen ik me tegen de terugkeer van die dikke, waardeloze koning en zijn dikke, waardeloze regering uitsprak. Ik had alleen pech. Ja, ik heb pech gehad.'

Lucienne wilde hem nog niet met rust laten.

'Het zou al hebben geholpen als je niet zo openlijk kritiek op de nieuwe koning had uitgeoefend. Wat konden ze daarna met je doen? Hè? *Quoi?* Doen alsof je niet bestaat? En doe nou ook maar niet alsof je zo'n politieke held bent. Je gaat al jaren van de ene naar de andere kant. Je was royalist toen Napoleon dit voorjaar Parijs binnenmarcheerde. Je kunt niet van twee walletjes eten.'

'Het ziet er niet goed uit, Alain,' plaagde Manon. 'Monsieur Connor, lijkt deze man u een politieke held?'

'Ik zou het niet weten,' zei ik. 'Ik heb er nooit een ontmoet.'

'Ik ben oorlogsveteraan,' zei Alain. 'Gerespecteerd wetenschapsman. Niemand ter wereld weet zoveel van mariene botanie of algen als ik. Ik ben directeur van het departement van kaarten en documenten geweest op het ministerie. Ik ben gewond geraakt in de slag bij Austerlitz.'

'Niet zo hard,' snauwde Lucienne.

'Wist je dat de schoften mijn oorlogspensioen hebben ingetrokken?' Alain had een appel van zijn bord genomen en schilde hem in één ononderbroken spiraal, langzaam en zorgvuldig. Nu stak hij het mes in de appel, sneed er een kwart af en stopte het in zijn mond.

'Dat is de wet,' zei Manon. 'Verbannen botanisten krijgen geen pensioen.'

'Waarom ben je niet uit Parijs weggegaan? Het is al twee maanden geleden dat ze je hebben verbannen,' zei Lucienne met een blik op mij. 'Ik wed dat er ergens een vrouw in het spel is.'

'Waar zinspeel je op?' Alain keek gekwetst.

'En waar is je vrouw?' vroeg Manon.

'In Bordeaux... Ik kan daar niet eens heen.'

'De beslissing om jou op die lijst te zetten is op hoog niveau genomen.'

'Cuvier of een van zijn vriendjes,' zei Saint-Vincent. 'Hij heeft met de autoriteiten gepraat, nietwaar? Nu hij staatsraad is, ziet hij kans om iedereen te verbannen die zijn ideeën ooit heeft betwist.'

Lucienne, die besefte dat ik erbij zat, veranderde vlug van onderwerp, voordat ik de kans had om zijn aantijgingen aan het adres van Cuvier te betwisten.

'Davide?' vroeg Lucienne. 'Heb je hem gevonden? Heb je het aan de handelaren in curiositeiten gevraagd?'

'Nog niet,' zei Manon, die meteen somber keek. 'Hij zal ons vinden voor wij hem vinden. Lucienne, heb je over Coignard gelezen? Ze hebben zijn lijk gistermorgen in de Seine gevonden. Hij was gemarteld en zijn handen en voeten waren afgehakt. Ze zeggen dat het Jagot was, die een oude rekening vereffende. Ze zeggen dat Coignard bedoeld is als les voor de anderen op de lijst. Lucienne, we moeten uit Parijs weg.'

'Ik weet het,' zei ze. 'Ik weet het. Voordat hij ons weer op het spoor komt, zijn wij allang weg.'

'Vertel me iets wat niemand anders ter wereld over jou weet,' zei Lucienne toen we later die middag in de boot onder de wilg lagen. 'Een geheim.'

En dus vertelde ik over het uit hout gesneden bootje dat mijn vader voor mijn oudere broer kocht toen ik tien was en hij twaalf, en dat ik dat bootje zo graag wilde hebben dat ik het uit het raam gooide, in een brandnetelveldje waar niemand het zou vinden. Ik vertelde haar over de dag waarop ik een sleutel had gestolen om het bureau van mijn vader open te maken en in zijn papieren te kijken, in de hoop dat ik brieven van mijn echte ouders zou vinden. Ik vertelde haar dat ik er altijd zeker van was geweest dat er een geheim in het huis was, iets wat iedereen, de bedienden niet uitgezonderd, verborgen hield, en dat ik vaak op zoek ging naar dat geheim – wat het ook mocht zijn – als er verder niemand in huis was.

Ik vertelde haar dat ik, op zoek naar dat ene geheim over mijzelf, allerlei geheimen had gevonden die aan andere mensen toebehoorden – dat ik een keer had gezien dat mijn oudere broer een van de dienstmeisjes aanraakte op een manier zoals hij dat niet zou moeten doen, dat ik vanuit een schuilplaats in de butlerskeuken ontdekte dat de bedienden allerlei methoden hadden bedacht om de jongere dienstmeisjes bij mijn broer uit de buurt te houden, dat mijn moeder helemaal niet ziek was, dat ik haar heel normaal had zien lopen toen mijn vader op zakenreis was, en dat ik haar eens een andere man dan mijn vader had zien kussen. Ik vertelde haar dat voor mij als kind de wereld vol verbijsterende geheimen was geweest en dat ik, om dat alles vooral niet te vergeten, alle geheimen die ik had ontdekt in steno in een schrift had genoteerd. Lucienne lachte. 'En niemand weet iets van die dingen?' zei ze. 'Ik ben nu de enige die weet dat het speelgoedbootje in de brandnetels ligt? En dat je moeder soms een andere man dan je vader kust?'

'Ja,' zei ik. 'Al heb ik het haar maar één keer zien doen. Het is de broer van mijn vader. Mijn oom. Ze schrijft hem nog steeds brieven. Ik was natuurlijk geschokt, maar nu lijkt haar geheim me eigenlijk niet zo bijzonder meer. Hoeveel geheimen zouden er in Parijs zijn? Vertel jij me nu iets over jezelf wat niemand weet. Een geheim.'

'Een geheim?' zei ze. 'Er is een man die naar mijn bed komt...'

'O ja?' zei ik. Ik ging plotseling rechtop zitten.

'Hij heeft zwarte krullen en een litteken op zijn kin en hij lijkt een beetje op een jongen van Caravaggio, behalve als hij erg serieus wordt, of boos of jaloers – dan lijkt hij helemaal niet op een jongen van Caravaggio. Als hij met me praat, als ik zie hoe de wereld er voor hem uitziet, als ik zie hoe hij vervuld is van verwachtingen, nieuwsgierigheid en ambitie, zie ik de wereld zoals die er twintig jaar geleden voor mij uitzag, toen alles mogelijk leek, toen ik dacht dat ook ik alle geheimen kon ontdekken en alle raadsels kon oplossen. Voor de revolutie. Maar weet je, de geheimen vermenigvuldigen zich alleen maar. Als je het antwoord op een vraag hebt, komt er een andere vraag voor in de plaats.'

'En ben ik een geheim?' zei ik. 'Weet niemand van me af?'

'Ik denk dat Manon het misschien weet,' zei ze. 'Manon weet alles, of ik het haar nu vertel of niet.'

Ik wilde naar Delphines vader vragen, de slotenmaker Dufour, maar wist niet hoe en ging er dus met een omtrekkende beweging op af. 'Delphine,' zei ik. 'Zal ze naar school gaan?'

'Nee, beslist niet. Ze hoeft niet naar school. Manon en ik hebben Delphine opgevoed in de geest van Rousseau. We leven buiten de stad en geven haar les, en ze geeft zichzelf les. Ze heeft geen leraren. Mijn grootmoeder heeft mij ook zo opgevoed; ze las *Emile* van Rousseau toen het net was gepubliceerd. Dat was een geluk voor mij. Ik had veel vrijheid. Ik had een bibliotheek, een tuin en de beste microscoop van Marseille. Delphine is nu vijf en ze stelt al meer vragen dan jij. Zelfs meer dan ik op haar leeftijd. En de meeste van haar vragen gaan tegenwoordig over Napoleon.'

'Waarom Napoleon? Dat lijkt me een vreemde interesse voor een kind.'

'Ze heeft hem een keer ontmoet in het huis van de ambassadeur in Florence. Hij speelde een spelletje *vingt-et-un* met haar en liet haar winnen. Ze zal tot aan Waterloo wel hebben geloofd dat hij onoverwinnelijk was, dat hij een soort god was. Waterloo was een zware slag voor haar. Ze denkt nog steeds dat hij gered wordt.'

'Misschien wórdt hij ook gered,' zei ik. 'We weten het nog niet. Er moeten nog honderden mijlen over de oceaan worden bevaren voordat hij op Sint-Helena is.'

En toen we bespraken wie Napoleon zou kunnen redden, werd de belangrijke vraag naar Delphines vader weer vergeten.

Op 22 augustus kregen HMS *Northumberland en de negen escorte-*
rende marineschepen Madeira in zicht. Twee van de boten wilden in
de haven voor anker gaan om proviand in te slaan voor de schepen,
maar er kwam storm opzetten. De zee was ruw, de hemel ging
schuil achter een laaghangend dik wolkendek, en de wind zat vol
prikkend zand uit de woestijnen van Afrika. De keizer dicteerde
nu zijn memoires over de Egyptische veldtocht en beschreef de op
dromedarissen rijdende legers die zo veel succes hadden gehad in de
woestijnschermutselingen. Op een kameel rijden, zei hij tegen Las
Cases, is ongeveer hetzelfde gevoel als op een schip varen.

Door de storm bij Madeira konden de proviandboten niet in de
haven komen. De boten laveerden heen en weer, wachtend op hun
kans om voor anker te gaan, maar de storm hield twee dagen aan.
Napoleon schreef nieuwe brieven aan de keizerin en zijn vierjarige
zoontje, die in ballingschap in Wenen waren.

Wat de Engelse admiraal een storm noemde, noemde de Engelse
consul op Madeira een orkaan. De hele wijnoogst was verwoest en
alle ruiten in het stadje waren gebroken; door de hitte en het zand
in de lucht was het onmogelijk geweest adem te halen in de straten
van het stadje.

Twee dagen later, na weer een lange, zware nacht, bereikten enige
bevoorradingsboten de proviandboot vanaf het eiland. Ze brachten
enkele ossen mee en ander proviand in kisten: Madeira-wijn, si-
naasappels waarvan de keizer zei dat ze onrijp waren, perziken
waarvan de keizer verklaarde dat ze niet goed waren, en perziken

waarvan hij zei dat ze geen smaak hadden. De vijgen en de druiven daarentegen, zei hij, waren uitstekend, en de Madeira-wijn kon ermee door. De boten brachten ook postzakken en nieuws over de jongste beslissingen die door het congres van Wenen waren genomen. De drukkers in Parijs maakten nieuwe kaarten van Europa, zei hij tegen Las Cases. Het Franse imperium werd opnieuw getekend door politici met linialen en tekendriehoeken. Dat waren geen mannen. Wat wisten zij van veldtochten, muiterijen en epidemieën?

Terwijl de hemel dagenlang verduisterd werd door laaghangende bewolking zetten de schepen weer koers naar open zee. De keizer begon aan een nieuwe partij schaak. Er waren geen vissen te zien, en de passaatwinden, die op deze geografische breedte meestal zo onvoorspelbaar waren, kwamen uit de verkeerde richting, zodat ze maar moeilijk vooruitkwamen. Dat was een slecht voorteken, zeiden de matrozen. Daar kon niets goeds uit voortkomen.

In de bibliotheek van de Galerie d'Anatomie Comparée verdwenen mijn dagen in de minuscule wirwar van Cuviers handschrift, dat ik bladzijde na bladzijde kopieerde, of in de delicate inktlijnen waarmee ik het verenkleed van vogels tekende, vleugel na vleugel en snavel na snavel.

Na een week was ik gewend aan het leven in het museum en had ik de assistenten beter leren kennen. Ik kreeg meer plezier in mijn werk, vooral toen Cuvier na twee of drie weken Sophie Duvaucel speciale opdrachten voor mij gaf, omdat ik zo snel werkte en mijn tekeningen zo nauwkeurig waren, zei hij. Hij had gezegd, vertelde ze me, dat ik er een talent voor had de lichaamsdelen van vogels bondig te beschrijven. Dat leek mij geen bijzonder talent, zei ik tegen haar, en trouwens, zij corrigeerde mijn Frans altijd heel zorgvuldig, dus als iemand eer toekwam voor mijn succes, dan was zij het. En hoewel ze duidelijk blij was met mijn opmerking zei ze tegen me dat de Galerie d'Anatomie Comparée al meer dan genoeg pluimstrijkers had en er geen vacatures waren voor nog meer.

Wij vormden natuurlijk maar een klein deel van de productielijn van Cuviers ambitieuze catalogiseer- en taxonomieproject: *Le Règne Animal*. We waren alleen maar de illustratoren en klerken. Achter ons strekte een web van avonturiers, veldonderzoekers, zendelingen en ontdekkingsreizigers zich uit tot in elke hoek van de wereld. Daar, in de frontlinie, in de klamme hitte van de jungles van Sumatra, Madagaskar en

Oost-Indië of in de schrale woestenijen van Australië, waren Cuviers veldassistenten op jacht. Ze schoten alle nieuwe soorten die ze konden vinden en zetten ze op.

Zendelingen, ambtenaren, diplomaten en ambassadeurs stuurden Cuvier opgezette vogels uit alle havens op de wereld. De exemplaren kwamen elke paar weken per bootlading binnen. Dan werden ze door schuiten bij de poort van de Jardin afgeleverd, met kisten vol geëtiketteerde dozen waarin zich vogels in alle denkbare kleuren en vormen bevonden, met zorgvuldig genoteerde gegevens over de vindplaats en de inhoud van hun maag. Meestal zat er ook een anatomische tekening bij.

De lof die Cuvier nu en dan voor mijn werk had maakte me niet populairder bij de andere assistenten. Ze zeiden dat ik de ladder sneller beklom dan eerlijk was. Maar toen de spanning opliep in de weken die voorafgingen aan de komst van de Nederlandse afgezant in Parijs, Brugmans – die, zeiden ze, een groot aantal opgezette vogels en geraamten waaraan wij werkten mee terug zou nemen naar Nederland –, profiteerden we allemaal van eventuele nauwkeurigheid en efficiency aan mijn kant, want Cuvier werd ongeduldig en zijn humeur werd met de dag slechter.

Van tijd tot tijd kwam madame Cuvier naar de bibliotheek met haar dochter Clémentine, die toen elf jaar oud was. Clémentine mocht graag naar ons kijken of tekende de opgezette vogels die op een rij bij het raam stonden. Clémentine was een vroom, zelfs puriteins kind, altijd in het zwart gekleed, enthousiast lid van het Bijbelgenootschap voor dames en samen met haar gouvernante een regelmatige bezoekster van het ziekenhuis voor oude vrouwen. Ze was al een getalenteerde anatomisch tekenares en klerk. Daar had haar vader wel voor gezorgd.

Madame Cuvier had het moeilijk gehad, zeiden de andere assistenten. Ze was weduwe geworden en in 1803 met Cuvier getrouwd. Haar man, generaal Duvaucel, was naar de guillotine gestuurd, en ze was met vier kinderen en zonder geld achtergebleven. Bovendien waren drie van de vier kinderen van haar en Cuvier gestorven. Het eerste, een jongen, was maar enkele dagen oud geworden; het tweede, George, was in 1813 op zevenjarige leeftijd overleden, en Anne in 1813 op vierjarige leeftijd. Een van de jongens Duvaucel was ook gestorven, omgekomen door kruisvuur toen het Franse leger zich in 1809 uit Portugal terugtrok. Madame Cuvier had dus vier van haar acht kinderen verloren, en Cuvier had nog steeds geen natuurlijke mannelijke erfgenaam die hem kon opvolgen. In de familiedynastieën van de Jardin waren mannelijke erfgenamen belangrijk.

Er hing daar dus voortdurend een atmosfeer van gespannen rouw. De meeste dagen deden we ons werk in volslagen stilte, zoals Cuvier ons had opgedragen, behalve op dagen dat Cuvier en Clémentine Cuvier niet in het gebouw aanwezig waren, want dan stond Sophie Duvaucel ons toe onder het werk te praten; ze moedigde dat zelfs aan. Soms zong ze zelfs. Gewoon omdat ze het leuk vond, zei ze. Om de stilte te verbreken. Ik had bewondering voor haar energie. Niemand anders had ons zulke lange uren kunnen laten werken.

De assistenten imiteerden Cuviers zware Duitse accent en noemden hem achter zijn rug *Herr Küfer*, want hij was Duitser van geboorte en was niet gedoopt als George Cuvier, maar als Johan Küfer, het Duitse woord voor kuiper, iemand die vaten, emmers en kuipen maakte, maar Achille zei tegen me dat ik daarover niet moest praten, want Cuvier wilde niet graag dat mensen het wisten. Toen de jonge Johan Küfer, een veelbelovende student aan de universiteit van Stuttgart, huisleraar van de twaalfjarige kleinzoon van de marquis d'Héricy in Normandië werd, had hij zich blijkbaar George Cuvier genoemd om beter in de provinciale Franse samenleving te passen.

Soms hoorde ik zelfs Sophie hem binnensmonds Herr Küfer noemen, vooral wanneer Cuvier zich weer eens als een despoot gedroeg. Ze was erg eerbiedig, maar ik geloof niet dat ze veel van haar stiefvader hield, al had ze wel bewondering voor hem. Soms trok ze haar wenkbrauwen een beetje op als Cuvier weer eens met de verhalen kwam aanzetten die hij graag aan zijn beschermelingen mocht vertellen, verhalen die nogal verbleekten doordat ze tot in den treure werden herhaald. Hij praatte altijd over zijn leven alsof hij zijn memoires dicteerde.

In Normandië – en Cuviers kruiperige secretaris Charles Laurillard kreeg er nooit genoeg van om dit verhaal te vertellen – was Cuvier ontdekt door de briljante plaatselijke arts Antoine Tessier, een Parijse abt die in vermomming op het platteland leefde om aan de guillotine te ontkomen. Tessier, zo wilde het verhaal, was zo onder de indruk van de kennis van natuurlijke historie die de jonge huisleraar bleek te bezitten, dat hij opgewonden aan zijn vrienden in de Jardin des Plantes schreef: 'Ik heb zojuist een parel gevonden in de mesthoop van Normandië.' Cuvier werd naar Parijs ontboden en tot assistent-hoogleraar aan de Jardin des Plantes benoemd.

En dan was er Joseph Deleuze, 'de oude Deleuze' noemden wij hem, excentriek en obsessief. Hij kwam in het midden van september bij ons om de productie van het boekdeel over vogels voltooid te krijgen voordat Brugmans kwam. Deleuze woonde al twintig jaar in de Jardin, in een woning naast het museum. Hij leidde een soort dubbelleven. In de Jardin was hij een vooraanstaand botanist die planten classificeerde, catalogiseerde en illustreerde. Buiten de Jardin was hij voorzitter van het Genootschap voor Magnetisme en auteur van *Histoire critique du magnétisme animal*, deel een, een werk dat, zoals hij me trots vertelde, een bescheiden succes had behaald in de steeds grotere wereld van beoefenaren van dierlijk magnetisme in Parijs.

'Te weinig van jullie jonge wetenschapsmensen nemen magnetisme serieus,' zei hij, toen ik glimlachte om het idee van een Genootschap voor Magnetisme. 'Jullie sluiten je ervoor af. Ik was nog jong toen ik mijn eerste magnetisme zag. Ik was net als jullie, een scepticus. Maar er is niets occults aan. Als we leren hoe we magnetisme naar onze hand kunnen zetten, brengt dat een revolutie in de geneeskunde teweeg. Je moet eens meekomen naar een van onze bijeenkomsten in de rue de Rivoli. Of misschien wil je wat tijdschriften van het Genootschap lenen?'

Ik mocht de oude man Deleuze wel. Hoe graag hij je ook tot het magnetisme mocht bekeren, hij wist alles wat er te weten viel over de gang van zaken in de Jardin.

Intussen had Jagots agent zich al enkele weken niet laten zien. Lucienne werd steeds roekelozer. Omdat ze ervan overtuigd was dat het aan haar vermomming te danken was dat Jagot zijn volger had teruggefloten, bleef ze zich buiten de werkplaats als man kleden, maar ze liep gewoon overdag samen met mij over straat en zocht me zelfs op in de Jardin.

Naarmate Lucienne roekelozer werd, werd mijn angstige voorgevoel groter. Jagots afwezigheid was veel zorgwekkender dan zijn aanwezigheid. Ik wist niet wat het betekende en hij had nog steeds mijn paspoort in zijn bezit. Hoewel ik wist dat ik om teruggave moest vragen, wilde ik geen nieuw gesprek met Jagot. Bovendien zou ik het paspoort pas nodig hebben als ik Parijs verliet, en ik had nog geen plannen in die richting.

Ik zei dus tegen haar dat ik bang was dat ze gevaar liep, maar op een mooie ochtend in het begin van september namen we evengoed een boot naar de Jardin des Plantes. Dat deden we op een van de zeer weinige dagen dat ik vrij had. Onze botenman zocht zorgvuldig zijn weg tussen aken, kolenschepen en kleine koopvaardijschepen. Hij keek van tijd tot tijd over zijn schouder om roestige kettingen, drijfhout en boeien te ontwijken. Bruingroen water kabbelde tegen de natuurstenen kades; weerspiegeld rivierlicht speelde over bakstenen muren en kaatste tegen de onderkant van metalen boogbruggen, waarop rijen duiven zaten.

'Wat gebeurt er nu?' vroeg Lucienne aan de botenman.

'Pardon, *citoyen*?'

'Nu de keizer weg is?'

'Ik kan u één ding vertellen, monsieur, en dat is gratis: de nieuwe koning doet niet voor Parijs wat de keizer heeft gedaan. Kijkt u maar eens naar alle bruggen, abattoirs, overdekte markten, het Canal de l'Ourcq dat de keizer heeft gegraven, meer dan vijftig prachtige fonteinen, de overdekte wandelpaden langs de rechteroever... Parijs moet hem terug hebben.' Anderen in de boot knikten instemmend, zonder enige terughoudendheid. Een vrouw zette haar kind op haar schoot en trok haar mantel om hen beiden heen. '*Vive l'Empereur*,' zei ze.

Muren, bomen en boten leken onder het schuim en de olie op het wateroppervlak te verdwijnen. We gleden langs de werven van botenbouwers en scheepsslopers, met roestige ankers die uit de modder staken. We hoorden de geluiden van hamers op de rompen van schepen, zagen en kletterende machines, schuitenvoerders die naar elkaar riepen over de verschansing. Zeilen bolden in de opstekende wind. Geleidelijk kwam de poort van de Jardin in zicht.

'Hanz en Marguerite, noemden de mensen ze,' zei ze, toen we waren uitgestapt en tussen de toeristen bij het hek stonden en naar de lange tuin van het Muséum National d'Histoire Naturelle keken. 'Hanz en Marguerite, ja. De olifanten die ze in de Nederlanden kochten, uit de menagerie van de stadhouder.'

'Ik denk dat ze dood zijn,' zei ik.

'Dat is triest,' zei ze. 'Ze waren beroemd in heel Frankrijk. Je moest in de rij staan om ze te zien. De oppassers lieten musici van het Conservatoire de Musique voor ze spelen om ze tot paren te stimuleren.'

Lucienne gaf wat muntjes aan de man achter het loket bij de ingang van de Ménagerie en we passeerden het draaihek. Bij de berenkuil boven aan een stenen trap bogen mannen, vrouwen en kinderen zich over de reling om een bruine beer in een boomstam te zien klimmen. Drie andere beren liepen heen en weer over de stenen tegels beneden. Ze schommelden een beetje.

Links van ons had zich een menigte verzameld voor een groot rond gebouw dat omgeven was door een hek. Achter de zwarte glanzende hoeden, de parasols en strohoedjes aan deze kant van het hek, dat van spitse punten was voorzien, bewoog zich een grote grijze massa heen en weer. Zijn olifantsslurf reikte naar de menigte, die telkens wanneer hij in hun richting zwaaide begon te klappen en te juichen. Een seconde lang ving ik een glimp op van een groot nat oog.

'Het is allemaal zo strak,' zei ze, toen we langs een groepje Engelse vrouwen met parasols kwamen, die bij de bloembedden aantekeningen maakten voor hun tuinlieden. 'Dit alles. *C'est un jardin militaire*. Alles groeit in rechte lijnen. Alles is afgericht, bijgeknipt, gladgeschoren. Het doet me denken aan korsetten, veters en baleinen.'

'Een tuin moet nu eenmaal bijgehouden worden,' zei ik. 'Anders raakt alles in verval.'

'Mijn grootmoeder had een tuin in Marseille...' begon ze. 'Daar was ik 's zomers altijd.'

Terwijl ze dat zei, ging de ene tuin over in de andere. Ze praatte over pauwen en hazen, een schelpengrot en perken vol hybriden en bloemen die hun zaad mochten uitwerpen waar ze maar wilden. En in het huis, zei ze, had de schelpen-, fossielen- en koralenverzameling van haar grootmoeder de kamers op de benedenverdieping grotendeels in beslag genomen, zodat er bijna geen plaats meer was om te zitten.

'Op bijzondere dagen mocht ik van mijn grootmoeder de koralen uit de laden pakken,' zei ze, 'en terwijl ik ze op blauw fluweel in patronen schikte, zat ze bij me en vertelde me waar ze allemaal vandaan kwamen. Ze liet het me op de kaart zien en vertelde me over de zee en alle onontdekte wezens die daar leefden. Ze zei dat als de scheepskapiteins het over zeemeerminnen en -mannen hadden die ze hadden gezien, ze in werkelijkheid een mensenras beschreven dat nog niet zijn weg naar het land had gevonden. Dat hoefde ook niet, zei ze, want onder de zeespiegel hadden ze alles wat ze nodig hadden.'

Lucienne praatte alsof ze droomde. Ik stelde me een kind met een donkere huid voor dat door kamers rende waarvan de luiken gesloten waren, dat sliep tussen gigantische snuifdozen, botten en ammonieten.

Ten tijde van de revolutie werd de verzameling van haar grootmoeder opgeëist voor de republiek, zei ze tegen me. Dat gebeurde ter onderrichting van het Franse volk. Cuvier had een lijst van de grote verzamelingen op het gebied van natuurlijke historie in de voorname huizen van Frankrijk gemaakt en aan Napoleon ter hand gesteld, en die had hem op zijn beurt aan de generaals van zijn leger gegeven.

'De verzameling van mijn grootmoeder was maar een van de honderden verzamelingen op Cuviers lijst,' zei ze. 'Toen ik na het eerste jaar van de revolutie naar Marseille terugkeerde, was alles weg: de soldaten hadden alle pauwen en de dieren in de menagerie doodgemaakt. Ze waren naar de tuinen van mijn grootmoeder gelopen en hadden haar botanische verzameling opgegraven. In het huis waren alle laden en kasten leeg, met uitzondering van een paar etiketten die los waren geraakt, een paar schelpen en scherven van vazen. Alle schilderijen waren weg...'

'En je familie?' Ik durfde het bijna niet te vragen. Ik wist wel

146

iets van wat er was gebeurd met mensen uit rijke families als die van Lucienne.

Zelfs op hun landgoederen waren ze niet veilig geweest voor de razernij van het volk. Cuvier mocht dan een lijst hebben gemaakt van belangrijke verzamelingen op het gebied van natuurlijke historie, zei ik tegen mezelf, maar hij was niet verantwoordelijk voor de razernij van het volk en voor wat de Franse soldaten in naam van de republiek hadden gedaan.

'Het was 1794,' zei ze. 'Ik ging naar Parijs om ze te zoeken – mijn ouders en mijn grootmoeder. Ik was zo oud als jij nu. Ik zag dingen die niemand zou moeten zien. Dingen die niemand ooit zou mogen zien. Mensen noemden het *la terreur*. Robespierre noemde het *la justice*. Hij dacht dat hij deed wat goed was voor Frankrijk. Hij dacht dat hij zijn land zuiverde. Stel je voor. Duizenden mensen dood binnen enkele weken. Het was geen gerechtigheid. Het was een bloedbad.'

'De guillotine.'

'Ja, er was de guillotine, maar wat in de straten gebeurde, was veel erger: mensen met pikhouwelen, keukenmessen, zeisen. Ik zag een vrouw en een kind die ledemaat voor ledemaat aan stukken werden gesneden... levend, terwijl ze naar elkaar toe probeerden te kruipen. Ik zie ze nog steeds in mijn dromen.'

'Genoeg om iemand gek te maken,' zei ik. 'Ik weet niet hoe het je lukt om niet meer aan zulke dingen te denken.'

'Dat lukt je niet,' zei ze. 'Ze komen steeds terug.'

We liepen nu door het labyrint omhoog, namen paden naar rechts en links tussen lage heggen die naar boven leidden. Voor ons uit zag ik het gouden paviljoen en de donkere horizontale takken van de ceder, waarin vogels zongen.

Ik vroeg me nog steeds af hoe Lucienne Bernard tot stand was gekomen, hoe het kind van aristocraten de filosofische dievegge was geworden. Ik dacht aan oorzaken en gevolgen, rechte lijnen, en in plaats daarvan waren er alleen maar lussen, spiralen en warrige figuren.

Onder ons strekte de Jardin zich uit met lanen van linden, geflankeerd door strakke bloemperken en laag struikgewas. Voorbij de tuin vormde de Seine een horizontale blauwe lijn, waarachter de stad zich weer op de noordelijke oever verhief: een en al koepels en torenspitsen.

'Ik wou dat we binnen waren,' zei ik. 'Ik wou dat we in je bed lagen. Ik moet altijd aan je denken. Weet je dat? Weet je hoeveel ik aan je denk?'

'Ja,' zei ze glimlachend. 'Ja, dat weet ik. Ik kan me dat gevoel herinneren.'

'Ik wil niet dat je het je herínnert,' zei ik. 'Ik wil dat je precies hetzelfde voelt als ik.'

'Ik ben twintig jaar ouder dan jij,' zei ze. 'Dan is het een ander gevoel. Het doet niet zo veel pijn. Het is beter. Zachter.' Ze keek peinzend, alsof er een herinnering bij haar opkwam.

'Waar denk je aan?' zei ik, toen ik haar zag blozen.

'Toen ik in Egypte was,' zei ze, 'was daar een man, een handelaar in koralen, die me leerde duiken in de Rode Zee. Hij was een vriend van de bedoeïenen. Hij dreef handel met ze.'

'Heb je met hem in de Rode Zee gezwommen?' vroeg ik, voordat ik een andere manier kon vinden om het te zeggen. Ze keek me aan, haar hoofd een beetje schuin, en glimlachte.

'Ja, we waren met velen: de bedoeïenenmannen en de duikers, die ons leerden hoe we bij de koralen konden komen. Ben je jaloers?'

'Ik weet het niet,' zei ik gegeneerd. 'Ik denk dat ik eerder jaloers ben op jou, op je leven, op alles wat je hebt gedaan, de plaatsen waar je bent geweest. En ja, ik ben jaloers op die man in de woestijn. Die Portugese man.'

'Ja, Davide,' zei ze, en haar gezicht betrok. 'Ik heb naar hem gezocht, maar ik kan hem niet vinden. In Parijs houdt iedereen zich schuil. De dingen zijn niet meer waar ze vroeger waren. Ik hoopte dat Saint-Vincent wist waar Silveira was, maar hij weet het niet.'

'Silveira,' zei ik langzaam.

'Ja,' zei ze. 'Davide Silveira. De man met wie ik door Egypte reisde. Luister jij wel? Je bent altijd aan het dagdromen.'

Silveira. Dat was Trompe-la-Mort, zoals Jagot hem noemde. De man die de dood tartte. Wat ik over hem hoorde beloofde niet veel goeds.

'Hoe lang ken je hem al?' vroeg ik.

'Sinds Egypte. Dat is nu zeventien jaar geleden. Een lange tijd. Weet je, Daniel,' zei ze, en nu veranderde ze weer van onderwerp, 'jouw vragen zijn net zoiets als de koppen van de Hydra – hak er een weg en er komt een andere voor in de plaats. Ik bezwijk nog eens aan je vragen. Het is maar goed dat ik uit Parijs vertrek.'

'Nee, dat is niet goed,' zei ik. 'Lucienne, als het echt een geval van persoonsverwisseling is, kun je naar Jagot gaan en het uitleggen. Je kunt bewijzen dat hij een fout heeft gemaakt. En dan zou je vrij zijn om in Parijs te gaan en staan waar je wilt.'

'Lucienne Bernard is een ballinge en een émigrée – ze kan geen eerherstel krijgen.'

'Andere émigrés krijgen dat wel. Wellington voert nieuwe wetten in...'

We zaten een hele tijd over de Jardin uit te kijken, tot ze zei: 'Het is geen kwestie van persoonsverwisseling, Daniel, en de zaak is niet meer recht te zetten, en er is ook geen vrijheid mogelijk. Niet meer. Niet voor mij. Ik steel. Ik heb gestolen. Wíj stelen dingen... voor mensen. Begrijp je dat? Dat doen we, deden we – Manon, Saint-Vincent en ik, en soms anderen, als we ze nodig hadden. Dat hebben we twintig jaar gedaan. Daarmee kregen we het geld bij elkaar voor alles wat we doen – Saint-Vincents botanie en zijn expedities, mijn werk aan koralen, mijn boek, microscopen, bibliotheken, het huis in Italië. Na de revolutie betaalden de émigrés ons om dingen voor hen terug te halen uit de musea, bibliotheken en galerieën. We waren daar goed in. We verdienden veel geld.

Maar zes jaar geleden ging het mis en stopten we ermee. We vertrokken alle drie uit Parijs en probeerden een nieuw leven op te bouwen op verschillende plaatsen. Maar Jagot liet niet los. Als zijn agent niet was omgekomen, zou het misschien anders zijn geweest.'

In de stilte die daarop volgde zagen we een reiger langzaam over de Jardin vliegen en in de wijdvertakte duisternis van de libanonceder verdwijnen. Nu begreep ik ook de reden achter het antieke duelleerpistool dat ik nog maar enkele dagen geleden in de werkplaats had zien liggen. Het was kortgeleden schoongemaakt en geladen.

12

De tijd stond stil in Parijs. Er deden geruchten de ronde. Wellington was bang, zei Fin, dat het volk het vertrek van de paarden niet zou kunnen verdragen, dat de paarden een symbool waren geworden. Maar de Venetiaanse afgezanten waren nog in Parijs en drongen aan op de terugkeer van de paarden. De mensen zeiden dat Wellington wachtte tot hij genoeg soldaten had. Overal – op de bruggen, op de zuilen, in de paleizen – beitelden werklieden Napoleons initialen van plaquettes af.

Om tien uur 's avonds verspreidden de lampendragers zich door de stad. Ze riepen naar fiacres, prezen zichzelf luidruchtig aan, vergezelden late wandelaars door de stad naar hun voordeur, altijd op zoek naar klandizie. Olielampen met hun flakkerende lichtkringen hadden hun tijd gehad, zei Céleste; ze behoorden tot de vorige eeuw. Dat gold ook voor de lampendragers, petroleumhandelaren en verkopers van Artraudlampen. Ingenieur Philippe Lebon verlichtte zijn huis en tuin in Parijs al met gas, zeiden ze; hij had zich voorgenomen heel Parijs op die manier te verlichten. Binnenkort zou er geen schaduw meer zijn in Parijs, zei Céleste. Binnenkort zou er geen nacht meer zijn in Parijs.

Monsieur Lebon spande samen met de vijanden van Frankrijk, fluisterden de lantaarnopstekers, lampendragers en petroleumhandelaren tegen iedereen die wilde luisteren. Heel Parijs zal ontploffen, mopperden ze. En als ze ons niet tot ontploffing kunnen brengen, stikken we in de vieze dampen en zwarte rook.

Toen we op een avond op Luciennes dak zaten, in een geul tussen twee geveltoppen, en over de stad uitkeken, vroeg ik Lucienne naar de Egyptische mummies. Volgens geruchten, zei ik, had Cuvier in de kelders van zijn museum zes Egyptische mummies opgeslagen. Het was een heldere avond – schitterende sterren in een blauwzwarte hemelboog. Zelfs om middernacht waren de dakpannen nog warm van de septemberzon. Ik zat achter haar, met mijn armen om haar heen. Ze rookte een sigaar. Ik kuste haar hals.

'Ja,' zei ze lachend. Ze blies een enkele rookkring de avondlucht in, grijs op zwart. 'Cuvier heeft de mummies nu, hè? Ze zijn eigenlijk van Geoffroy. Er zijn al heel wat problemen door ontstaan in de Jardin. Toen ik in Egypte voor Geoffroy werkte, was hij net als jij. Hij stelde altijd vragen, de ene na de andere. Tegenwoordig zegt hij niet veel meer. Niet sinds ze de mummies hebben uitgepakt.'

'Hoeveel zijn het er?'

'Een paar weken na onze aankomst bracht een Egyptische handelaar ons naar de Bron van Vogels,' zei ze. 'Midden in meloen- en slavelden, met hopen puin en oude stenen, alles wat er over is van de oude stad Memphis, aan de oevers van de Nijl, is daar een ingang naar een ondergrondse tempel die de Bron van Vogels wordt genoemd. Je klimt langs een touw omlaag. Dat is de enige manier om binnen te komen. Onder de grond zijn labyrinten en gangen die kilometerslang doorgaan, allemaal met planken waarop duizenden gemummificeerde vogels in aardewerken potten staan, als flessen wijn. Het zijn heilige vogels, elk met eigen priesters en altaren. Geoffroy heeft er tien van meegebracht. Algauw kocht hij ook gemummificeerde koeien, katten, krokodillen en apen, allemaal minstens drieduizend jaar oud. Hij wilde ze gebruiken om Cuvier te laten zien dat soorten waren veranderd, zei hij. Ik waarschuwde hem – ik zei tegen hem dat ze hetzelfde zouden zijn. En toen Geoffroy ze in Parijs uitpakte, in het bijzijn van Cuvier en alle professoren en assistenten hier, waren ze hetzelfde. Het waren geen katten met vleugels of koeien met vinnen of vissen met vacht. En dus won Cuvier opnieuw. En Geoffroy verloor. En toen heeft Cuvier natuurlijk maandenlang de spot gedreven met Geoffroy. Die heeft daarna bijna niets meer gepubliceerd.'

'Dus het is tot op zekere hoogte bewezen dat Cuvier gelijk heeft?' zei ik. 'De dieren uit die tijd waren hetzelfde als die van nu. Daarmee is de zaak afgedaan. Soorten zijn niet veranderd.'

De kat die naast me op het dak in Parijs zat, was natuurlijk hetzelfde als de kat van drieduizend jaar geleden op het dak in Egypte: vier poten, snorharen, lange staart. Het was duidelijk. Een kat was een kat was een kat.

'Natuurlijk zijn ze niet veranderd,' zei ze, 'niet in drieduizend jaar. Lamarck wist dat. Dierenvormen doen er veel langer over om te veranderen. Drieduizend jaar is niets. Niet meer dan een oogwenk. Lamarck zei dat tegen Cuvier, maar niemand wilde naar hem luisteren.'

'En hoe breng je dat in overeenstemming met *Genesis*?'

'Wat bedoel je, "in overeenstemming brengen"?'

'Het... laten kloppen, bij elkaar laten passen. Het een op het ander laten aansluiten.'

'Het een op het ander laten aansluiten?' herhaalde ze. 'Dat hoef ik niet te doen. Het gaat er in de wetenschap niet om dat je dingen in overeenstemming brengt met de Bijbel. *Genesis* is tweeduizend jaar geleden geschreven door mensen die niet wisten wat wij nu weten. Het is geen poging om uit te leggen hoe de wereld is begonnen. Het is niet wetenschappelijk. Het is een scheppingsverhaal. Een goed verhaal. Maar er zijn er nog meer. In Egypte zeggen ze dat lucht en water, duisternis en eeuwigheid samen een blauwe lotus hebben gevormd die Ra heet. In Syrië zeggen ze...'

'Dus de Bijbel is niet waar. Bedoel je dat?' Ik zag een adertje kloppen in haar hals. Ik zag dat het sneller ging kloppen.

'Het is altijd een gevecht met de Bijbel.' Ze zuchtte. 'Dat zou het niet moeten zijn, maar wat Cuvier ook zegt of doet, hoe hij ook volhoudt dat alle soorten vast en onveranderlijk zijn, Lamarcks ideeën over transformisme hebben zich over heel Europa verspreid. Al zegt Cuvier nog zo vaak dat er geen bewijs voor transformisme is. Alle studenten die in de collegezaal naar Lamarck luisteren, gaan naar Hongarije, Brazilië of Rusland terug en vertellen het daar door.'

'Hoe lang denk je al over die dingen na?' vroeg ik.

'Ik? Duizenden jaren. Het is het enige interessante om over na te denken. In de bibliotheek van mijn grootmoeder las ik Buffon. En daarna Aristoteles en *Telliamed* van De Maillet... Later, toen ik naar Parijs kwam, schreef ik me in voor de colleges van Lamarck. In die tijd sprak hij voor het eerst over transformisme – 1802, 1803, denk ik. Het was opwindend, iedereen praatte over het begin van het leven. Alles leek mogelijk. Toen Daubenton zijn lezing gaf en verkondigde dat de leeuw niet meer koning der dieren kon worden genoemd omdat er in de natuur geen koningen waren, juichte de menigte. In die tijd mocht je alles zeggen. Alles denken. Nu niet meer.'

Professor Lamarck – de anatomiestudenten noemden hem de oude, *El Viejo* – was inmiddels eenenzeventig en leidde een teruggetrokken leven in zijn huis in de Jardin des Plantes, samen met zijn derde vrouw en vier van zijn volwassen kinderen: drie ongehuwde dochters, Rosalie, Cornélie en Eugénie, en een dove zoon Antoine, die ook schilder was. De kleine Aristide, Lamarcks jongste zoon, was ten slotte naar het gesticht van Charenton gestuurd, tien kilometer ten zuidoosten van Parijs. Ze noemden hem de *Aliené*, de verdoolde. Afgezien van de melancholieke Aristide waren maar twee kinderen van

Lamarck uit het drukke huis in de Jardin ontsnapt: Auguste was een belangrijke ingenieur in Parijs en André was in de tijd van de revolutie bij de marine gegaan en was momenteel in het Caribisch gebied gestationeerd.

Cuvier en zijn beschermelingen in het museum praatten laatdunkend over Lamarck. Ze prezen zijn taxonomische werk, maar gingen stelselmatig voorbij aan zijn transformistische ideeën of maakten ze zelfs belachelijk. Maar Cuvier mocht Lamarck dan een dromer en een dichter noemen, Lamarck had een groot en trouw gevolg onder de anatomiestudenten. Hij had Ramon verteld dat hij als soldaat in de jaren zestig een medaille voor moed had gekregen in de Zevenjarige Oorlog. Hij zou de dingen waarin hij geloofde niet zo gauw opgeven. Hij wist hoe hij slag moest leveren.

'In Edinburgh heeft niemand het over die dingen,' zei ik. 'Tenminste niet in het openbaar. In de studentengenootschappen, als de professoren er niet bij zijn, praat weleens iemand over transmutatie, een van de studenten die hier in Parijs hebben gestudeerd, maar...'

'Over een jaar of twee is het hier in Parijs weer hetzelfde,' zei ze. 'Geoffroy is bijna blind. Lamarck is oud en zijn ogen worden slechter. Cuvier wint zijn gevechten en maakt een eind aan die gesprekken. En nu is de koning ook nog terug, al verschuilt hij zich achter Wellingtons soldaten. Dit is geen goede tijd om in Parijs te zijn. Je had hier tien, twaalf jaar geleden moeten zijn. Niet nu.'

Ik dacht aan wat me thuis te wachten stond: het grauwe landschap, de afkeuring van mijn vader, het blinde geloof van mijn broer.

'Ik ben blij dat ik hier nu ben,' zei ik. 'Ik wil nu alleen maar hier zijn.'

Fin en Céleste plaagden me genadeloos met de weduwe Rochefide, die ze nooit hadden gezien. Fin, die vaak klaagde dat hij me niet genoeg zag en dat we bijna nooit meer met elkaar dronken, stelde soms voor dat ik haar te eten zou vragen. Op een avond, toen de uitvluchten die ik namens haar verzon wel erg ongeloofwaardig waren geworden, haalde ik alleen maar mijn schouders op en zei: 'Ik kan niets doen. Ik heb geen invloed op haar komen en gaan. Wat kan ik zeggen?'

'Ik voel met je mee, mijn vriend,' zei Fin, en hij keek met overdreven aanbidding naar Céleste. 'Heb ik ook maar enige invloed op Céleste? Zij is mijn meesteres. Ik ben haar slaaf. Wat kun je beginnen tegen die vrouwen? We moeten maar teruggaan en met Engelse vrouwen trouwen, weet je, als we nog enige invloed op ons eigen lot willen hebben.'

'Zeg het maar als je er klaar voor bent, monsieur Robertson,' zei Céleste, 'dan koop ik een kaartje voor je, en een trouwcadeau voor je vrouw. Misschien vind ik dan een man voor mijn bed die niet snurkt. Misschien denkt madame Rochefide dat ze te goed voor ons is,' voegde ze eraan toe. 'Misschien vindt ze zich te voornaam om met winkelmeisjes en studenten om te gaan.'

'Doe niet zo belachelijk,' zei ik. 'Zo is ze niet.'

Maar ze kwamen nooit op het idee dat de lange man in de groene zijden jas met wie ze me van tijd tot tijd op straat zagen wandelen en die ik monsieur Le Vaillant, de botanist, noemde, weleens de onzichtbare madame Rochefide zou kunnen zijn. Ze zouden ook niets hebben geloofd van de rest van het verhaal dat ik geleidelijk ontrafelde – dat fascinerende verhaal van haar, dat in een tuin in Marseille begon en via gevangenissen en guillotines zijn weg vond naar piramiden in Egypte en koraalgrotten in de Rode Zee.

In het midden van september kwam er op de Atlantische Oceaan onweer opzetten dat dagen duurde. De HMS Northumberland zeilde met zijn escorte van schepen in de regen van Madeira naar de evenaar. De admiraal had een route uitgezet waarmee ze de hevige passaatwinden konden mijden die bij de evenaar vaak zo grillig waren. Aan boord zat de keizer onder toezicht van zijn Britse bewakers te kaarten met zijn generaals. Hij klaagde over het verraad van Ney en over de domheid van de Amerikaanse regering; hij noemde de koning van Spanje een dwaas, de keizer van Rusland zwak, en had alleen lof voor Wellington. Wellington had geluk gehad, zei hij. 'Ik had bij Moskou moeten sterven,' klaagde hij terwijl hij zijn kaarten liet zien, 'want daar kwam er een eind aan mijn glorie.'

Ondanks de regen maakte de keizer nog steeds 's avonds zijn wandeling over het dek. Die wandelingen van een uur met zijn twee generaals, in de stromende regen, hadden tot gevolg dat de beroemde grijze overjas, die in de hut aan zijn kapstok hing, nooit helemaal droog werd. De damp van de drogende kleren maakte pareltjes van condens op alle ramen. Napoleon praatte met Las Cases over september in Parijs en de rozen die hij uit heel Europa voor Joséphine had meegebracht en die nu zouden bloeien in de tuin van Malmaison. Ik zou honderd dagen op dit vermaledijde schip willen ruilen voor een wandeling van één uur in de schemerende avond van Parijs, zei hij.

In een kleine vochtige hut aan het andere eind van het schip pro-

beerden gravin Bertrand en gravin Montholon, met hulp van niet
meer dan één kindermeisje, hun vier kleine kinderen bezig te hou-
den: de driejarige Tristan Montholon en de drie kinderen Bertrand:
Henri, Hortense en Napoleon. Toen deze vrouwen van Napoleons
verbannen generaals bereid waren geweest hun mannen in balling-
schap met de keizer te volgen, hadden ze gedacht dat ze zich aan
het leven op een klein landgoed in Engeland moesten aanpassen.
Ze hadden zich geen van beiden een rots in de oceaan voorgesteld,
het eiland dat Napoleon steeds weer de Siberische woestenij van de
Atlantische Oceaan noemde.

Toen de Britse afgezant al die weken geleden voor het eerst had
gezegd wat hun bestemming zou zijn, in een brief van de Britse
regering die in de kapiteinshut op de Bellerophon was voorgelezen,
had madame Bertrand een poging gedaan overboord te springen.
Nu sprak de keizer bijna niet meer tegen haar. Hij moest niets van
klagende vrouwen hebben, zei hij.

13

Op 23 september stonden de Engelse en Franse kranten vol met het nieuws dat Talleyrand zijn ontslag had ingediend. Ze vroegen zich af welke gevolgen dat zou hebben. Talleyrand, de grote Franse staatsman en Napoleons rechterhand, was een kameleon, schreef een Engelse journalist, iemand die zijn huid, zijn kleren, zijn kleuren veranderde om de vluchtige politiek van de dag te volgen. Hij had een machtige positie bekleed onder drie regimes: eerst onder de koning, toen tijdens de revolutie, toen onder Napoleon, en nu had hij zelfs de restauratie van het koningshuis en de terugkeer van Frankrijk tot prerevolutionaire grenzen bewerkstelligd. Eerst priester, toen bisschop, revolutionair, balling, minister van Buitenlandse Zaken, opperkamerheer, vorst onder Napoleon, steunpilaar van de koning – Talleyrand was een man die voortdurend veranderde. En nu moest zelfs hij vertrekken. Sommigen zeiden dat de tijd van kameleons en overlopers voorbij was. Maar dat was niet zo. Nog niet.

Ik was bij Lucienne toen drie dagen later de bronzen paarden omlaagkwamen. Sophie had op mijn verzoek een boodschap verzonnen waardoor ik de hele dag van de Jardin kon wegblijven zonder me de afkeuring van Cuvier op de hals te halen. Lucienne en ik lieten ons meeslepen door de mensenstroom, die in één richting trok: naar de Place, waar zich een grote massa vormde, een veelkoppig getij. Het was dringen, duwen, porren, botsen. Zo werden we naar voren gestuwd.

Ik wilde haar hand vastpakken, bang dat haar iets overkwam, maar dat wilde ze niet. 'Ik kan op mezelf passen,' riep ze in het Engels, en daar ging ze al op in de mensenmassa, nog steeds gekleed als man. Ze droeg een op maat gemaakte bruinfluwelen jas, die betere tijden had gekend, een witte broek en laarzen.

De menigte bleef abrupt staan op het punt waar de straat op het plein uitkwam, als een golf die tegen een havenmuur sloeg, want daar stond een linie van Pruisische soldaten. Achter die mannen in lichtblauwe en witte uniformen zaten en lagen duizend infanteristen van het Oostenrijkse leger op de stenen van het plein om de toegang tot de Arc de Triomphe te versperren.

'We kunnen er niet door,' riep Lucienne, die weer bij me aangekomen was. 'Ze laten niemand door. Van hieruit kunnen we het niet zien.'

Gevolgd door Lucienne baande ik me een weg door de menigte tot ik bij de eerste bereden Oostenrijkse officier kwam. Zo zacht als ik durfde vroeg ik toestemming om door te lopen. Toen de officier mijn Engelse stem hoorde, stuurde hij me met een gebaar naar een groep buitenlanders die onder parasols stonden. We mochten allebei doorlopen.

'Waarom zo veel soldaten?' riep ik naar haar. 'Wat doet Wellington?'

'Ze moeten de Parijzenaars tegenhouden. Ze hebben het paleis afgesloten om de koning te beschermen. Kijk.' Ze wees in de richting van het paleis, waar alle luiken dicht waren. 'Wat is dat voor koning die zijn eigen volk niet onder ogen durft te komen, die door een geallieerd leger beschermd moet worden?'

In het Louvre, in de Grande Galerie, verdrongen mensen zich voor de ramen, wijzend, gebarend. Journalisten van kranten uit de hele wereld stonden hier ook voor ons op het plein; tekenaars van kranten zaten met hun ezels bij elkaar.

Dit was een politieke voorstelling. Hier zagen we het bewijs dat Napoleon niet terugkwam. Laat het zien aan het Franse volk. Haal de paarden omlaag. Haal de strijdwagen omlaag. De keizer is er niet meer.

Ik schermde mijn ogen af tegen de zon en zag de eerste van de twee paarden een klein beetje bewegen doordat er steeds meer touwen werden losgemaakt. De menigte, verzameld langs de rand van het plein, kreunde of zuchtte, dat kon ik niet nagaan, en begon te wijzen. Het bronzen paard zwaaide de lucht in, hoog boven het plein. Het duizelde in mijn hoofd. Ik voelde dat het bloed me naar het hoofd steeg, alsof ik zou vallen, en nog steeds drongen de mensen van alle kanten op. Ik zag speldenknoppen van licht door mijn gezichtsveld trekken en uitdoven. Ik viel flauw.

Toen ik bijkwam, had zich een menigte verzameld. Ik keek op en zag hoe de hoofden afstaken tegen de helderwitte hemel. Lucienne was verdwenen en een man met een stem die ik herkende beval de mensen enige afstand te bewaren.

'Aha, monsieur Connor,' zei Jagot. 'U zou voorzichtiger moeten zijn in de zon. U zou een hoofddeksel moeten dragen.'

'Ja,' zei ik, terwijl ik me door hem overeind liet helpen. 'De zon is warmer dan ik had gedacht.'

'Ik ben blij u weer te zien, monsieur Connor,' zei hij, terwijl hij de laatste toeschouwers met een armgebaar wegstuurde. 'Het is lang geleden dat we elkaar voor het laatst hebben gesproken – een maand misschien. U ziet er goed uit. Parijs is u goed bekomen, denk ik.'

'Ja, dat is zo. Dank u,' zei ik, blij dat Lucienne was ontkomen.

'Ik hoor van mijn agenten dat u tegenwoordig in de Jardin werkt,' zei hij, 'en dat u uw bezittingen terug hebt, de papieren, de koralen en het bot. Weet u, het is heel ongewoon dat gestolen dingen op zo'n manier terugkomen. Meestal zit er een verhaal achter zoiets. Is er een verhaal, monsieur Connor?'

'Er is geen verhaal,' zei ik vlug. Ik vroeg me af wat Jagots agenten hem nog meer hadden verteld, wat ze nog meer hadden gezien. 'Het was alleen maar een vergissing,' zei ik. 'Het was helemaal geen diefstal. Mijn reistas was per ongeluk meegenomen door een andere passagier – een man, niet de vrouw die ik u heb beschreven. Hij, die andere passagier, heeft me gevonden en me mijn bezittingen teruggegeven. Alles.' Mijn handen beefden. Ik stak ze in mijn zakken.

'Goed. Dat is goed nieuws, monsieur. U moet me de naam en het adres geven van de passagier die per ongeluk uw tas heeft meegenomen, de man die uw bezittingen heeft teruggegeven, want die persoon kan me misschien iets over de vrouw vertellen die u op de postkoets hebt gezien, de geleerde Lucienne Bernard. Ik zal iemand naar uw adres sturen om de details te noteren. Misschien kom ik zelf. Goedemiddag, monsieur Connor. Bedenk wel: u moet een hoed kopen tegen de felle zon. *À bientôt*.'

Hij glipte de menigte in.

Ik liep naar het Turkse café aan de rue de la Victoire, waar Lucienne en ik bij elkaar zouden komen als we in de menigte uit elkaar waren geraakt. Maar hoewel ik daar twee uur wachtte, kwam ze niet. In plaats daarvan hoorde ik achter me het kletteren van wielen. Een aantal wagens, geflankeerd door Pruisische cavalerie en infanterie, bewoog zich langzaam door de straat. Het leek net of ze mij kwamen halen. De vier paarden, elk op zijn zij op een bed van stro in een eigen wagen, hun bronzen hoeven klauwend naar de lucht, kwamen langs me, zo dichtbij dat ik elk paard in de ogen kon kijken – ogen die honderden jaren op Rome, Constantinopel en Venetië hadden neergekeken. Voor hen was ik niets, van geen enkel belang, van geen enkele betekenis.

Ik vroeg me nu af of Jagot met opzet bijna een maand van het toneel was verdwenen om mij – ons – het gevoel te geven dat we veilig waren. De inzet was hoog. Ik dacht aan wat Manon had verteld: het lijk van Coignard dat zonder handen en voeten in de Seine was gevonden. Jagot had Coignard die dag met zijn fiacre gevolgd; Manon had gezegd dat Coignards gemartelde lichaam in de Seine was gegooid om anderen die op Jagots lijst voorkwamen te waarschuwen. Had ik nog meer bewijs nodig om te weten dat we allemaal in gevaar waren?

Jagot was niet iemand die zijn prooi losliet, al had ik dat misschien wel graag willen geloven. Hij had alleen geen haast. Een maand lang was ik afgeleid, gefascineerd door Lucienne, maar ook volledig in beslag genomen door mijn werk in de Jardin. Maar daarmee kon ik niet rechtvaardigen dat ik haar zo slecht had beschermd, dacht ik. Terwijl ik verblind was geweest, hadden Jagots agenten hun ogen de kost gegeven en hun rapporten ingediend. Het net sloot zich.

Ik moest Lucienne uit Parijs zien te krijgen.

Voor professor Cuvier was het of de wijzers van de klok sneller bewogen dan gewoonlijk. Een Nederlandse hoogleraar geneeskunde en chemie, tevens oud-rector magnificus van de universiteit van Leiden, de heer Sebald Justinus Brugmans, was op weg naar Parijs als afgezant van de nieuwe koning van Nederland, de zoon van de laatste stadhouder. Ergens in België had Brugmans zijn reis onderbroken om het slagveld van Waterloo te bekijken, en in zijn bed in een herberg tussen Waterloo en Parijs las hij zijn notities door om zich op zijn gesprek met Wellington voor te bereiden.

Brugmans was naar Parijs gestuurd om de wereldberoemde naturaliënverzameling van de Hollandse stadhouder terug te halen. Die verzameling was door Napoleon in beslag genomen toen hij Holland veroverde, en vervolgens in tweehonderdtweeëntwintig kisten op honderddrie wagens geladen en per schuit vanaf Den Haag langs de kust van de Noordzee en over de Seine naar Parijs gebracht. De kisten zaten vol met zeldzame boeken, monsters, wetenschappelijke instrumenten, gesteenten en de complete skeletten van een vijf meter lange giraf, een orang-oetan en een nijlpaard.

Deze wetenschappelijke voorwerpen – duizenden zeldzame fossielen, mineralen, botten, schelpen, kristallen en botten – bevonden zich in de musea van de Jardin. De verzameling van de stadhouder was nu de verzameling van Cuvier. Brugmans kwam naar Parijs om alles terug te halen. Hij was een geduldige man. Als jongeman had hij een dissertatie geschreven over de uitwerking van regen op planten en had hij urenlang tegen de barometer getikt en op regen gewacht. Die ervaring zou hem goed van pas komen in het spel van wachten en wachten dat hij in 1815 in Parijs zou spelen.

In zijn huis in de Jardin liep de slapeloze baron Cuvier in een purperen kamerjas door zijn werkruimte. Hij vroeg zich af welk aanbod hij Brugmans kon doen en zocht naar argumenten om de Nederlandse hoogleraar en Wellington ervan te overtuigen dat die voorwerpen in de Jardin moesten blijven. Zonder die duizenden voorwerpen uit de verzameling van de stadhouder zou de Galerie d'Anatomie Comparée niets voorstellen, zou hij zeggen – en alle musea van het Louvre evenmin. Wat hij er niet bij zou vertellen maar heel goed besefte, was dat Cuvier zelf zonder de verzameling van de stadhouder ook niets te betekenen zou hebben.

In zijn huis aan de quai Voltaire hield de directeur van het Louvre, Dominique-Vivant Denon – de man die ze 'het oog van Napoleon' noemden, de man die persoonlijk de lijst had opgesteld van voorwerpen die uit de grote musea en galerieën van Europa gehaald moesten worden – toezicht op zijn mannen, die met enige haast waardevolle schilderijen en voorwerpen aan het inpakken waren. De tijd drong voor Denon. Die dag had Wellington hem gevraagd naar een aantal voorwerpen dat als gestolen op de lijst stond maar waarvan onbekend was waar ze zich bevonden – onbekend omdat Denon ze uit het Louvre naar zijn eigen kelder had laten verdwijnen: een schilderij van Caravaggio, Egyptische voorwerpen, een tekening van Titiaan en een zestiende-eeuws rariteitenkabinet dat het Montserrat-kabinet werd genoemd. En nu Wellington naar de quai Voltaire kwam, moesten die voorwerpen nog dieper in Parijs verdwijnen. Volledig uit het zicht. Maar Denon had een plan.

14

'Delphine wil je graag spreken, Daniel,' zei Lucienne de volgende morgen, een zondag, toen ik eindelijk wakker was geworden. Ze zat in haar blauwe zijden ochtendjas aan de tafel te schrijven, tussen haar koralen. 'Ze schrijft dat ze je wil bedanken voor het beeldje van Napoleon dat je haar vorige week hebt gestuurd. Ze zegt dat het een goede gelijkenis vertoont, maar een beetje te breed is. Wil je samen met me bij haar op bezoek gaan? Als je tijd hebt, tenzij je nog wat langer wilt slapen.'

'Natuurlijk, natuurlijk,' stamelde ik. Ik was van plan deze dag op haar vertrek aan te dringen. Hoewel ik het de vorige avond verscheidene keren had geprobeerd, was ze telkens van onderwerp veranderd. Bovendien zag ik ertegen op om haar over de gesprekken te vertellen die ik met Jagot had gehad – de beschuldigingen en de bedreigingen. 'Ja, natuurlijk wil ik graag met je mee,' zei ik, 'maar ik wou dat je me had gewaarschuwd. Ik dacht aan zo'n houten bootje als ze in de Jardin du Luxembourg verkopen. Ik wilde er een voor haar kopen en je vragen het voor haar mee te nemen.'

'Ze heeft liever nauwkeurig nieuws over Napoleon dan een van je bootjes, denk ik,' zei Lucienne, terwijl ze haar hemd en broek aantrok. 'Wat de nonnen Delphine over de keizer vertellen is altijd vertekend door geruchten. Manon heeft haar een kaart en wat spelden gebracht, dan kan ze hem volgen op zijn reis. Die heeft ze aan haar muur hangen. Ik moet niet vergeten tegen haar te zeggen dat ze hem moet inpakken.'

'Lucienne,' begon ik. 'Je moet heel voorzichtig zijn. Ik denk dat Jagot dichterbij is dan jij denkt.' Het was te vaag, maar het was een begin.

'Jagot komt nog niet in actie,' zei ze. 'Dat kan niet. Hij wacht af. Manon gaat Delphine naar Italië terugbrengen en ik ga volgende week ook. Ik heb al een kaartje. Maar eerst moet ik een paar dingen in Parijs afmaken. Kranten,' zei ze. 'Herinner me eraan dat ik kranten koop, dan kan ik Delphine meer over de reis van de keizer vertellen. Ze zeggen dat het schip twee of drie dagen geleden de evenaar is overgestoken. Het is onwaarschijnlijk dat hij nu nog wordt gered. Maar dat kan ik niet tegen Delphine zeggen. Ze is ervan overtuigd dat de Amerikanen de Northumberland aanhouden en hem tot keizer van Amerika kronen.'

Lucienne verpakte een lang smal voorwerp in bruin papier en bond het met een koord dicht. 'Ik moet nog ergens heen,' zei ze, 'en ik wil je een nieuwe plek laten zien die niet in je reisgids zal staan.' Hoewel ik wist dat ze moest gaan, kon ik haar niet recht in de ogen kijken.

Even later zei ze: 'Het is een week, Daniel. Nog een hele week. Alsjeblieft, kijk niet zo beteuterd. Ik ben al een maand langer gebleven dan ik van plan was. Toen ik Jagot gisteren zag, daar in die menigte, zo dichtbij, maakte ik me grote zorgen.'

'Maar zou je niet direct moeten gaan?' zei ik, blij dat ik haar nu toch niet over mijn gesprekken met Jagot hoefde te vertellen. 'Jagot is zo dichtbij. Hij kan je elk moment vinden. Denk aan wat er met Coignard is gebeurd.'

'Een week,' zei ze. 'Ik heb een week nodig. Manon heeft alles al ingepakt. Ik weet wat ik doe.'

Het was koel bij de rivier. De bomen verloren hun bladeren na de hitte van de zomermaanden. In de wind dwarrelden de bladeren, bruin, omgekruld en verdroogd, over het wegdek, ritselend, schrapend: het geluid van de naderende winter. Op een vreemde manier deed het me denken aan thuis, aan het herfstlandschap van Derbyshire. De Daniel die met zijn notitieboekje en geologische hamer door die heuvels had gelopen, leek me nu een vreemde. Die Daniel wist niet wat het was om verliefd te zijn en te weten dat je je geliefde zou verliezen. Lucienne droeg een lange groenfluwelen jas met hoge boord en witte halsdoek, een zandkleurige broek en laarzen. Ze liep vlug en met grote passen, alsof de hele wereld haar toebehoorde, alsof al deze straten, die grote gezwollen rivier en alle boten daarop van haar waren.

Ze leidde me naar het noorden, weg van de rivier, weg van de quai de la Rapée. We sloegen het ene zijstraatje na het andere in, hoeken om, bochten door, langs bouwterreinen en bergen puin, langs de geraamten van halfvoltooide huizen. Op een bepaalde plaats was een hele straat gesloopt. Alleen de zijkanten van huizen stonden nog overeind, gesteund door houten en metalen balken, als een theaterdecor. Aan het ene eind trokken werklieden keistenen uit de grond, aan het andere eind legden stratenmakers ze er weer in. Hier en daar zag ik borden met te koop in het Engels. Het leek wel of we door Londen liepen, dacht ik, want ik hoorde net zo veel Engelse stemmen als Franse.

In Parijs werd opeens volop gebouwd. Alle steengroeven waren uitgeput en er moesten nieuwe worden geopend aan de rand van de stad. Overal zag je nieuwe huizen; hele wijken schoten uit de grond. Iedereen met een beetje geld kocht de oude panden op of investeerde in plannen voor winkelgalerijen of nieuwe woonwijken. Parijs wilde niet stilstaan. Je zou niet zeggen dat zich dat jaar een economische crisis voordeed.

Lucienne stopte ten slotte bij een bordje op de muur van een huis in de rue de Picpus. Daarop stond: 'Vrouwen van het Heilig Hart'.

'De nonnen hebben hier een school voor de kinderen van

de armen,' zei Lucienne. Er kwam een non met neergeslagen ogen naar de deur, die niet op slot zat. Toen ze Lucienne herkende, glimlachte ze en liet ons binnen. Ze sprak Lucienne aan als monsieur Duplessis en leidde ons door donkere, koele gangen naar een schaduwrijke verharde binnenplaats, waar ze ons glazen limonade bracht en ons met gebaren te kennen gaf dat we aan de tuintafel konden gaan zitten.

Even later verscheen Delphine, omlijst door de stenen boogpoort van de kloosterdeur. Ze droeg één witte roos en werd vergezeld door een van de jongere nonnen. Ze was niet meer gekleed in oranje satijn, maar in de donkere, eenvoudige kleren van het kloosteruniform; haar haarvlechten lagen opgerold op haar achterhoofd. Zodra haar ogen aan het zonlicht gewend waren en ze Lucienne aan het andere eind van het pad zag zitten, rende ze naar ons toe. Op een paar meter afstand keek ze nog even achterom naar de non die haar had vergezeld, bleef staan, maakte een reverence voor Lucienne en gaf haar de roos. Lucienne lachte, trok haar wenkbrauwen op en stak toen haar armen weer uit. De non glimlachte naar Delphine, die op Luciennes schoot klauterde, haar kuste en haar gezicht in Luciennes nek begroef.

Lucienne maakte het haar van het kind los, trok de vlechten recht, praatte tegen haar in zacht Italiaans, schudde het gevlochten krulhaar uit en gaf haar het glas limonade te drinken. Delphine praatte alsof ze daar nooit mee zou ophouden, soms tegen mij, soms tegen Lucienne, soms tegen de jonge non, die ook Italiaans sprak. Ik kon het niet volgen.

'Ze klaagt,' vertaalde Lucienne, 'dat ze haar te vroeg naar bed brengen. Ze hebben hier kippen; ze heeft ze namen gegeven. Ze praat over de andere kinderen. Het is voor haar iets heel nieuws: al die kinderen om mee te spelen. Het is goed voor haar, denk ik. In Italië is ze te vaak alleen met Manon, mij en haar boeken. Ze is te serieus. Weet je, soms praat ze meer als een vrouw dan als een kind. Hier leren ze haar kind te zijn. Dat is goed. Ze wil hier langer blijven, zegt ze. En natuurlijk wil ze weten hoe het met de keizer gaat. Wat moet ik zeggen? Ik heb haar verteld dat hij binnenkort op zijn nieuwe eiland is, waar een mooie tuin op hem ligt te wachten, met kippen. Toen voelde ze zich wat beter.'

Ik keek naar moeder en dochter die een kegelspel speelden en viel in slaap onder de appelbomen. Toen ik wakker werd, stond Delphine bij me, haar gezicht voor de zon, en liet ze kleine blaadjes een voor een op mijn gezicht neerdwarrelen. Ze lachte toen ik wakker werd en klapte in haar handen, en toen draaide ze zich om en om, zodat haar haar en haar kleren om haar heen zwierden, tot ze duizelig van het draaien omviel. Een ogenblik kon ik me min of meer voorstellen hoe het was om de ouder van een kind te zijn – die schoonheid en kwetsbaarheid, die delicate, tedere gevoelens, altijd overschaduwd door angst.

Toen haar moeder iets in het Italiaans tegen haar zei, stond ze op, streek haar jurk glad en sprak mij heel beleefd in het Italiaans aan, waarbij ze een kleine witte hand uitstak.

'Ze zegt dat ze blij is je te kennen,' vertaalde Lucienne weer, 'en dat ze hoopt dat je nog eens komt, en dat je de volgende keer tijd hebt om haar kippen te bekijken. Zie je wel? Ik zei al dat ze als een klein vrouwtje praat.'

Delphine omhelsde haar moeder, pakte de haarlinten en spelden die op de tafel lagen, en rende weer naar binnen voor haar middagslaapje, gevolgd door de non. Onder de boogpoort bleef ze staan om naar ons te zwaaien, en toen verdween ze in de koele gangen van het klooster.

'Nu je Delphine officieel hebt ontmoet,' zei Lucienne, 'wil ik je iets anders laten zien. Een andere belangrijke persoon, die deel uitmaakt van mijn nogal trieste voorgeschiedenis. En ook van de trieste voorgeschiedenis van Parijs, het deel dat niemand zich wil herinneren.'

Helemaal achterin leidde een andere poort naar het heldere zonlicht van een lange, rechthoekige tuin, waar enkele late witte rozen bloeiden tussen rijen taxusbomen en wilgen. Een bescheiden kloostertuin met alleen enkele zomerbloemen. Er waren geen prieeltjes of fantasiehuisjes, geen fonteinen.

We kwamen via een tweede poort op een stukje land dat met muren van de rest van de tuin was afgescheiden. Er waren daar drie of vier nieuwe grafstenen en tombes, met daartussen goed onderhouden gras en enkele bomen die schaduw wierpen. Het was hier anders dan op Engelse begraafplaatsen, waar klimop en wilde bloemen welig tierden en de afbrokkelende grafstenen bedekt waren met alle kleuren mos. Dit was strak en keurig verzorgd. Het lag ook te veel open, vond ik, werd te veel blootgesteld aan de verzengende zon.

'In de tijd van de revolutie hebben ze alle religieuze gebouwen gesloten,' zei Lucienne. 'Dit gebouw is gekocht door een arts, die er een particulier krankzinnigengesticht van maakte. Ze haalden de gekken hierheen. De gekken die rijk genoeg waren.'

Natuurlijk. De getraumatiseerde gekken. De wandelende doden. Ik stelde me vrouwen in witte jurken voor die als slaapwandelaars om ons heen liepen, of mensen met verband om hun hoofd onder parasols in de tuin, in de schaduw van de bomen. Een man met een lange grijze baard die heen en weer schommelde op een gestreepte tuinstoel. Een vrouw die met valse stem de Marseillaise zong.

'In de zomer van 1794,' zei ze, 'maakten drie werklieden, terwijl de krankzinnigen toekeken, daar een gat in de muur dat breed genoeg was voor een wagen. In die hoek daar maakten ze twee lange, brede en diepe sleuven in de grond.'

Er was daar niets meer van die sleuven te zien. Ik zag alleen een paar schamele grafstenen op gras dat blijkbaar niet goed wilde groeien. Een rode eekhoorn rende over de bovenrand van de muur en bleef geschrokken staan; hij bewoog zijn kopje heen en weer, snoof de lucht op en keek naar ons.

'Orders van het revolutionaire tribunaal, orders van Robespierre,' zei ze. 'Niemand vertelde de patiënten waar die sleuven voor waren. Het personeel wist het. De directeur wist het. Een paar dagen later reden drie mannen een aantal wagens naar binnen. Die wagens waren beladen met lijken die rechtstreeks van de guillotine op de place du Trone-Renversé kwamen. Het waren meer dan duizend lijken. De patiënten keken over een muur toe en zagen hoe de beulsknechten de lijken uitkleedden tot ze helemaal naakt waren.'

'Waarom?'

'Zo werden de knechten betaald... met alles van waarde wat ze op de lijken vonden. Ze hadden ze moeten verbranden, zoals ze met lijken in India doen.'

Ik dacht aan de lijken op het slagveld van Waterloo, waarover ik had gelezen, lijken die in het donker door de Engelse soldaten beroofd waren van alles wat waarde had. Brieven die uit zakken werden gehaald, ringen van vingers, knopen van jassen – om als souvenirs te worden verkocht of in Parijs te worden verpand.

'Het was warm,' zei ze. 'Juni. Ze maakten een stapel van de hoofden aan de ene kant en van de onthoofde lichamen aan de andere kant. De kleren gingen daarheen – elke knecht een eigen stapel. De sieraden, ringen en munten gingen in aparte manden. Nu en dan braakte een van de knechten daar tegen de muur.'

'Hoe weet je dat?'

'Ik weet het gewoon. Ik... heb het gehoord,' zei ze.

Ik stelde me hoofden zonder lichaam voor, het hoofd van de gorgo Medusa, en Judith en Holofernes. De bebloede hoofden, een en al zenuwen en huidflappen, gingen voor mijn geestesoog in marmer en albast over en werden buitensporig groot. De lichamen van de geguillotineerde doden daarentegen moesten soepel zijn geweest en in staat van rotting verkeren. Ik voelde de kwetsbaarheid van mijn eigen lichaam en vroeg me af wat ik zou hebben gedaan als ik dat, zoals zij, allemaal had meegemaakt, als ik de lichamen had gezien die op straat aan stukken werden gehakt, de wagens met hoge stapels doden. Hoeveel van jezelf bleef na zoiets over?

'Ze deden er een hele tijd over,' zei ze. 'Meer dan twee weken. Ze moeten gehard zijn geraakt. De lichamen van vrouwen...'

Ik stelde me de Venus van Milo in de kloostertuin voor, met bloed dat in straaltjes uit haar ontbrekende arm liep.

'Wat doen we hier?' zei ik. 'Kunnen we weggaan? Ik voel me niet goed.'

Lucienne negeerde me. 'Ze zeggen dat de mens het hoogste van het dierenrijk is. De stank werd hier zo erg dat de mannen een houten afdekking over de sleuven moesten bouwen, met een luik dat net groot genoeg was voor een lijk. Ze gebruikten hooivorken. Ik denk weleens aan die mannen. Ik vraag me af waar ze tegenwoordig van dromen.'

'De grafstenen zijn nieuw,' zei ik. 'Er is iemand die ze niet vergeten is.'

'Amalie Zephyrine,' zei ze. 'Prinses Amalie Zephyrine de Salm-Kyrburg van Hohenzollern-Sigmaringen. Een Duitse prinses. Arme Amalie. Haar minnaar en haar broer gingen naar de guillotine en hun lichamen werden hier in de sleuven gegooid. Amalie kocht dit stukje land van de nonnen om er een gedenkteken voor haar broer op te zetten. Er komen hier weleens toeristen, maar het staat onder aan hun lijst van bezienswaardigheden. Het komt na het bezoek aan het slagveld van Waterloo, het Louvre, de place Louis IV; de catacomben zijn interessanter, zeggen ze, want daar kun je de botten zien liggen.'

Ze volgde de muur, bewoog zich tussen de nieuwe grafstenen door. Ik liep achter haar aan. 'Het is hier,' zei ze. 'Dat zei Saint-Vincent al.'

Ze tuurde naar een grote stenen plaquette op de muur en streek met haar vingers over de letters. 'Amalie is begonnen met het achterhalen van de namen.'

Ze las de namen en beroepen van de doden van de plaquette voor alsof het een bezwering was: '*Cultivateur, domestique, tisserand, instituteur, prêtre, fabriquant d'étoffes, vicaire, contrôleur des douanes, épicier, cabaretier, soldat autrichien prisonnier de guerre, infirmier, garçon meunier...* Die twee de Sombreuils, zouden dat vader en zoon zijn?'

'Ik weet het niet,' zei ik, in gedachten bij al dat bloed, de juichende massa, handen die aan elkaar waren gebonden... Een dag als deze, dacht ik – een warme dag, vogels die zongen. Een paar jaar nadat ik was geboren.

Haar vingers streken over een naam op de stenen plaquette. Een van de honderden. Er stond: *Lucienne du Luc. 23 ans. Comtesse.*

'Mijn naam,' zei ze. 'Dat is mijn naam. Lucienne du Luc. Ik was ooit een comtesse. Een comtesse in de gevangenis,' zei ze. 'Een vijand van het volk. We waren met duizenden. Ze brachten ons van gevangenis naar gevangenis; elk gebouw was een stap dichter bij de guillotine. Als Dantes kringen van de hel. Steeds dichterbij. We speelden kaart. We kaartten uren- en urenlang.'

De zon stond nu laag. Ze lag op haar rug in het lange gras en schermde haar ogen met haar arm af. Ze balde haar vuist. Lucienne Bernard, de ongelovige dievegge, was een gravin geweest. Ik kon me haar voorstellen als kind van een rijke, teruggetrokken levende grootmoeder, maar een gravin... Ze zou bedienden, landgoederen, sieraden, kleerkasten vol zijde en satijn hebben gehad. Maar nu zat ze verkleed als man in het gras van een begraafplaats, op de vlucht voor een politieman.

Ik ging op een grafsteen zitten. Mijn hoofd duizelde. De warme, zoete geur van gras steeg door een zwerm muggen naar me op.

'Was je dat... een vijand van het volk, bedoel ik?'

'Natuurlijk,' zei ze. 'Dat waren we allemaal. Niet alleen de aristocraten, de hertogen en hertoginnen, maar ook de priesters, kruideniers en cabaretartiesten.'

'Ik begrijp het niet,' zei ik. 'Hoe is je naam op deze lijst gekomen?'

'Een vrouw in de gevangenis nam mijn naam aan. Ze stal hem.'

'Waarom zou iemand dat doen?'

'Ik weet het niet.' Ze ging plotseling rechtop zitten en schermde haar ogen weer af tegen de zon. 'Ik heb haar niet gekend. Ik heb haar nooit gesproken. Mon Dieu. Misschien was ze gek. Ik kan haar nu voor me zien. Haar rode haar afgeknipt. Toen ze mijn naam riepen, stond ze op en liep naar hen toe, alsof ze slaapwandelde. Ik stond tegelijk op, maar toen ik zag wat er gebeurde, ging ik heel langzaam weer zitten. Ik heb daar altijd veel over nagedacht. Dat ik toen weer ging zitten. Dat ik haar dat liet doen.'

'Dus zij ging naar de guillotine en jij niet?'

'Ja, en haar lichaam werd ontkleed en in de kuil gegooid – daar – bij de anderen. Ze heette Lucienne Bernard. Blijkbaar was ze niet belangrijk voor het revolutionaire tribunaal, want ik werd een paar maanden later uit de gevangenis vrijgelaten. Parijs gaf me een nieuwe naam. Daarna waren degenen van ons die ontkwamen... We waren een nieuwe diersoort.' Ze zweeg en stond op, leunde tegen de grafsteen en maakte het pakje open dat ze had meegenomen.

'Een belofte,' zei ze bij wijze van uitleg. 'Ook een reden waarom ik nog één keer naar Parijs terug moest komen.'

In het papier zat een lange dunne splinter van groene leisteen, waarop ze de naam van Lucienne Bernard had gegraveerd, alsmede de jaartallen 1776–1794.

'Het is tenminste íets,' zei ze, en ze stak de splinter bij de muur in de grond. 'Ze wilde sterven. Ze had er genoeg van.

Ik weet hoe dat voelt. Het verging mij niet anders. Maar zij stond op en ik ging zitten. Ik had daar bij al die andere botten terecht kunnen komen. In plaats daarvan kreeg ik een leven dat ik niet wilde. Als je zo graag hebt willen sterven als ik, spring je daarna roekeloos met je leven om,' zei ze, en toen zweeg ze even. 'Nu heb ik Delphine en doe ik mijn best om niet roekeloos te zijn. Dat besluit heb ik genomen.' Ze glimlachte triest. 'Het lukt me nog niet erg.'

'Besluiten...' zei ik. 'Ik heb besloten geen besluiten meer te nemen. Ik ben er ook niet goed in.' Ik kuste haar.

'Kijk me niet zo aan,' zei ze. 'Ik ben niet van streek. Ik heb je medelijden niet nodig. Ik wilde je alleen deze tuin laten zien. Ik wilde dat je hem met je eigen ogen zag. Iedereen zou hem moeten zien. Opdat we ons herinneren hoe nobel de menselijke soort werkelijk is.'

15

Toen ik twee dagen later op de deur van de slotenmakers-werkplaats klopte omdat ik een briefje van haar had gekregen, kwam Lucienne in haar werkmansbroek naar de deur. Haar hemd hing los en zat niet in de broek. Ze was op blote voeten. Opnieuw zag ze er anders uit. Ze was moe. Haar gezicht was gezwollen, en toen ik nog wat beter keek, zag ik ook blauwe plekken. Ik schrok.

'Wat is er gebeurd?' zei ik. 'Iemand heeft je dat aangedaan. Iemand heeft je aangevallen. Wanneer, waar is dit gebeurd? Was het maar één man of waren het er meer? Ik zal hem vinden.'

'In het straatje,' zei ze, 'hier beneden, gisteravond. Eén man. Maar in godsnaam, Daniel, ik heb je al eerder gezegd dat ik niet gered hoef te worden. Ik kan op mezelf passen.' Ze glimlachte niet. Ze wendde zich af.

Aan het andere eind van de werkruimte, voorbij de half open deur, in de kamer vol koralen, schelpen en kisten, zaten een vrouw en een man aan een tafel te praten. Hun aandacht was gericht op de tafel zelf; blijkbaar zaten ze te kaarten. Manon Laforge en Alain Saint-Vincent. Toen ik de werkplaats binnenkwam, liep Lucienne, die me zag kijken, naar de binnen-kamer terug en trok de tussendeur dicht.

'Welke ellendige lafaard,' vroeg ik, 'zou een vrouw in een straatje aanvallen? Heeft hij je beroofd? Heeft hij je aange-raakt, was het...? Was het een man, een jongen – lang, klein, dik, dun? Heb je zijn gezicht gezien?'

'Ja, ik heb zijn gezicht gezien.'

'Dan moet je aangifte doen. Iemand moet hem vinden.'

'Aangifte doen? Ja, natuurlijk. Naar de politie gaan, jazeker. Daniel, je weet dat ik dat niet kan doen. Wees nu stil. Je moet luisteren.'

Door de dichte deur hoorde ik de anderen in het Frans praten; nu en dan hoorde ik fragmenten van zinnen. Lucienne streek met haar hand door haar haar en keek me aan alsof ze een vraag probeerde te formuleren. Een enkele haarlok bleef aan haar gezicht plakken.

'In de Jardin gaat het nu goed met je, hè? Cuvier vertrouwt je. Je doet het daar goed.'

Ik wist niet wat me banger maakte, haar kille houding of de dreigende implicaties van die aanval op haar. 'Ja,' zei ik, en ik dempte mijn stem. 'Wat is dit, Lucienne? Iemand heeft je aangevallen. Je wilt me niet vertellen wie of waarom. En nu wil je over mijn werk praten. Je vertelt mij nooit iets. Je vertrouwt me niet. Je behandelt me als een kleine jongen, alsof ik nutteloos ben. Wat bén ik voor jou, Lucienne?'

Ze gaf geen antwoord. Blijkbaar worstelde ze met zichzelf. Ze liep heen en weer door de kamer, wilde iets zeggen, deed het niet. Ik deed de deur open, liep naar de trap, keek langs de bochten en eivormige hoeken omlaag naar de begane grond. Ik kon het niet. Ik kon niet gewoon weggaan. Ik schopte tegen de muur en liep toen terug.

Toen ik de kamer weer binnenkwam, stond Lucienne op precies dezelfde plaats naar de deur te kijken. Ik liet me in een lage stoel in een hoek zakken.

Ze haalde haar schouders op. 'Je denkt slecht over mij,' zei ze. 'Je denkt dat ik niets voor jou voel. Je bent blind.'

'Ja,' zei ik langzaam. 'Ik ben blind. Jij hebt me blind gemaakt. En ik kan je niet verlaten. Dat kun je niet van me verlangen. Alsjeblieft. Wat er ook is gebeurd en hoe slecht het ook gaat, je moet me laten helpen. Ik wil iets doen. Er moet iets...'

'Er zijn moeilijkheden,' zei ze. 'Grote moeilijkheden. Als het web van een spin. Jij raakt er ook in verstrikt. Het wordt nog erger. Maar ik kan mijzelf er niet uit verlossen, en jou ook niet. Ik heb je een keer gevraagd me te helpen, en toen ben ik van gedachten veranderd, maar nu moet ik opnieuw iets van je vragen.'

Ze trok een la open, haalde er een opgevouwen papier uit en gaf het aan mij. 'Zonder jouw hulp, zonder deze kaart... Ik had al eerder moeten gaan. Ik was zo dom.'

Ik vouwde het papier open.

'Het is een kaart van de Jardin des Plantes,' zei ze. 'Een oude. Ik heb er niets aan. De nieuwe gebouwen staan er niet op, de gebouwen die er de laatste vijf jaar bij zijn gekomen. Ik moet weten waar iedereen in de Jardin woont, en ik heb een gedetailleerde kaart van Cuviers museum nodig, met alle nieuwe in- en uitgangen, inclusief de kelders. Ik moet de namen weten van alle mensen die in het gebouw wonen, van de bewakers tot en met Cuviers gezin. Ik moet weten hoe de slotsystemen werken. Zelfs de voedertijden in de menagerie. En al die dingen moet ik gauw, heel gauw weten. Binnen hooguit drie weken. De klok tikt al. Denk je dat je het kunt? Is het mogelijk?'

Luciennes gezicht en hele houding waren nu volslagen onbewogen. Er ging geen uitdaging van haar uit, geen plezier, geen verlangen.

'Er is gisteren een man bij me gekomen,' begon ze, ijsberend. 'Iemand die ik vroeger heb gekend, iemand met wie ik vroeger heb samengewerkt. Hij kwam met een opdracht, een baan, voor ons. Ik zei nee. Saint-Vincent en Manon zeiden nee. Ik zei tegen hem: we doen dat werk niet meer. Maar deze keer kunnen we niet kiezen. En ik kan pas uit Parijs weggaan als we hem hebben gebracht wat hij wil. Hij is gevaarlijk.'

Ze wees naar de blauwe plek op haar gezicht, de zwelling. Ik stelde me een mes voor. Een lemmet dat flikkerde in het licht. Ze had een snee in haar handen opgelopen. Ze had zich verzet. Het was moeilijk voorstelbaar dat ze dat niet zou doen. Het was alsof er een mes door me heen sneed. Ik kon haar niet beschermen en dat wilde ze ook niet. Ik had altijd al geweten dat ze zou moeten boeten voor de tijd waarin ze een dievegge was geweest, voor de risico's die ze had genomen. Ze was voor mij in Parijs gebleven – of ook voor mij – en ik had haar kunnen laten vertrekken.

'Gisteren?' zei ik. 'Allemachtig, waarom heb je mij niet laten komen? Wie was het? Ik vermoord hem.'

'Ik had jou gisteren niet nodig,' zei ze op scherpe toon. 'Vandaag wel. Ik heb niet geslapen, zo veel zorgen maakte ik me, vooral over jou. Jij hebt alles nog voor je. Dit wordt een groot risico. Je zou alles kunnen verliezen.'

'Dat kan me niet schelen,' zei ik. 'Het is mijn schuld dat dit is gebeurd. Ik heb je overgehaald in Parijs te blijven. Je zou hier nu niet zijn als...'

'Nee,' zei ze. 'Ik ben gebleven. Jij hebt me niet gedwongen. Dat is niet jouw verantwoordelijkheid, maar de mijne.'

'Maar waarom jij? Er moeten nog meer dieven in Parijs zijn, professionele dieven als jij. Je kunt niet de enige zijn.'

'Ja, maar wat die man wil, bevindt zich in de Jardin des Plantes. In Cuviers museum. En ik ken dat museum beter dan welke dief dan ook in Frankrijk. Niemand kent dat gebouw zo goed als ik. Of tenminste, ik kénde het. Dat weet hij.'

'Wat kan zo veel moeite waard zijn? Een stel oude botten, een paar mummies? Er is daar niets...'

'Een diamant. Een van de grootste ter wereld. Hij is van Denon, de directeur van het Louvre. Denon en Cuvier hebben iets met elkaar geregeld. Cuvier houdt een aantal van Denons waardevolste stukken in de kelder van het museum verborgen: een rariteitenkabinet, enkele schilderijen waarvan

Denon geen afstand wil doen, een stuk of wat Egyptische artefacten. In ruil daarvoor is Denon bereid Cuvier te helpen bij diens onderhandelingen met Brugmans.'

'Dus Cuvier verbergt Denons gestolen verzameling? Dat is belachelijk.'

'Cuvier is slim, hij weet hoe hij zijn zin moet krijgen. Die heeft hij altijd gekregen. Hij is politicus. Hij is tot alles bereid om die verzameling in zijn museum te houden.'

Er zat misschien wel een zekere waarheid in wat ze zei. De afgelopen tien dagen had ik Vivant Denon verschillende keren uit Cuviers huis zien komen, en dan nam hij altijd de achtertrap. Ik had daar nauwelijks bij stilgestaan. Cuvier ontving altijd wel de een of andere hoogwaardigheidsbekleder. Het beeld dat Lucienne me van Cuviers praktijken schetste, verbaasde me, tot ik aan mijn eigen ambities en mijn eigen onverbiddelijke nieuwsgierigheid en hebzucht dacht. Zou ik, in Cuviers positie verkerend, anders hebben gehandeld als ik de gelegenheid kreeg om al die verzamelingen binnen handbereik te krijgen?

'Hoeveel tijd heb je?'

'Tot eind oktober. Denon heeft geregeld dat zijn persoonlijke verzameling dan het land uit wordt gebracht. We hebben dus één maand. Het is nagenoeg onmogelijk. Cuvier kent ons allemaal. Zijn bewakers hebben signalementen van ons. Er zijn daar tegenwoordig meer sloten dan in de meeste banken in de stad. Ik heb jou nodig om binnen te komen. Er is niemand anders die het kan doen.' Ze kleedde zich nu aan, stopte haar hemd in haar broek, pakte het vest van de achterkant van de deur en maakte de knopen een voor een dicht, waarna ze haar haar en halsdoek zorgvuldig fatsoeneerde voor de spiegel bij het raam. 'Jij kent die man niet, Daniel. Als ik een uitweg wist, zou ik daar gebruik van maken. Ik heb het Manon beloofd, omwille van Delphine. Ik zei: geen opdrachten meer. Maar deze keer kunnen we niet kiezen.'

'Delphine?' zei ik. 'Manon zou haar terugbrengen naar Italië...'

'Het is nu te laat,' zei ze. 'Was Manon gisteren maar gegaan. Ze wilde wel, maar ik had beloofd dat ik met Delphine naar Malmaison zou gaan om haar het huis van Napoleon te laten zien. Ze wilde het zien voordat ze weggingen...' Ze zweeg even, haar ogen vol tranen. 'Daniel, als hij nu eens iets over haar te weten komt? Als hij nu eens ontdekt waar Delphine is?'

'Dat ontdekt hij niet,' zei ik. 'Niet als je doet wat hij zegt.'

Ik had het er moeilijk mee. Ik woog de risico's af tegen wat er op het spel stond en dacht daarbij niet alleen aan Lucienne en haar medeplichtigen, maar ook aan Delphine in de kloostertuin.

'Alleen een kaart?' vroeg ik. 'Meer heb je niet van me nodig?'

'Alleen een kaart.'

'Ik ken iemand,' zei ik. 'Joseph Deleuze zou een kaart kunnen maken. Hij kent de tuin en het museum als geen ander. Ik kan het proberen.'

'Doet hij het vlug?' vroeg ze, en ze keek me aan. 'Ik kan niets beginnen zolang ik geen kaart heb. Ik weet niet eens of ik binnen kan komen totdat ik een kaart heb gezien. Een kaart. Heel gedetailleerd, heel nauwkeurig. Dan kan ik een plan uitdenken.'

Dus dat was het. Alleen maar een kaart, zei ze. Alsof de kaart van weinig betekenis was. Maar enkele minuten nadat we over de kaart en Deleuze waren begonnen te praten, wisten we allebei wat er gebeurd was: we waren een rivier overgestoken en het zou pas later blijken wat die oversteek precies inhield en wat de betekenis ervan was.

Waarom volgde Daniel Connor dit pad in plaats van het pad dat hij geacht werd te volgen, het pad dat hij wilde volgen, wat dominee Samuels het pad der rechtschapenen zou noemen, het pad van Cuvier, hard werken, leertijd, patronage, het pad dat bijna zeker tot succes zou leiden? Waarom koos hij in plaats daarvan voor het pad dat naar de modderige, schemerige labyrinten leidde, waar ketters en dieven rondwaarden? Dat zou je hem moeten vragen. Ik ben die Daniel Connor niet meer. Die jongen is vele Daniels geleden. Vele afgeworpen huiden geleden.

Van meet af aan was er het verlangen. Dat weet ik nog. Maar dat verklaart wel erg gemakkelijk waarom de jongen van de postkoets de jongen van de labyrinten, salons en gokhuizen werd, waarom de anatomiestudent een dief werd. Een filosofische dievegge nam me in haar bed en praatte over tijd die zich zo ver in het verleden uitstrekte dat mijn hoofd ervan duizelde, praatte over water dat miljoenen en miljoenen jaren over bergketens stroomde, druppel na druppel, kleine stroompjes die de rots uitholden. Ze fluisterde over kolonies van koralen die continenten schiepen, over de minuscule skeletten van kalkdiertjes die kliffen vormden, over zeebodems die omhoogkwamen en gefossiliseerde oesterbedden langzaam naar de toppen van bergen drukten, duizenden kilometers de lucht in en weg van de zee. Ze mompelde over continenten die uit elkaar waren gedreven en weer naar elkaar toe dreven, en ze verstrengelde en ontrafelde geest en lichaam, zodat je niet meer wist waar het een ophield en het ander begon.

Mensen zeggen vaak dat iemand die een dief wordt een val maakt. Ik maakte die val in de stad Parijs in 1815, alleen voelde het niet aan als een val. Het voelde aan als een vlucht van een vogel.

'Mijn mensen,' zei ze, knikkend naar de gesloten deur, 'zijn nu ook jouw mensen – in elk geval een tijdlang. Je kunt ze alles toevertrouwen.'

Een van de eerste dingen die Manon die dag zei, toen Lucienne hun over mij en de kaart had verteld, was: 'Lucienne, Alain heeft Silveira gevonden.'

'Davide?' Luciennes stem klonk kalm en hard als staal. Ze keek even naar Alain, die zijn blik afwendde voordat hij zei: 'Ja. In Parijs. Ik hoorde een paar dagen geleden een gerucht en liet een paar vrienden van me naar hem zoeken in de oude joodse wijk. Een van hen heeft me vanmorgen bericht gestuurd.'

'*Vraiment*?'

'Hij is terug in de rue du Pet-au-Diable.'

'Merde. Merde. Zo ging het altijd. Altijd. Hij is altijd te laat. Ik heb hem wekenlang gezocht en nu duikt hij ineens op in de rue du Pet-au-Diable, nu het te laat is, verdomme. Ik vraag me af of Jagot het weet. Dat zal niet lang duren. Als wij weten dat hij daar is, weet Jagot het straks ook.'

'Mijn informant zei dat Silveira vergezeld wordt door Sabalair,' zei Alain. 'Jagot zal pas iets tegen hem ondernemen als de tijd er rijp voor is. En als ze in de rue du Pet-au-Diable zijn, maakt Jagot geen schijn van kans. In die straten kan Silveira als een geest verdwijnen. Mijn informant zei dat Silveira naar Parijs is teruggekomen om jou te zoeken, Lucienne. Hij hoorde dat je terug was.'

'Nou, hij weet het moment wel te kiezen, *hein*? Het lijkt wel een reünie.'

Alain hoorde de scherpte in Luciennes stem en veranderde van onderwerp. Hij deinsde terug van het duistere dat met het noemen van Davides naam in de kamer was gekomen. 'Het is onmogelijk, weet je,' zei hij. 'We komen het museum niet nog een keer binnen. Ze hebben daar nu meer bewakers en allemaal nieuwe sloten. We kunnen net zo goed zelf kettingen om onze polsen en enkels doen en naar Toulon gaan.'

Manon onderbrak hem. 'Weet je nog, dat karwei in de rue Saint-Pierre? Je sneed het glas weg in vijf seconden en was

184

binnen zeventien seconden weer vertrokken. Je zei dat het onmogelijk was. Voor jou is alles altijd onmogelijk – tot je het doet.'

Lucienne keek de anderen aan. 'We hebben meer geld nodig,' zei ze. 'Ik moet twee verdiepingen huren van een huis met uitzicht op de Jardin. Dat zal niet goedkoop zijn. We hebben materiaal en transportmiddelen nodig, en ook valse papieren. Dat alles kost meer geld dan ik heb.'

'Reuben?' vroeg Manon.

'Nee. Reuben doet het niet meer.'

'Wie dan?'

Lucienne liep naar het raam. 'Davide,' zei ze.

'Silveira?' Alain draaide zich naar haar om. 'Ben je gek geworden?'

'We hebben geen keus. We hebben hem nodig. Ik ga met hem praten en Daniel gaat met me mee. Morgen.'

'Begin met het pandjeshuis in de rue du Pet-au-Diable,' zei Saint-Vincent. 'Ik heb gisteren geïnformeerd. Hij is nog niet lang terug.'

16

De rue du Pet-au-Diable loopt door de joodse wijk van de stad. De naam is een echo van spot en vooroordeel uit vroeger eeuwen. Er stond een oude menhir op die plek in de Marais, bij een huis dat door de joden als hun synagoge was gebruikt tot ze in de twaalfde eeuw verdreven werden; de mensen daar noemden dat huis het Hôtel du Pet-au-Diable, het huis van de duivelsscheet. De middeleeuwse Franse dichter en beruchte dief en moordenaar François Villon schreef er zelfs een ballade over. De naam bleef voortbestaan in de straatnaam. De Parijse joden die daar naar de synagoge gingen, waren er niet meer.

Lucienne en ik namen een smalle zijstraat van de rue Tisserand die naar een labyrint van nog smallere, overdekte doorgangen leidde, onverlicht en in de vroege avond al donker, onheilspellend en glibberig van de modder. In het eerste straatje leunde een kind, een jongetje met een vuil gezicht en blote voeten, tegen de muur.

'Bent u verdwaald, meneer? Hebt u hulp nodig?' zei hij in straat-Frans, en hij grijnsde erbij. Toen zei hij iets wat ik niet kon volgen. Het verbaasde me nog steeds dat niemand kon zien dat Lucienne een vrouw in mannenkleren was. Deze jongen zag ons allebei voor mannen aan. Hij twijfelde daar niet aan.

'Nee, we weten waar we heen gaan,' zei Lucienne, en ze gooide de jongen een munt toe.

'Waarom laten we ons er niet door hem heen brengen?'

'Heb je dan niets geleerd in Parijs, Daniel? Als ik hem vraag ons erheen te brengen, leidt hij ons een doodlopend steegje in en dan worden we beroofd door hem en zijn kleine vriendjes. En waarschijnlijk nog mishandeld ook. En dan laten ze ons daar gewoon liggen.'

'Maar hij is zo jong.'

'O, geloof me. Zijn vrienden zijn ouder.'

Achter ons in de duisternis liet de jongen een reeks fluit-tonen horen – sommige kort, sommige lang. Er leidden nog meer steegjes naar rechts en links. Als ik in die steegjes keek, zag ik kleine groepjes kinderen naar ons kijken en tegen elkaar fluisteren. Hun ogen oplichtend in de duisternis. Wolven.

'We moeten vlug lopen, anders snijden ze ons de pas af,' zei ze, een klein beetje gejaagd.

'Weet je waar we heen gaan?'

'Allicht. Je dacht toch niet dat ik hier wou verdwalen?'

'Die monsieur Silveira is rijk?' Rijk bewerkte deuren van vervallen hotels getuigden van betere tijden. Nu verspreid-den de muren en de modder onder onze voeten een stank van urine en rottend vlees.

'Ja. Erg rijk. Hij zit in de diamanthandel. Zijn familie koopt koraal op van de Middellandse Zee tot Goa. Ze verhande-len het koraal voor diamanten, brengen de diamanten naar Londen om ze te laten slijpen en polijsten en verkopen ze dan door. Ze hebben een monopolie, en daar hebben ze heel veel succes mee.'

Ik dacht aan Silveira de koraalkoopman, stelde me hem voor op een gouden troon in een pakhuis vol rood en wit koraal, met achter hem ook nog een stapel verwarde, gepolijste tak-ken van koraal.

Plotseling werd het gefluit verderop beantwoord. En ook ergens naast ons. Toen we bij het volgende kruispunt kwa-men, werden we omsingeld door kinderen, jongens die van weerskanten tegen ons opdrongen, die duwden en praatten... 'Monsieur, monsieur. Bent u verdwaald? Ik wijs u de weg... Wij brengen u... Deze kant op. Deze kant op. U gaat hier links en dan de tweede rechts...'

'Niet tegen ze praten,' zei Lucienne. 'Geen antwoord geven. Gewoon blijven praten en recht voor je uit kijken.'

'Wat moet ik zeggen?'

'Gewoon blijven praten...'

'Goed, goed...'

Een eindje verder, aan de rechterkant, kwam een grotere jongen uit een steegje. Hij was ouder, zeker vijftien. Hij stond daar met zijn benen enigszins uit elkaar en versperde ons de weg met een stuk hout of een houten knuppel in zijn hand. De kleine kinderen liepen om ons heen en voor ons uit, duwend, babbelend. Ik keek achter ons. Daar was ook een oudere jongen uit een steegje gekomen. Er was geen uitweg. De jongen met de knuppel keek aandachtig naar Lucienne. Lucienne bleef staan, keek hem aan en tikte met haar middelvinger op de plek tussen haar wenkbrauwen. Hij zei iets wat ik niet kon volgen tegen de kleinere jongens, die opkeken naar Lucienne en zich toen terugtrokken. Plotseling waren we alleen in het straatje, met alleen die jongen voor ons. Hij tikte met zijn vinger tussen zijn ogen en verdween toen ook weer in de duisternis.

'Joaquim,' zei ze. 'Hij kent me. Hij is hier de baas.'

Ik haalde diep adem, nog bevend van angst.

'Waarom kopen de Indiërs koraal?' zei ik. Ik probeerde mezelf tot bedaren te brengen.

'Begrafenisriten. Hoe meer rood koraal je meeneemt op je brandstapel, des te belangrijker ben je. En dus slaan ze het op; dan ligt het alvast klaar. Het is een investering. Laten we doorlopen.'

'Dat is vreemd,' zei ik, terwijl ik in de duisternis om ons heen tuurde.

'Ze geven niet zoveel om diamanten als wij,' zei ze. 'Smaken verschillen.'

'Waarom woont hij hier, als hij diamanthandelaar is?'

'Hier is hij veilig. Zijn hele netwerk begint op deze vierkante kilometer en strekt zich naar alle windstreken uit: Londen, Goa, Madras, Brazilië. Hij had vroeger een huis in de rue du Temple. Daar heb ik hem voor het laatst gezien. Hij moet wel in moeilijkheden verkeren, als hij hier is teruggekomen. Hij is ondergedoken.'

Voor ons uit zag ik een doorgang naar een bredere straat. We gingen vlugger lopen. Toen we uit het labyrint kwamen, de straat op, kon ik de kinderen nog steeds zien. Ze keken in kleine groepjes naar ons vanuit openingen die net konijnenholen leken. In de smalle en met kinderhoofdjes bestrate rue du Pet-au-Diable hadden de meeste winkels de luiken gesloten voor de avond, of ze waren voorgoed gesloten, behalve een pandjeshuis dat een bord met '*Ezra Moses – Curiosité et Bric-à-brac*' boven het raam had. Lucienne bleef voor de etalage staan. De straat was bijna leeg.

'Bric-à-brac,' zei Lucienne, en ze dempte haar stem. 'Dat kan van alles betekenen. De meeste oude winkels in deze wijk zijn een dekmantel voor iets anders. Jagot heeft eens geprobeerd hier een buitenpost te vestigen, maar dat is hem niet gelukt. Zelfs zijn talrijke relaties krijgen hem hier niet binnen. Ze gaan deze oude straten slopen. Ze gaan bredere straten aanleggen, straten die ze kunnen zien. In straatjes als deze kunnen mensen zich verborgen houden.'

Ik zag mijn eigen spiegelbeeld en het hare omlijst door het raam: twee mannen, de jongste in een bruine jas, de oudste in een grijsgroene jas. De oudste streek achteloos met zijn hand over de oude boeken die in een kastje voor de winkel stonden. In de winkel achter de ruit zag ik hier en daar maliënkolders als spoken in harnas, fantastisch houtsnijwerk, roestige wapens, schelpen en ornamenten, beeldjes van porselein, hout, ijzer en ivoor; kleden en vreemde meubelen die eruitzagen alsof iemand ze in zijn droom had ontworpen. Op een bord in de hoek stond in het Frans: 'Horloges en sieraden, ruilen en repareren. Knopen, kogels en tanden van het veld van Waterloo.'

'Bric-à-brac,' herhaalde ik. Ik moest denken aan mijn anatomielessen en de potten met lichaamsdelen die ik in de anatomiezalen van Edinburgh had gezien.

'Er zijn hier wel meer rariteitenhandelaren,' zei Lucienne. 'Ze verkopen niet veel in de winkel. Ze zijn meer een soort agenten. Ze verkopen *objets* aan verzamelaars: schelpen, meubelen, souvenirs, hoorns van eenhoorns – dat soort dingen. Waterloo-souvenirs verkopen tegenwoordig het best: wapens, knopen, zelfs stenen van het slagveld. Een vriend van me, een Engelsman, kocht een Waterloo-duim met nagel en al van een man in het Palais Royal. Hij bewaart hem in een fles gin. Wat een vreemde mengeling van boeken,' zei ze. 'Kijk: Homerus, goedkope romannetjes, Euclides, Descartes, en dit...' Ze pakte een gehavend rood leren boekje op. 'Een biografie van een Poolse jood, Salomon Maimon, filosoof.'

Er verscheen een man in versleten kleren in de deuropening. Hij keek ons bemoedigend aan. 'Goedendag, heren,' zei hij. Zijn gezicht was dat van een man van ongeveer dertig. Hoewel hij maar een jaar of zeven ouder was dan ik, leek hij veel ouder, zelfs ouder dan Lucienne. Hij had een hoog voorhoofd, een duistere, wazige blik.

'Hoeveel kost dit boek?' vroeg Lucienne langzaam.

De verkoper pakte het boek, bekeek het schutblad en zei: 'Het staat er niet op, meneer. De eigenaar is er momenteel niet. Hij is gaan eten. Wilt u wachten?'

'Monsieur Silveira?' zei Lucienne.

'*Qui*?' De blik waarmee de verkoper haar aankeek was net iets te gekunsteld, vond ik. Hij knipperde nu ook niet meer met zijn ogen, alsof hij opeens heel diep nadacht.

'Silveira. Davide Silveira,' herhaalde Lucienne. 'We spreken Engels.' Ook zij bewoog nog maar nauwelijks. De straatkinderen, die de afgelopen ogenblikken dichterbij waren geslopen in de schaduw, fluisterden onder elkaar. Trompe-la-Mort. Trompe-la-Mort.

'Waarom denkt u dat hij hier is, monsieur? Deze winkel is van Ezra Moses.' Toen zweeg hij en zei: 'Is hij misschien familie van u?'

'Als monsieur Moses terugkomt,' zei Lucienne zonder op de vraag in te gaan, 'wilt u dan tegen hem zeggen dat monsieur Dufour is geweest en graag met monsieur Silveira zou willen praten? Wilt u dat voor me doen? We wachten in het café aan het eind van de straat. Misschien wilt u ons daar komen opzoeken.'

De verkoper gaf Lucienne haar boek terug, verpakt in krantenpapier. 'Interesseert u zich voor joodse geschiedenis?'

'Ja,' zei Lucienne kalm en zonder glimlach.

'Ik denk dat monsieur Moses vijftig sous vraagt, meneer,' zei hij. 'Voor het boek.'

'Monsieur Moses krijgt honderd sous voor de moeite. We zijn in het koffiehuis. Ik neem aan dat we elkaar goed begrijpen. *Dufour*. Let u er wel op dat u die naam goed uitspreekt.'

'U kunt beter binnenkomen, monsieur Dufour. Het koffiehuis is niet veilig voor... *les étrangers*. Ik zal uw boodschap aan monsieur Moses overbrengen en kom u meteen een antwoord brengen.'

'Zoals u wenst.'

'Ik heet Malachi. Monsieur Moses is mijn oom.'

In de winkel, die naar stof, vocht en ouderdom rook, waren de lampen laag gedraaid. Ze wierpen vervormde schaduwen op vuile purperen wanden. Aan weerskanten zag ik grote aantallen beeldjes, souvenirs, zilveren voorwerpen, snijwerk van ebbenhout, open laden vol zilveren lepels, platen in vergulde lijsten, stukjes wapenrusting, vogelnestjes en schelpen. Even later kwam Malachi terug. Hij zag nog grauwer dan tevoren. 'U kunt naar boven gaan,' zei hij. 'Boven aan de trap. Eerste deur rechts.'

Achter het roodfluwelen gordijn dat in de deuropening hing zag ik een man die aan een lang eikenhouten bureau met dure optische instrumenten en een klein, fraai ladekastje zat. Een oosterse piraat, een Aladdin uit duistere tijden, ongeschoren, donker, somber. Hij keek recht naar ons, nam ons in zich op, bekeek ons van top tot teen alsof we voorwerpen waren die verhandeld werden. Hij droeg een lang gewaad in een donkere wijnkleur en met zilverkleurige afwerking. Daaronder zag ik een linnen overhemd en een donkere broek. Al met al leek hij eerder een zeerover uit Duizend-en-een-nacht dan een Parijse handelaar in koralen en diamanten.

'Silveira.' Met haar stem gaf Lucienne de toon aan. Een toon van afstandelijkheid.

'Lucienne Bernard,' zei Silveira zonder op te staan. Hij glimlachte niet; zijn ogen werden kleiner.

Niemand bewoog. Ik stond achter haar in het donker van het halletje en keek door de deuropening de kamer in – warme rode en gouden tinten. Een scharlakenrode kamer. Een kamer uit een schilderij. Verstild, persoonlijk, zinnelijk. Op de tafel stonden enkele gerechten: beignets en kroketten. Ik rook kruiden die ik niet kende. Een brood, een granaatappel die in tweeën gesneden op een zilveren schaal lag, de pitten glanzend als juwelen in het schemerige licht. Ik stelde me een vrouw op een bed in de duisternis van de verste hoek voor, naakt, de lijnen van haar rug gebogen tegen de draperieën van rood satijn en zijde. Maar in die donkere hoek stond nog een man. Hij stond daar heel stil, gekleed in het zwart, zijn handen samengevouwen. Hij sprak niet en groette ons ook niet op een andere manier. Een oude man. Groot en breed, met een donkere huid en een hoog voorhoofd – wit haar dat erg kort was geknipt.

'Je herinnert je Sabalair,' zei Silveira. 'Hij herinnert zich jou.'

'Monsieur Sabalair,' zei Lucienne, en ze knikte naar de oude man.

'Wie is de jongen?' vroeg Silveira, terwijl hij een vlieg van het brood verjoeg.

'Welke jongen?'

'De jongen achter je.'

Ik schuifelde verlegen met mijn voeten. Lucienne draaide zich om en herinnerde zich me. 'Daniel Connor,' zei ze.

'Een van de jouwen?'

'Ja.'

'Echt waar?'

'*Absolument.*'

Toen ze de kamer in ging, nam ik enkele stappen over het kleed in de richting van Silveira en stak mijn hand uit over het bureau. Hij schudde hem zonder enthousiasme.

'*Enchanté, monsieur.*' Ik was een lastige bijkomstigheid. Zijn stem had iets zangerigs, en als hij glimlachte, zag je een gouden tand. Hij had een grote gouden ring aan een van zijn oren, en om zijn hals had hij een ketting die met hem mee bewoog, glijdend over zijn donkere huid en witte borstharen. Hij trok de plooien van zijn verbleekte gewaad om zich heen en gebaarde Lucienne dat ze aan de andere kant van het bureau kon gaan zitten. Ze nam de stoel. Silveira legde twee of drie muntblaadjes in twee kleine glazen en pakte een zilveren theepot, waaruit hij in elk daarvan een warme oranjebruine vloeistof goot. Toen wendde hij zich tot mij: 'Ga daar maar bij het raam zitten, jongen. Hier, eet dit maar op.' Hij stond op en zette een bord van terracotta op de mahoniehouten tafel naast me in de vensterbank en gaf me een vork, een servet en een glas muntthee, waarin hij iets had gestrooid wat op fijngehakte walnoot leek. Ik vond het niet prettig om een jongen genoemd te worden.

'Kwartels,' zei hij, wijzend naar het bord. 'Ze smaken goed, maar je kunt in Parijs geen goede gember meer krijgen. Er moet meer gember bij. Vers en geraspt, niet verpulverd.'

'Nee, dank u,' zei ik.

'Eet nou maar,' zei hij. 'Het smaakt goed.'

Ik sneed in het bruine vlees van het vogeltje. Warme sappen met vlekjes van citroenpitjes en sliertjes gember. Silveira wachtte. Hij stond met zijn rug naar Lucienne toe naar mij te kijken.

'Wat vind je ervan? De gember is niet goed genoeg. Ik zal wat uit Goa bestellen, goede, verse gember.'

'Dat was ik vergeten,' zei Lucienne.

'Wat?'

'Je obsessie voor eten.'

'Spreek jij van obsessies? Uitgerekend jij...'

Er ging iets ondefinieerbaars van hen beiden uit, een atmosfeer, een intimiteit, een aanwezigheid die groter was dan hun twee lichamen. Een geschiedenis zo scherp als gember. Silveira ging weer achter het bureau zitten.

'Wat voert jou naar Parijs?' vroeg Lucienne. 'Ze zeiden dat je in Goa was.'

'Je hebt veel gehoord. Goa, Madras... ja. Wat is er met je gezicht gebeurd?'

'*Rien.* Niets van belang.' Ik keek uit het raam. Beneden op straat hadden de jongens een andere man gevonden die ze konden lastigvallen. Hun donkere silhouetten zwermden om hem heen. Hij bleef stilstaan en deed vergeefse pogingen hen met gebaren weg te jagen. Hij zag er oud en vermoeid uit, een gemakkelijke prooi.

'Je hebt een opdracht, Lucienne.'

'Hoe weet je dat?'

'Dat kan ik raden. Je komt me opzoeken. En je bent een klein beetje bang, denk ik. Je hebt de jongen meegebracht om je te beschermen. Dat vind ik wel prettig.'

'Wat?'

'Dat je een beetje bang bent. Dat is nieuw.'

'Jij hebt Sabalair,' zei ze. Ik richtte mijn blik op de oude man die in de schaduw stond. Hij keek niet eens op toen zijn naam viel.

'Ja, ik heb Sabalair.'

'Denk je dat ik bang voor jou ben?' Ze glimlachte. 'Ben ik dat ooit geweest?'

'Het is ingewikkelder. Ik denk dat je een goede reden moet hebben om naar Parijs terug te komen. En als je een opdracht hebt, heb je geld nodig. En daarom kom je naar mij toe. *C'est vrai?*'

'C'est vrai.'

'Nou, wat is het deze keer?'

'Het museum in de Jardin.'

'Opnieuw? Daar kun je niet meer heen.'

'Dat zegt iedereen.'

'Het zou gemakkelijker voor je zijn om in de Banque Nationale in te breken dan te proberen daar binnen te komen. En wat kan Cuvier daar nog hebben dat voor jou van belang is? Je moet nu wel alle koralen hebben.'

'We hebben het al eerder gedaan.'

'Het is geen goede investering.'

'Je hebt nog niet gehoord waar het om gaat. Je weet het niet.'

'Ga verder.' Silveira stond op om meer muntthee in te schenken en gaf mij een mandje met brood. 'Jullie Engelsen moeten leren eten. Te veel vleespasteitjes en slecht bier,' zei hij.

'Hoe staat het momenteel met de handel – in diamanten, bedoel ik,' vroeg Lucienne.

'Verschrikkelijk. Alle grote kopers, de Engelse hertogen en graven, willen stukjes van oud Frankrijk kopen: Sèvres-porselein, kroonluchters, portretten, meubelen. Souvenirs. Er zijn overal verzamelaars. Daarom ben ik hier. Om mijn handel uit te breiden naar andere dingen. In Parijs kun je tegenwoordig alles verkopen. Ik zou mijn eigen huid kunnen verkopen als ik hem een tijdje kon missen.'

'Andere dingen?'

'Ja. Ze willen voorwerpen met geschiedenis. Niet gewoon diamanten, maar diamanten met geschiedenis. Weet je nog, dat kamertje bij het marktplein in Jaffa, Lucienne? Dat kamertje met rode wanden?'

'Ik herinner me de epidemie in Jaffa. Ik herinner me de bloedzuigers in het water. Ik herinner me geen kamertje bij het marktplein.'

'De zandstorm.'

'Nee, ik herinner me geen zandstorm.'

'Ik wel. Sabalair ook. Je weet het toch nog wel, Sabalair? De zandstorm? Het dode paard, en dat we haar uit die tent moesten graven? Ooit was ze dankbaar. Ze heeft haar leven aan ons te danken. Dat is ze nu vergeten. Als ik haar ernaar vraag, zegt ze misschien zelfs dat ze de woestijnvos is vergeten die we om middernacht in het zand van de Wadi Rum hoorden.'

Sabalair zei niets. Hij bewoog niet. Zijn gezicht vertoonde geen enkele uitdrukking.

'Dus je bent handelaar in Sèvres-porselein geworden,' zei Lucienne. 'Het is niets voor jou om genoegen te nemen met zo weinig. Je zou Napoleons dingen moeten opkopen. Iemand heeft een fortuin voor zijn rijtuig betaald, zeggen ze, en voor zijn garderobe, zijn paarden, zelfs zijn Hollandse koetsier. Dat alles gaat naar Engeland, als een reizend circus.'

'Ik heb verstand van diamanten,' zei Silveira, 'maar in Parijs wil iedereen diamanten in een oude zetting. De Engelse hertogen en baronnen sturen me hun agenten. Oude diamanten, zeggen ze. We willen heel oude diamanten. Maar de meeste daarvan zijn al verkocht, zeg ik tegen hen. Ze zijn moeilijk te krijgen.'

'Wat weet je van de Satar-diamant?'

Toen Silveira lachte, ging zijn hoofd achterover. 'Iemand heeft je wat op de mouw gespeld, beste vriendin. De Satar-diamant is een mythe, verzonnen door de East India Company.'

'Denon heeft hem.' Ik keek met steeds meer bewondering naar Lucienne. Haar manoeuvres waren onberispelijk. Als dit een soort steekspel was, waren Lucienne Bernard en Davide Silveira daar ware meesters in.

'In Parijs?' zei hij.

'Ja. In het Montserrat-kabinet.'

'Is het kabinet in Parijs? Het was in Spanje.'

'Je tipgevers gaan achteruit, Silveira. De diamant is tien jaar in Denons verzameling aan de quai Voltaire geweest, hier in Parijs, verborgen in een mummie in een Egyptische sarcofaag. Maar twee weken geleden is hij in de kelder van de Galerie d'Anatomie Comparée in de Jardin gelegd, in het Montserrat-kabinet. Denon heeft Cuvier gevraagd hem voor hem te verbergen.'

'Mon Dieu. Spreek je nu de waarheid?'

'Ja.'

'Een exclusief verkooprecht?'

'Ja,' zei Lucienne. 'Geen probleem. Denk je dat je een koper hebt?'

'Ik kan het bieden al op gang laten komen voordat jij hem te pakken hebt. Mijn rijke Engelsen hebben er een fortuin voor over, vooral wanneer ik zeg dat ze allemaal met elkaar wedijveren. Uitstekend. Ja. Dit wordt interessant. Ik heb een voorwaarde.'

'Ja.' Ze keek Silveira weer aan.

'Ik wil deze keer met je naar binnen. Het museum in.'

'Geen sprake van. Dat is veel te riskant,' zei ze. 'Trouwens, Saint-Vincent gaat daar nooit mee akkoord.'

'Is Saint-Vincent in Parijs? Ik hoorde dat hij op de lijst van ballingen stond.'

'Dat stond hij ook. Hij is ondergedoken.'

'Zorg er maar voor dat hij akkoord gaat. Wat Lucienne Bernard zegt, gebeurt. Of niet?'

'Dit heeft een voorgeschiedenis, Silveira. Dat weet je. We kunnen niet doen alsof er niets is gebeurd.'

'Laten we het dan opnieuw doen. En deze keer zonder fouten.'

Op die dag in de fluwelen kamer boven het pandjeshuis in de rue du Pet-au-Diable werd mijn verlangen naar haar overschaduwd door iets anders. De Fransen noemen het *la jalousie*. Ik zou destijds niet hebben geweten hoe ik het moest noemen. Alsof er een seconde lang iets voor de zon langs was getrokken, was ik al na mijn eerste blik op Silveira's gezicht tot het besef gekomen dat hij, Silveira, en dus niet de dichter/ slotenmaker Dufour, die in Toulon was gestorven, de vader van Delphine was.

Als de gelijkenis tussen de piratenvader en het pittige meisje met haar ravenzwarte haar mij al direct was opgevallen, vroeg ik me af, wat moest het dan voor haar, Lucienne Bernard, moeilijk zijn geweest om niets te verraden als ze in het gezicht van de vader van haar kind keek, die – dat zag ik ook meteen – niet wist dat hij vader was. Het zou nog twee weken duren voordat een van ons zou praten over wat ik in die kamer boven de rariteitenwinkel had ingezien, waar Silveira haar had uitgedaagd door zandstormen, kamelen, tenten en een rode kamer bij het marktplein van Jaffa ter sprake te brengen. Ze verwachtte van me dat ik het geheimhield, en dat deed ik ook.

Op een middag in het begin van oktober, toen ze de evenaar voorbij waren en met succes door de wisselvallige passaatwinden waren genavigeerd, hesen de matrozen van de HMS Northumberland een enorme haai aan boord. Het was tot daaraan toe geweest om hem uit de golven te trekken, maar het was een heel andere zaak om op het dek van het schip met de nog levende haai te worstelen. De keizer, die benedendeks zijn memoires had gedicteerd maar door het dreunen, stampen en schreeuwen was gestoord, klom naar het achterdek, waar de kinderen van Bertrand en Emmanuel, de vijftienjarige zoon van Las Cases, op veilige afstand stonden te kijken.

De waarschuwende kreet van de admiraal kwam te laat, want toen Napoleon naar voren kwam om de patronen op de rugvin van de vis te bestuderen, zwaaide de haai, die nu in doodsstrijd verkeerde en naar adem snakte, die staart met een laatste krampachtige beweging over het dek en gooide vijf matrozen en de keizer om. Toen Las Cases, zijn zoon en de twee generaals kwamen aangesneld om hem onder de staart van de nu dode haai vandaan te halen, waren ze ervan overtuigd dat hij zijn beide benen had gebroken, want de roomwitte broek van de keizer zat onder het bloed. Toen wees Emmanuel Las Cases erop dat het haaienbloed was, een bruine, dikke substantie die zich over het dek had verspreid. De keizer, die zichtbaar geschokt was, maar alleen een paar blauwe plekken had opgelopen, werd naar zijn hut gedragen, waar zijn lijfarts hem verzorgde. Na een glas cognac stuurde hij een briefje naar de commandant van het schip. Daarin verzocht hij de botten van de haai uit te koken en rechtstreeks naar professor Cuvier in de Galerie d'Anatomie Comparée in de Jardin des Plantes in Parijs te sturen.

'Let goed op wat je vanavond eet, Bertrand,' mompelde de keizer onder het avondmaal met glinsterende ogen tegen zijn generaal. 'Die Engelse kok is tot alles in staat. Ze zeggen tegen ons dat we bourgogne krijgen, maar het is azijn. Ze zeggen dat het rundvlees is, maar het is haai. Het mogen dan goede soldaten zijn, hun koks zijn barbaren.'

17

Twee dagen later, op 5 oktober, stierf een van de twee struis-vogels in de menagerie van de Jardin. Antoinette, tweeënvijf-tig jaar oud, was geboren in het zand en de grasvlakten van Senegal, had gevangenschap in drie menagerieën in Holland en Frankrijk overleefd, had honderden eieren gelegd die on-danks de steeds excentriekere broedtechnieken van de oppas-sers niet in het klimaat van noordelijke Europa hadden willen uitkomen, en was uiteindelijk gestikt in een munt die door haar hek was gegooid door een Pruisische soldaat die zich niets had aangetrokken van het bord bij de ingang waarop het gooien met voorwerpen werd verboden. De struisvogel had altijd veel van munten gehouden, hoe glimmender hoe beter. Deze munt was haar fataal geworden.

Ik ging zo goed mogelijk te werk, zoals ik had beloofd. Ik hield mijn geheimen voor me, nam weloverwogen risico's en maakte gebruik van kansen die ik kreeg. Cuvier wilde nieuwe assistenten in zijn laboratorium – er waren nieuwe dieren die ontleed en opgezet moesten worden, waaronder nu ook die struisvogel. Ik had besloten Fin te vragen of hij het werk wilde doen. Het zou later misschien van pas komen, dacht ik, om een extra paar ogen in de tuin te hebben, al zou ik Fin natuur-lijk nooit iets vertellen over de plannen om in het museum in te breken, hoe graag ik dat ook zou willen. Ik wilde niet dat Fin en Céleste betrokken raakten bij Jagots onderzoek of Luciennes diefstal.

Die middag was helderder dan de meeste. Het was het soort helderheid dat pijn deed aan je ogen. Fin en ik troffen Céleste met haar vriendinnen aan in het marktcafé bij de marché des Enfants Rouges, de markt van de kinderen in het rood. Weeskinderen die rode jasjes droegen hadden daar ooit gewoond in een school die gebouwd was door Margaretha van Navarra. De rode kinderen waren weg en toch niet weg. Met hun namen hielden al deze straten in Parijs sporen van hun verleden vast. Hoeveel arbeiders de regering van de Bourbons ook inhuurde om Napoleon uit de straatnamen weg te halen en zijn herkenningstekens – de bijen en de adelaars – van de gebouwen te verwijderen, de keizer was nog overal.

Célestes vriendinnen lachten om ons toen we eraan kwamen. Ze stootten haar aan en trokken hun kleren recht. Céleste leidde ons over een metalen wenteltrap bij het café vandaan naar een balkon dat uitkeek over de markt. Beneden ons stonden marktkramen, bedekt met wit doek, in lange rijen, blijkbaar gerangschikt naar soort: rechts de viskramen met schaaldieren, krabben en kreeften in ondiepe glazen tanks, links bloemenkramen waarachter vrouwen in witte schorten vazen met lelies, ridderspoor en late zonnebloemen verzorgden, en helemaal aan het eind de kruidenkramen, waar de Marokkaanse en Arabische handelaren thee dronken aan tafels achter kisten met kruiden.

'Er is hier meer privacy,' zei ze. 'Beneden kun je jezelf niet horen denken.'

'Wat zeiden je vriendinnen?' vroeg ik. 'Wat is er zo grappig?'

Céleste lachte. 'Je ziet er goed uit, Daniel, met je krullen, je blauwe ogen en je glimlach. Ze zeiden wat ze met je zouden doen. Non, non, vraiment, je wilt het niet weten.' Ze pakte een fles absint en een glas uit haar mand, en ook een kleine koek die naar tamarinde rook.

'Dank je,' zei Fin. 'Ik heb honger en hoofdpijn.'

'Jij hebt altijd honger, *chéri*. Altijd maar eten, eten. Er lag vanmorgen niets meer in mijn kast. Weet je, Daniel, je vriend hier heeft al het brood en alle chocolade opgegeten. Ik moest naar de winkel.'

'Ik schaam me diep,' zei Fin met enige spot. 'Ik moet te veel wijn hebben gedronken. Ik geef je...' Hij greep in zijn jas om geld te pakken.

'Je hebt me gisteravond al genoeg van je geld gegeven, *citoyen*. Genoeg om meer cognac te kopen en een vorstelijk ontbijt te eten. Nu krijg je een kleur. Wat ben je toch grappig.' Ze lachte en legde haar hand op zijn wang. Ik wendde mijn ogen af.

Tegelijk werd ik van mijn stuk gebracht door haar geur, de geur van haar kleren, de absint en de warmte. Ik zag haar gedachteloos met haar hand over Fins been strijken. In een vorig leven zou ik om de kracht hebben gebeden om zulke verlangens te overwinnen; nu kwam dat niet eens meer bij me op. Zelfs de taal van het gebed klonk vals en eufemistisch, hier in deze prachtige seculiere stad, waar de priesters na hun terugkeer uit ballingschap nog geen voet aan de grond hadden gekregen.

Daniel Connor wierp weer een huid af. Wat zou er van hem overblijven?

Ik wendde me af om naar het plein voorbij de markt te kijken. Alles kwam en ging op dat plein: tekenaars tekenden, bedelaars bedelden, paarden stonden in de schaduw, venters leunden tegen limonadekraampjes die hoog beladen waren met citroenen, mensen stonden in de rij en praatten in de zon. Een kat met maar één oor zat op de rand van een ander balkon en keek naar ons. Zijn ogen gingen langzaam dicht en toen weer open.

'Hou op, Céleste,' zei Fin zonder overtuiging. 'Mijn vriend is erbij...'

'Het is warm, Fin. En ik heb behoefte aan een siësta.

Misschien vind ik een vriendin voor Daniel, voor een siësta. Dat zal niet moeilijk zijn.' Ze keek me glimlachend aan. 'Mijn vriendinnen... Welke vind je aardig?'

'Nee, dank je,' zei ik.

'Iemand moet iets doen,' zei Fin, en hij kuste haar. 'Mijn vriend Connor verliest zijn hart aan een mooie weduwe die met haar katten en duiven in een huis woont. Hij moet worden afgeleid. En snel ook. Ik spreek nu natuurlijk als arts.'

'Daniels donkere dame,' zei Céleste. Ze leunde met haar rug tegen het smeedijzeren hek van het balkon en sloeg haar benen over elkaar. Ze gaf me de fles en glimlachte begrijpend.

'Neem wat absint, Daniel,' zei Fin. 'Dat is goed voor je hoofd. Vorige week, Céleste, toen Daniel erg dronken was, heeft hij de hele nacht over de weduwe gepraat. Hij was in de war, want soms was ze een vrouw en soms een man. Het is een serieuze zaak. We moeten iets doen. Verliefd zijn is mooi, maar je moet niet je verstand verliezen. Hij slaapt niet eens goed meer. En ik zie hem bijna nooit.'

'Ik heb mijn verstand niet verloren,' zei ik. 'Ik was dronken, dat is alles. Die vreselijke cognac van jullie. Ze verkeert in moeilijkheden,' zei ik. De absint schroeide het achterste van mijn keel. 'Ik heb beloofd haar te helpen.'

'Daniel Connor is niet zijn hart aan het verliezen. Hij heeft het al verloren,' zei Céleste. 'Wat moet ik tegen mijn vriendinnen zeggen?'

'Ik denk dat je jaloers bent, Céleste,' zei Fin. 'Je bent jaloers op Daniels vriendin. Als ik over een vrouw praatte zoals Daniel over die vrouw praat, zou je dan jaloers zijn? Misschien moet ik jaloers op Daniel zijn. Misschien moeten we allemaal jaloers op Daniel zijn.'

'*Eh bien*,' zei Céleste. 'Ik luister. Vertel me over haar. *Un peu. Un petit peu.*' Ze stak twee vingers op, maakte een opening daartussen en gluurde erdoor, haar ogen halfdicht geknepen alsof ze door een kijkgaatje tuurde.

'Ik wil niet over haar praten,' zei ik stuntelig, plotseling bang dat ik even niet op mijn hoede zou zijn en hun alles zou vertellen. 'Jullie zijn alle twee onmogelijk. Jullie nemen niets serieus. Ik wil niet over haar praten, maar ik heb een voorstel voor jou, Fin.'

'Een voorstel? Wat klinkt dat opwindend.'

'Er is gisteren een struisvogel doodgegaan in de Jardin. Dat betekent dat we nu drie dieren in het laboratorium hebben, want we hadden al een stier en een lama. Cuvier wil dat ze snel ontleed en opgezet worden. Ik heb jouw naam genoemd. Ik hoop dat je het niet erg vindt. Het leek me een nuttige ervaring. Een referentie van Cuvier komt altijd van pas. Monsieur Rousseau wil je daar morgenvroeg hebben. Wat denk je ervan?'

'Hé, Fin,' zei Céleste. 'Dan kun je me struisvogelvlees brengen. Als het niet te veel is vergaan, natuurlijk. Ik wil niet ziek worden. Dan eten we een struisvogeldiner.'

Fin ging natuurlijk akkoord. Hij gaf zijn baan in het ziekenhuis op om in het museum te gaan werken, niet om daar struisvogelvlees te kunnen stelen, maar omdat hij net zo goed als ik wist dat het gunstig voor je carrière was om in het laboratorium van Cuvier te werken, zelfs wanneer je daar tijdelijk ontleedwerk deed. Het zou hem enkele belangrijke sporten hoger brengen op de ladder die er uiteindelijk misschien toe zou leiden dat hij Parijs kon verlaten om een prestigieuze positie te gaan innemen in het Saint Bartholomew's Hospital of bij het Royal College of Surgeons. En als Fin in het laboratorium werkte, zou dat mij misschien helpen – enigszins helpen – bij de onmogelijke taak die ik op me had genomen.

De absint en het slaapgebrek brachten me in een soort delirium. Alles is ondersteboven, wilde ik tegen Céleste zeggen, en ik weet niet hoe ik alles weer met de juiste kant naar boven kan krijgen. En nee, ik kan niet slapen, want ik moet steeds aan de kaart en Luciennes gezwollen gezicht denken, en aan hem, de naamloze man in de schaduw die haar voor hem laat werken, en nu ook aan die andere man, de koraalhandelaar die de vader van haar kind is.

'Je hebt te veel absint gehad, citoyen,' zei Céleste toen Fin koffie voor ons drieën ging halen. 'Daar word je ziek van. Je bent het niet gewend. Heeft je moeder je nooit verteld hoe gevaarlijk sterkedrank is?' Ze boog zich naar me toe.

'Je bent Fins meisje,' zei ik.

'Ik ben niet Fins meisje. Ik behoor aan niemand toe,' zei ze, haar kin een beetje naar voren. 'We zijn in Frankrijk, monsieur. Dingen kun je bezitten, maar mensen niet. Ik ben mijn eigen bezit. Ik mag kussen wie ik wil. Ik mag met mezelf doen wat ik wil. Fin weet dat. Hij is niet als andere mannen.'

'Ik denk van wel,' zei ik. 'Ik denk dat we allemaal hetzelfde zijn.'

Céleste had heel bijzondere ogen. Ze waren blauwgroen, maar als de zon op haar pupillen scheen, vernauwden die zich tot kleine zwarte stippen en kwam er een kring van goud omheen, alsof de zon achter een onweerswolk vandaan was gekomen. Ik keek plotseling gefascineerd naar die gouden kring, die als een schim om het zwart verscheen.

'Iemand moet je donkere dame waarschuwen,' zei ze. 'Iemand moet haar zeggen dat Daniel Connor verliefd op haar is.'

Liefde. Dat was schokkend. Hard. Genadeloos. Céleste keek aandachtig naar me. Wat het ook was dat zich in mij had genesteld, het voelde niet aan als liefde. Ik was al eerder verliefd geweest, wilde ik tegen Céleste zeggen, op een mooi meisje, een nichtje met ravenzwart haar, zedig, intelligent en goed verzorgd. Ik had van haar gehouden. Tenminste, dat had ik tegen mezelf gezegd. Maar dit was iets anders. Iets donkers, iets met veren en klauwen.

18

Oktober had een bijna zomers aanzien. Alles droogde op. De bladeren aan de bomen, omgekruld en ritselend, bruin en broos, zagen eruit alsof ze vertraging hadden opgelopen en wachtten tot ze konden vallen. De eerste week van oktober ging over in de tweede week, en intussen wachtte ik tot Deleuze me de definitieve versie van de kaart kwam brengen.

Een paar weken eerder had ik in het koffiehuis van de Jardin tegen de oude Deleuze gezegd: 'Jij weet daar beter de weg dan wie ook. Je zou echt een geschiedenis van de Jardin moeten schrijven.' Toen hij geen antwoord gaf, had ik hem gevleid: 'Ik denk dat niemand meer over de Jardin en zijn geschiedenis weet dan jij. En de baron heeft toch niet het eeuwige leven? Wat gebeurt er daarna? De wereld zal de waarheid over Cuvier willen weten.'

'De waarheid?' vroeg Deleuze.

'Nou, er doen in Parijs veel verhalen over Cuvier de ronde.'

'Wat voor verhalen?'

'Nou, sommigen zeggen dat hij een tiran en een bullebak is en dat hij niets van nieuwe ideeën wil weten. Wie zal hen in de toekomst kunnen tegenspreken?'

'Leugens. Allemaal leugens,' zei Deleuze. Hij krabde over de rug van zijn hand, waar de chemische stoffen waarmee hij werkte hem een uitslag met de kleur van rauw vlees hadden bezorgd. 'Zeker, de baron heeft een hekel aan speculaties. Hij is een man van de feiten. Maar het is een leugen dat hij een bullebak en tiran zou zijn.'

'Ik weet dat natuurlijk. Maar hoe zullen andere mensen weten dat het leugens zijn? Tenzij iemand hun vertelt dat het anders is. Een boek, een geschiedenis, geschreven door de juiste persoon, zou de wereld laten inzien dat de Jardin des Plantes de geweldigste wetenschappelijke instelling ter wereld is. Zo'n boek zou alle bijzonderheden van het werk in het museum beschrijven, de mensen die daar werken, de dieren in de menagerie. Alle feiten. Een lijst van alle grootste Franse mannen van de wetenschap. Stel je voor: jouw naam zou erin staan, naast die van Cuvier. Joseph Deleuze, assistent-botanist. Werkt sinds 1795 in de Jardin. Vertaler van *The Loves of the Plants* van Erasmus Darwin...'

Ik herinner me dat ik aarzelde, dat ik me schaamde omdat het zo gemakkelijk was de oude Deleuze over te halen, alleen door hem een spiegel voor te houden en hem zijn toekomstige roem voor ogen te stellen. Daarna was ik langzaam verder gegaan, opdat hij me zou volgen, want hij wilde bovenal in die spiegel blijven kijken om zichzelf daar nog even in te zien. Ik verbaasde me over het gemak waarmee ik hem bedroog. Ik hoorde mezelf vleien en paaien, maar toen bedacht ik weer wat er op het spel stond.

'Natuurlijk zou het een monument zijn,' zei ik. 'Het zou nog honderden jaren in bibliotheken worden gelezen door studenten, die zouden vragen: hoe hebben ze dat gedaan? Hoe hebben die Franse geleerden een van de grootste musea ter wereld opgebouwd? Je zou het boek *De tuin van Utopia* kunnen noemen.'

'Ik denk,' zei Deleuze, en hij krabde over zijn kin, 'dat ik voor iets zou kiezen wat een beetje minder poëtisch is. Zoiets als *De Jardin des Plantes: een geschiedenis.*' Terwijl hij dat zei, bewoog hij zijn hand door de lucht alsof hij zijn boektitel boven een winkel of op een monument op een druk plein in Parijs zag staan.

'Als je nu eens eerst een kaart van de hele Jardin tekent?' stelde ik voor. 'Met een lijst van alle mensen die hier werken, en waar ze wonen, en wat ze doen. Als je dat eenmaal op papier hebt, komt de rest vanzelf. Je kunt alle gebouwen tekenen en ze nummers geven en er dan een lijst bijzetten met de namen van alle woningen, de menagerie, het amfitheater en de serres.'

'Maar dat kost veel tijd, Je kunt niet zomaar een kaart tekenen. Dat moet je heel precies doen, met metingen. Ik zou toestemming moeten vragen. Het zou via commissies moeten gaan.'

'Dat kun je later allemaal doen. Als je Cuvier eenmaal een goede kaart hebt laten zien en een lijst van alle mensen hebt gemaakt, kun je hem over je plannen vertellen. Voorlopig zou ik het geheimhouden. Je wilt niet dat iemand ánders op het idee komt dat boek te schrijven. Bijvoorbeeld monsieur Rousseau. Hij is hier ook al heel lang.'

'Je hebt gelijk. Een geheim. Ja, dat staat me wel aan,' zei hij.

'Misschien kan ik je zelfs helpen het boek in het Engels vertaald te krijgen. Ik heb connecties.'

'O ja?'

Een week later had Deleuze inkt op zijn vingers en wallen onder zijn ogen. Een week lang liep hij langs de muren van gebouwen in de Jardin en telde daarbij zijn stappen en noteerde de uitkomsten. Hij had notitieboekjes bij zich, en instrumenten om hoeken te meten. Hij liep van de ene naar de andere hoek van gebouwen, al tellend, en dan draaide hij zich om en liep terug om voor alle zekerheid nog eens zijn stappen te tellen.

'Je moet discreter te werk gaan,' zei ik tegen Deleuze, maar hij keek me nietszeggend aan. 'Het is niet de bedoeling dat iemand nu al weet wat je aan het doen bent.'

Hij had zijn werk aan het boek over dierlijk magnetisme opgegeven om deze kaart te maken. Alles was ervoor stopgezet, behalve de Jardin zelf. Elke dag leek de Jardin een beetje meer te veranderen. Overal hoorde je timmeren en zagen: nieuwe omheiningen, nieuwe serres, bakstenen en metselspecie, glas, aarde, hout, pleisterwerk, kasten, veranderingen, nieuwe gebouwen, sloopwerk.

Op 10 oktober liet Deleuze me zijn eerste schets zien, die frustrerend onvolledig was. Er was bijna geen touw aan vast te knopen. Deleuze had eerst de afmetingen en rechte hoeken van de botanische borders vastgelegd, en de krommingen van de paden door de menagerie en de kooien en hokken daarin. Hij had rechthoeken getekend die de huizen van de hoogleraren en hun assistenten en de assistenten van de assistenten voorstelden, en stipjes die moesten doorgaan voor bomen. Het was goed, maar het was niet af. Hij zou er nog een week mee bezig zijn, en intussen wachtte ik, wachtten we allemaal. Alles bleef in het ongewisse.

In Cuviers bibliotheek bleef ik, naast de andere klerken en assistenten, de ene na de andere pagina kopiëren van zijn manuscript van deel vier van *Le Règne Animal*, het werk waarin hij alle hoeken van de dierenwereld in kaart bracht, met minutieuze beschrijvingen van de krommingen van klauwen, de patronen van verenkleden, de exacte kleur van de eieren en de geografische verspreiding van de ene na de andere vogel, precies zoals Cuvier graag wilde dat ze gekopieerd werden. Ik controleerde alle accenten, keek naar elke puntkomma, elk verbindingsstreepje, zoals hij had opgedragen. Het deel over vogels was bijna voor de helft voltooid.

In de bibliotheek liep de spanning hoog op, soms op de grens van paniek. Sinds Sophie Duvaucel in opdracht van Cuvier had aangekondigd dat het tempo van de catalogisering van één naar twee vogels per week ging, maakten we allemaal werkdagen van tien uur. Er werden geen extra assistenten benoemd. Die waren niet te krijgen.

De vogeltekeningen die we maakten waren voor het merendeel gebaseerd op opgezette exemplaren uit het Muséum National d'Histoire Naturelle of de Galerie d'Anatomie Comparée van Cuvier. Sommige vogels kwamen uit opslagruimten, verpakt in papier. De vogels die tot de verzameling van de stadhouder behoorden, werden nu tevoorschijn gehaald en in volgorde van prioriteit op de planken van de bibliotheek gezet, opgezette vogels in de wachtrij, sommige in glazen stolpen, andere in papier verpakt, in gesloten dozen. Ze waren allemaal voorzien van een etiket. Ik had een lijst van de vogels die ik zou tekenen, en in die maand oktober ging er een stoet van vogels van diverse kleuren, vormen en formaten over mijn tafel, zoveel dat mijn dromen gevederd waren en ik bij alles wat ik aanraakte veren op mijn vingers voelde. Ik herinner me de gewone namen van de vogels beter dan de Latijnse namen die ik eigenlijk moest gebruiken. Die oktobermaand tekende ik de Himalayakwartel, de soldatenspreeuw, de klipzwaluw, de gele doornsnavel, de Sumatraanse bijeneter en het Amerikaanse purperhoen.

In het laboratorium, enkele gebouwen bij mij vandaan, werkten Fin en enkele andere jongemannen, onder wie Cuviers stiefzoon Alfred Duvaucel en zijn vriend Pierre Diard Medard, in overalls aan sectietafels. Onder leiding van monsieur Dufresne, de hoofdtaxidermist, verwijderden en ontleedden ze de veren, botten, poten en snavels van vogels en bestudeerden ze deze onder de microscoop. Ze zochten naar gemeenschappelijke structuren en patronen in de botweefsels of in de veren, klauwen of maagwanden. Fin had het zenuwstelsel van de dode struisvogel uit de menagerie al in kaart gebracht, een zenuwstelsel waarover tot dan toe onvoldoende bekend was; hij was nu bezig met het spijsverteringsstelsel. Als dat klaar was, zou de gevilde struisvogel, waarvan het zachte weefsel al stonk, in het zuurbad achter in het laboratorium worden gelegd, tot er alleen gebleekte, witte botten overbleven, en dan zou het skelet, met draad weer in elkaar gezet en op een voetstuk geplaatst, naar Cuviers museum worden gestuurd, waar in zaal 2 al ruimte was vrijgemaakt.

Ik was blij met de precisie en concentratie die het werk vereiste, al kringelden haar woorden als rook door alles heen wat ik schreef. 'Ik heb jou nodig om binnen te komen.' Wat was de aantrekkingskracht van die woorden, die me zo opwonden en prikkelden, die over mijn huid streken? 'Ik heb jou nodig om binnen te komen.'

'Monsieur Connor,' zei Cuvier op een avond. Ik was nog laat bezig de laatste hand te leggen aan de beschrijving van de grote kuifstern, toen hij abrupt bij mijn tafel bleef staan. Vergezeld door zijn stiefdochter, Sophie Duvaucel, was hij op weg naar zijn donderdagavondsalon. Nadat hij zijn keel had geschraapt, zei hij: 'Monsieur Connor, u hebt met aanbevelenswaardige snelheid aan de voltooiing van dit deel gewerkt. Uw hele houding ten opzichte van het werk is aanbevelenswaardig. Madame Duvaucel zegt dat er in alle opzichten op u kan worden gerekend. U bent discreet en betrouwbaar. Dat zijn belangrijke eigenschappen. Ik beveel u aan, meneer. Jazeker, dat doe ik. Er is me gevraagd drie of vier jongemannen aan te bevelen voor een positie aan de universiteit van Leiden. Ik zou graag uw naam willen noemen, monsieur Connor. Het is een prestigieuze positie. Natuurlijk pas als u hier klaar bent met het deel over vogels. Over twee of drie jaar. Begrijpt u dat?'

'Dank u, baron,' zei ik. Ik deed mijn best om niets van mijn opwinding te laten blijken. 'Ik ben blij dat ik van nut kan zijn.'

'Wat hij bedoelt, monsieur Pluimstrijker,' zei Sophie even later, toen Cuvier de kamer uit was, 'is dat u de baan in Leiden niet moet weigeren als die u wordt aangeboden. Na Leiden wil hij mijn broer en u naar Sumatra sturen. Het zijn plannen die grote discretie vereisen. Daar moet u over nadenken natuurlijk, als u van nút wilt zijn.' Ze glimlachte. 'Bent u dis-

creet, monsieur Connor? Ja, ik denk van wel. Discreet, charmant en volkomen ondoorgrondelijk. Dat is een goede combinatie. Zulk werk zal natuurlijk rijkelijk worden beloond. U
zult in aanmerking komen voor belangrijke posities. Maar nu
moet u me excuseren. De baron houdt er niet van als je hem
laat wachten.'

Ik had gehoord van zulke posities. Zulke mannen waren
Cuviers ogen en oren aan de universiteiten, laboratoria en
hoven van Europa, of in de koloniale buitenposten van Azië.
Hij zette hen daar niet alleen neer als belangrijke verzamelaars en veldassistenten, maar ook als assistenten van zijn
rivalen, andere natuurfilosofen of verzamelaars in de Britse
of Hollandse koloniën, die verzamelingen opbouwden waarmee ze die van Cuvier naar de kroon wilden steken. Delen
van zulke verzamelingen, zeiden ze, raakten soms vermist als
ze op weg waren van het ene naar het andere land. Soms
verdwenen belangrijke en zeldzame skeletten. Er waren altijd verklaringen voor: een schip dat aan de grond gelopen
was op een rotsige kust, een wagen die een wiel verloor in
het oerwoud van India, een aanval door inboorlingen op de
Tibetaanse grens. Een hele bootlading met honderden opgezette exotische vogels was eens ergens tussen Pôrto Velho
en Abuná op de rivier de Amazone verdwenen. Hij was nooit
teruggevonden.

En deze assistenten van hem werden altijd goed beloond.
Hun namen stonden in voetnoot na voetnoot van Cuviers
gepubliceerde werken. Hun reputatie maakte een hoge
vlucht en ze kregen gegarandeerd een positie aan de universiteiten van Europa. 'We mogen niet achterop raken. We
moeten zelfs een voorsprong opbouwen in de wedloop,' zei
Sophie. 'Natuurlijk doen we het voor de reputatie en eer van
Frankrijk.' 'Ja,' wilde ik zeggen. 'Dit is precies waarvan ik heb
gedroomd.' Maar het klonk alsof zo'n post geen onverdeeld
genoegen was. Mademoiselle Duvaucel was altijd moeilijk te

peilen. Soms leek het of ze precies het tegenovergestelde bedoelde van wat ze zei.

Nog maar een paar dagen geleden had ik haar uit het raam van de bibliotheek zien staren. Toen ze me naar mijn werk had gevraagd, had ik haar aangekeken en gezegd: 'Maar u, mademoiselle, bent u hier tevreden? Wordt het werk u niet te veel?'

'Wat een vreemde vraag,' zei ze met een glimlach. 'Weet u, niemand heeft me dat ooit eerder gevraagd. Monsieur Connor, nu u er toch over begint: ik beschouw mezelf als een van de meest bevoorrechte vrouwen in Frankrijk. Hier in de Jardin doe ik elke dag wel honderd dingen die geen enkele andere vrouw, waar ook ter wereld, in haar hele leven kan doen. U ziet wat ik doe. U ziet hoe druk ik het heb. Ik lees wetenschappelijke artikelen en boeken. Ik hoef niet te wachten tot mijn broers ze uit hebben. De baron zorgt ervoor dat ze regelrecht naar mij gaan. Ik lees de baron voor; ik vertaal voor hem, redigeer voor hem. Ik heb zijn vertrouwen en ik mag zijn conclusies in twijfel trekken. Ik zet dieren op. Ik teken; ik werk aan classificatie. Ik ben gastvrouw in de salon van de baron, waar ik sommigen van de interessantste mannen van Europa ontmoet. Over een paar jaar ga ik met de baron naar Engeland. Denk eens aan wat ik had kunnen zijn, wat mijn vriendinnen uit het klooster zijn geworden. Getrouwd. Verveeld. Te weinig te doen. Nee, monsieur Connor, het werk hier in de Jardin is me niet te veel. U denkt als een man.'

Brugmans was nu in Parijs. Hij logeerde in het Hotel Royal; hij wachtte ook, beidde zijn tijd. Hij was een goede afgezant die wist hoe hij druk moest uitoefenen. Het zou niets voor hem zijn om de Jardin met soldaten te bestormen. Hij liet Cuvier zweten. Hij wist hoe het zou gaan. Eerst zou Cuvier hem replica's van de specimina aanbieden. Hij zou weigeren. Cuvier zou het opnieuw proberen. Hij zou opnieuw weigeren.

Het was net een dans: herhaling met variaties. Uiteindelijk zou de Nederlandse afgezant genoegen nemen met replica's in ruil voor een dikke map met politieke concessies, verdragen en handelsovereenkomsten. Het was van groot belang dat hij Cuvier aan het lijntje hield. De choreografie moest langzaam zijn; alleen dan zou hij naar zijn eigen land terugkeren met alle handelsovereenkomsten waarover hij moest onderhandelen.

In de bibliotheek keek ik elke dag naar Cuvier, die verteerd werd door ongeduld omdat Brugmans maar niet opschoot. Hij werd prikkelbaar en had op alles iets aan te merken. Hij liep door de werkruimte heen en weer, van de ene naar de andere tafel, en bleef nooit ergens staan. Geen van de assistenten noemde Brugmans' naam. Onder de druk van het wachten, moe van de lange uren waarin ik aan het boek werkte, en afgeleid door wat ik wist wat er in de werkplaats van de slotenmaker werd beraamd, kon ik me steeds moeilijker concentreren. Ik ging gebukt onder angst en een vaag schuldgevoel. De laatste tijd lunchte ik niet vaak meer met Achille en Joseph en gebruikte ik mijn werk als excuus om in het museum te blijven. Sophie Duvaucel hield in stilte toezicht op ons allen. Ze controleerde onze tekeningen, verzamelde manuscripten, zette boeken op hun plaats terug, haalde specimina uit andere musea of boeken uit bibliotheken. Ze was altijd kalm, wist altijd wat er moest gebeuren.

19

In de tweede week van oktober maakten stortregens de wegen bijna onbegaanbaar. Het was donker; windvlagen lieten de ruiten rammelen.

Sinds we naar de rue du Pet-au-Diable waren gegaan, had ik bijna niets meer gezien of gehoord van Lucienne. Ik ging een paar keer naar de werkplaats van de slotenmaker, maar er was niemand thuis. Ik vocht tegen de jaloezie; er waren zo veel vragen waarop ik geen antwoord had. Op die dag in de schemerige kamer boven de rariteitenwinkel in de Marais was niet te peilen geweest wat Lucienne nu voor Silveira voelde. Ik kon niet meer aan haar denken zonder ook aan de Portugese diamantenhandelaar te denken. Ik zag hen verstrengeld met elkaar in kamer na kamer: in de rode kamer bij het marktplein van Jaffa, in een witte tent met golvende wanden in het rode zand van de woestijn, in de kamer in de werkplaats tussen de katten en koralen, in het bed waar ik was geweest.

's Nachts liep ik slapeloos door de straten van Parijs en tuurde omlaag in de ingewanden van de stad die overal waren uitgegraven, of baande me een weg door het puin van duistere bouwplaatsen.

'Ze komt terug,' zei Fin, die raadde waarom ik naar het appartement aan de rue de l'École was teruggekeerd en 's nachts door de stad dwaalde. 'Je zult het zien. Wat er ook is gebeurd, geef het de tijd.'

Op de ochtend van 8 oktober stuurde ze me een briefje om

te zeggen dat ze een paar dagen niet in Parijs zou zijn, maar dat ik me geen zorgen over haar veiligheid hoefde te maken; ze moest voorbereidingen treffen en zou op de veertiende in Parijs terug zijn. Ze hoopte, schreef ze, dat de kaart dan klaar zou zijn. Haar toon was koel. Ze gaf geen verklaring en verontschuldigde zich ook niet.

Op de middag van 14 oktober riep Lucienne ons bij elkaar. Ik glipte weg van de illustratie van de gele doornsnavel waaraan ik werkte en de stapel aantekeningen die erbij hoorde, aantekeningen die ik nog moest omzetten in een volledige natuurlijke historie van de vogel. Ik kon gemakkelijk zeggen dat ik ziek was. Ik was afgevallen. Ik was bleek en mijn ogen zaten diep in hun kassen. Sophie zei steeds tegen me dat ik vrij moest nemen.

Het adres was een huis aan de rue de Seine, de straat langs de oostkant van de Jardin. Silveira had daar een oud pakhuis gehuurd dat over de straat uitkeek op de hoge muur van de Jardin, niet recht tegenover Cuviers museum, maar wel bijna. De makelaar, die royaler was betaald dan hij had verwacht, door een man die volgens zijn kaartje de diamanthandelaar Abraham Fuerguerer was, stelde geen vragen. Omdat het huis en de drie of vier huizen aan weerskanten door speculanten waren opgekocht, was de huur laag. Ze zouden over zes maanden worden gesloopt om plaats te maken voor nieuwe appartementengebouwen en een bredere straat.

Toen ik daar die ochtend met een exemplaar van Deleuzes voltooide kaart in de regen aankwam, had iemand op het ijzeren hek van het huis een bord aangebracht waarop geschilderd was: '*Attention. Restauration en cours. Défense d'entrer.*' Er stonden zakken pleisterkalk en een stapeltje bakstenen op de trap, en tussen een stel bloempotten lag een oude kruiwagen op zijn kop.

Manon Laforge deed de deur open, die op een steegje langs

de zijkant van het huis uitkwam. Ze droeg die witte jurk weer, een heel eenvoudige witte katoenen jurk met nu wat modder langs de zoom. Ze leidde me over de begane grond en een steile, erg smalle trap naar een lange, stoffige kamer op de derde verdieping, met eiken plafondbalken die zwart van ouderdom waren en ramen in een van de wanden.

De zes lange ramen, die uitkeken op de Jardin, waren geblindeerd met bladzijden uit oude boeken die Manon over alle ruiten had geplakt. Er zaten een paar openingen tussen de papieren, zodat je naar de Jardin kon kijken zonder dat iemand op straat of in de Jardin je zag. Het daglicht wierp de drukletters in alle richtingen, zodat de woorden van Molière, Racine en Rousseau op de muur aan de andere kant van de kamer te lezen stonden, voor een deel ondersteboven en in spiegelschrift.

Een lange, gladde werktafel, bedekt met papieren, boeken, kaarten en tekeningen, nam het midden van de kamer in beslag, met daaromheen een paar stoelen van verschillende vorm en grootte. In de haard brandde een vuur.

'Je ziet er ziek uit,' zei Manon zodra ik in een stoel bij de haard was neergeploft en mijn natte laarzen had uitgetrokken. 'Is er iets met je aan de hand?'

'Is ze terug?' vroeg ik met een blik op de deur.

Later zou ik me afvragen of ze die dag überhaupt wel iets tegen me gezegd zou hebben als ik er niet zo beroerd en terneergeslagen had uitgezien. Want ik kan me moeilijk voorstellen hoe het allemaal zou zijn afgelopen als ze die dag geen medelijden met me had gehad, een medelijden dat ons beiden openhartiger maakte.

'Ja, ja. Ze is terug. Alles is goed gekomen. Je hoeft je nergens zorgen over te maken. Echt niet. Ze is kwaad op alle anderen, maar niet op jou.'

Haar medeleven, de compassie waarmee ze naar mijn ingevallen, ontredderde gezicht keek, verraste me, bracht me van mijn stuk. De vragen waarmee ik die lange nachten door de stad had gelopen kwamen er allemaal tegelijk uit.

'Was hij bij haar? Toen ze wegging? Is hij ook weggegaan? Silveira?'

'Ze had iets met hem te bespreken.'

'Heeft ze het hem verteld? Dat hij Delphines vader is? Waarom moet hij dat weten?'

'Dus jij weet het? We waren het niet eens over Silveira. We hebben er ruzie over gemaakt. Ze wilde niet dat hij van Delphine wist, maar ik wilde dat wel. Delphine begint vragen te stellen, en nou, ik zei dat het verkeerd zou zijn om haar niet te vertellen wie haar vader was, en als zíj het wist, moest hij het ook weten. Dat vond ik. Natuurlijk vind jij dat, zei Lucienne, jij hebt niets te verliezen. Zijzelf natuurlijk wel – zij heeft iets te verliezen. Daarom is ze naar Parijs gekomen. O, er waren natuurlijk ook andere redenen... de koralen, andere mensen die ze wilde opzoeken, maar ze kwam vooral voor Silveira. We bleven te lang in Parijs naar hem zoeken en nu is dit alles gebeurd. Ik mag Silveira niet. Hij is roekeloos en onbetrouwbaar en heeft in het verleden alleen maar voor problemen gezorgd, maar hij moest het weten. En nu dit alles is gebeurd, komen we zonder zijn hulp niet meer uit Parijs weg.'

'Wat heeft Lucienne te verliezen?'

'Haar vrijheid, haar manier van leven. Jij kent Silveira niet.'

'Heeft hij Delphine gezien?' Ik kon bijna niet aan dat tafereel van vader en dochter denken.

'Niemand mag Delphine zien, Daniel. Dat had Lucienne je moeten vertellen. Ik heb tegen haar gezegd dat ze het je moest vertellen. Jagot heeft Delphine onder bewaking in het klooster in de rue de Picpus. Ze geeft mij de schuld. Nou ja, ze geeft iedereen de schuld, vooral zichzelf. En ze kan niet slapen. Ze maakt zichzelf ziek.'

'Jagot?' zei ik. 'Waarom Jagot?' In mijn vermoeidheid was ik bang dat ik ergens tussen mijn dromen van Jagot en deze kamer aan de rue de Seine was blijven hangen.

'Jagot is de man die Lucienne heeft aangevallen, Daniel. Jagot is de man die ons opdracht heeft gegeven voor dit karwei. Hij houdt Delphine onder bewaking tot Lucienne hem de diamant brengt. Er mag niemand bij Delphine op bezoek. De nonnen doen wat ze kunnen, maar voor hen is het ook gevaarlijk. Lucienne heeft altijd gezegd dat Jagot haar zou vinden. Ik heb Jagot onderschat.'

'Is Jagot de opdrachtgever van dit alles? Wat wil hij? De diamant of Silveira?' Ik was ziek van angst en zag nu ook heel precies welke rol ik zelf bijna zeker had gespeeld: ik had Jagot niet alleen naar Luciennes werkplaats gebracht, maar ook naar de deur van het klooster. Jagot had niets anders hoeven te doen dan mij volgen en hier en daar een valkuil graven.

'Hij wil beide,' zei ze. 'En hij krijgt beide. Hij is sluw. Silveira wordt een grote buit voor Jagot. Als Silveira eenmaal in de gevangenis zit, stort het Genootschap van Tienduizend in en hoeft niemand meer aan Jagots macht in Frankrijk te twijfelen. Dan krijgt hij zo veel agenten als hij vraagt. En er is een beloning uitgeloofd voor Silveira. Maar als de diamant is verdwenen, wat natuurlijk gaat gebeuren – dat hoort bij Jagots plan –, zal niemand vermoeden dat hij de dief is, zelfs niet als Denon hem beschuldigt. Denon komt ten val; Jagot stijgt hoger.'

Ik was blind geweest, precies zoals Lucienne had gezegd. Volslagen blind. Juist de kleine dingen tellen, had Jagot gezegd. Niets is onbelangrijk. Uiteindelijk vormen alle kleine dingen een geheel.

'Alle dieven hebben een achilleshiel,' had Jagot die dag in de fiacre tegen me gezegd. Je moest hem alleen vinden. In dit geval was de achilleshiel de vijfjarige dochter van Lucienne Bernard en Davide Silveira, een kind dat Jagot, door mij te volgen, uiteindelijk had opgespoord in een klooster aan de rue de Picpus.

'Het is barbaars,' zei ik. 'Jagot is een monster, als hij een kind op die manier gebruikt.'

'Hij doet alleen wat alle anderen in Parijs tegenwoordig doen: roven, stelen, de resten van Napoleons schatten plunderen. Hij is net zo'n gier als de rest... Hij gebruikt Lucienne omdat ze een van de beste dieven in Parijs is, en omdat hij via haar bij Silveira kan komen.'

'Dieven vangen met dieven,' zei ik. Het zou een van Jagots gezegden kunnen zijn. 'Dus Jagot wil Lucienne dwingen Silveira te verraden omdat ze daarmee Delphine kan redden?'

'Ja, dat is wat hij wil.'

'En gaat ze dat doen?'

'Nee. Ze zal Silveira nooit verraden. Ze bedenkt wel iets. Maar dat zal gevaarlijk zijn. Ik moet je dringend aanraden uit Parijs weg te gaan, Daniel Connor,' zei Manon. Ze kwam naast me bij het vuur zitten, haar fijne trekken verzacht door het licht van de vlammen. 'Ik zei tegen Lucienne dat het pech was dat die jongen er ook bij betrokken was geraakt – hij is zo jong en onvoorspelbaar. Hoe kunnen we het anders doen, Manon? zei ze. Hoe kunnen we anders binnenkomen? En toen vertelde ze me over de bewakers, de sloten op de ramen, de veiligheidscontroles. En ze vroeg me of ik een andere oplossing zag, en die zag ik niet. Het staat me niet aan. Ik vind het geen goed plan, zei ik. Ik denk niet dat het werkt. En dus zeg ik nu tegen jou, Daniel: als er iets mis gaat... als jij verantwoordelijk bent voor iets wat verkeerd afloopt...'

'Ik weet het,' zei ik. 'Ik weet het. Denk je niet dat ik me al niet verantwoordelijk genoeg voel?'

'We zijn allemaal verantwoordelijk, Daniel.'

Ze ging niet verder. Saint-Vincent kwam binnen met een fles port en pasteitjes uit Café des Mille Colonnes. Ze zaten in een witte doos met een roze lint.

'*Sacré Dieu*... Saint-Vincent,' riep Manon uit, en ze legde haar hand op haar hart. 'Ik dacht dat je een spook was. Doe dat nooit meer. Ik ben niet meer zo jong.'

'Sorry.' Hij grijnsde en knikte mij toe. 'Ik heb mijn eigen sleutel. Dit ziet er gezellig uit. Waar praatten jullie twee over?'

'Ik leidde Daniel rond,' zei ze. 'Ik vertelde hem over de boekhandelaar die dit huis vroeger huurde. Ik heb een paar van de oude boeken die monsieur Monsard heeft achtergelaten gebruikt om de ramen af te dekken, dan zijn we niet te zien vanuit de Jardin. We hebben geluk. Over vier of vijf maanden is dit huis er niet meer. Er zijn boven bedden en er staat een oude drukpers op de begane grond.'

Ik stond op en liep naar het raam om door een opening tussen de bedrukte papieren te kijken. Ik kon de hoge bakstenen muur van de Jardin en een gebouw daarachter zien.

Hoe zou iemand zich voelen, vroeg ik me af, als hij na zes jaar te horen kreeg dat een vrouw van wie hij had gehouden, en die hij had verloren en naar wie hij had gezocht, een kind van hem had gekregen en had grootgebracht, maar het hem niet had verteld? Hoe zou hij zich voelen als hij hoorde dat het kind nu in levensgevaar verkeerde, op maar enkele straten afstand en toch buiten zijn bereik?

'Nou, monsieur Kaartman,' zei Saint-Vincent. 'Wat kun je daar zien, daar bij de muur?'

Ik beschreef alles wat ik kon zien. Ik had Deleuzes kaart van de Jardin in mijn geheugen geprent en gebruikte hem nu om de weinige gebouwen en bomen thuis te brengen die boven de muren uitstaken. Terwijl ik dat deed, probeerde ik niet te denken aan Manons onthullingen en aan die woorden van haar: als er iets mis gaat.

Beneden op straat spatte het modderige straatwater van de wielen van de fiacres. Nu de regen was afgenomen, hing er een fijne nevel in de lucht. Studenten met paraplu's kwamen en gingen. Ze ontweken de fiacres en modderplassen.

De oostelijke muur van de Jardin des Plantes strekte zich

naar rechts en links voor me uit: oude baksteen, nuances van rood, oranje en roze, voor de huizen en de open ruimten langs. Er groeiden planten in de barsten. Een muur en een rijtje huizen, alleen onderbroken door de kleine overwelfde ingang van de tuinen, waar vijf bewakers in een wachthok zaten te kaarten en om beurten elke persoon die in- en uitging ondervroegen en fouilleerden.

Ik wees naar het rode dak van de smederij recht tegenover ons, en het museum van Cuvier, het grootste gebouw aan deze kant van de muur, de ramen dichtgespijkerd, puntige roosters langs de dakrand. Toen naar Cuviers huis naast het museum, en zijn laboratorium. Geoffroys huis verderop, alle gordijnen dicht. Het huis van Thouin en daarachter de bomen in de tuin voor experimenten.

'Kijk,' zei ik, terwijl de kerkklokken zes uur sloegen. 'Het derde raam links van Cuviers huis. Daar brandt licht. Precies op tijd. Hij is net over de bovenste verdieping van het museum naar de zijdeur gelopen die in zijn slaapkamer uitkomt. Hij heeft zich gekleed voor het diner. Hij is erg stipt.'

Ik keek naar beneden, door de regen die delta's op de ruit maakte, en zag weer een fiacre van links naar rechts door de straat rijden. Een fiacre die getrokken werd door een paard dat ik herkende. Jagots fiacre. Je bent blind, Daniel Connor, had Lucienne meermalen tegen me gezegd, en ik stond er nu zelf versteld van hoe blind ik was geweest. Daar beneden was de man die aan de touwtjes trok.

20

Lucienne en Silveira kwamen even later samen aan. Ze moesten zich bukken om met hun natte paraplu's door de deuropening te kunnen. Lucienne zag er vermoeid uit. Ze had Silveira's jas aan, de lange jas die ik hem in de kamer in de rue du Pet-au-Diable had zien dragen, met goudstiksel en een voering van vacht. De jas rook naar gember en knoflook, de woestijn en de zee. Ik vond het niet prettig om haar in die jas te zien.

Ze waren allebei stil en ernstig. Silveira knikte Saint-Vincent en Manon toe. Zijn buiging kwam enigszins gekunsteld over en hij hield zijn hand op zijn hart – een Arabische begroeting, nam ik aan.

'Citoyens,' zei hij, en hij knikte ons een voor een toe.

'Silveira,' zei Saint-Vincent, en hij gaf hem een hand.

'Heb je Sabalair niet bij je?' vroeg Manon.

'Natuurlijk wel. Hij is beneden. Hij let op de straat.'

'Jullie zijn niet gevolgd?'

'Nee,' zei Lucienne. 'We zijn met de boot gekomen en hebben daarna de tunnel genomen.'

'Half Parijs kijkt naar je uit, Silveira,' zei Saint-Vincent. 'Door hierheen te komen breng je ons allemaal in gevaar.'

'De andere helft van Parijs kijkt uit naar jou, monsieur Saint-Vincent,' zei hij. 'Heel Parijs kijkt uit naar ons allemaal, denk ik. We kunnen onszelf aangeven voor de beloning. Dan zouden we rijk zijn.'

'Jij bent al rijk, citoyen. Heb je nog meer nodig?'

'Dat, mijn vriend, zijn niet jouw zaken.'

'Genoeg daarover,' zei Lucienne. Ze keek me vermoeid aan. 'Hou op. We hebben werk te doen. Daniel, heb je de kaart?'

Ik knikte. Ik kon geen woord uitbrengen.

Silveira's kleren waren stoffig. Hij had grote gouden ringen om zijn vingers. Misschien had Byron er zo uitgezien, dacht ik, als hij een nacht onderweg was geweest. Silveira droeg geen vest, alleen een verkreukeld katoenen overhemd. Hij had diepe lijnen in zijn gezicht. Het was niet het gezicht van een diamanthandelaar, maar dat van iemand die het grootste deel van zijn leven in weer en wind aan boord van een schip had doorgebracht. Hij rook naar leer en cognac. Sinds ik hem in de rue du Pet-au-Diable had gezien, had hij zijn nek uitgeschoren en zijn baard bijgeknipt, zag ik. Hij had een kleine snee in zijn hals.

Lucienne droeg die dag een eenvoudige bruin met grijs gestreept zijden vest onder Silveira's jas. Ik keek waar de man de vrouw werd, de vrouw de man... en kon de overgang niet vinden.

'Daniel, ik heb de boeken en papieren die ik je heb beloofd,' zei ze, en ze gaf me een pakje in bruin papier met een koordje eromheen. 'Ik vond ze in een oude hutkoffer, toen ik gisteren aan het inpakken was. Dit is een exemplaar van *Philosophie Zoologique* van Lamarck. Je mag het houden. Ik heb er twee. En dit is *Zoonomia* van Erasmus Darwin. Het is zwaar. En er zit ook een exemplaar van Peysonnels artikel over koralen bij.'

'Lucienne Bernard is nog steeds een vrouw van de wetenschap,' zei Silveira. 'Ze denkt dat ze met haar boeken en microscopen de sleutel tot alles kan vinden. Binnenkort kan ze ons vertellen wat de oorzaak van alles is, en waarom dit bot in deze kom past, en waarom eendenpoten zwemvliezen hebben, en waarom koralen drie verschillende manieren hebben gevonden om zich voort te planten, en waarom dieren niet geworteld zijn, en waarom planten geen gevoel hebben... Blijkbaar is er altijd een antwoord, monsieur Connor, en Lucienne gaat het vinden. Niets anders doet ertoe, hè, Lucienne?'

'Misschien niet. Misschien wel,' zei ze, en ze keek mij aan. 'Er zijn nog meer dingen die er voor mij toe doen.'

Silveira onderbrak haar. 'Nu ziet ze er ongedwongen uit, vind je niet, ja zelfs, hoe zal ik het zeggen, nonchalant? Misschien wel, zegt ze. *Peut-être*. En dan haalt ze haar schouders op. In werkelijkheid, monsieur Connor, denkt ze dat de raadsels van de fossielen en de oorsprong van de aarde pas worden opgelost als de priesters weg zijn. Ik zeg tegen haar dat we nooit zullen weten hoe het allemaal begonnen is. Laat de filosofen maar discussiëren. De priesters gaan nooit weg, zeg ik tegen haar. We hebben de priesters nodig, zeg ik tegen haar. Ik zeg tegen haar dat ze zich niet meer zo druk moet maken over de oorsprong en aan het heden en de toekomst moet denken.'

'*Tais-toi*, Silveira,' zei Manon. 'Je zoekt ruzie. Zo is het wel genoeg.'

Hoe zou iemand zich voelen die hoort dat hij de vader is van een dochter die hij nooit heeft gezien? Woedend, zou ik denken. Dat onophoudelijke duel van hen, uitgevochten in woestijnen en gebergten, aan de kust van de Dode Zee, op de marktpleinen van Egyptische steden en nu in een pakhuis dat uitkeek over de Jardin des Plantes. Ik vroeg me af hoe het begonnen was. Misschien wisten ze dat zelf allang niet meer.

Lucienne stond voor het raam en trok stukjes papier weg om een groter vierkant te maken waar ze doorheen kon kijken. Het was die nacht opgehouden met regenen, maar het onweer had lelijk huisgehouden in de bomen. Een kastanjeboom zag eruit alsof hij zijn laatste bladeren alleen met uiterste wilskracht kon vasthouden. Van tijd tot tijd maakten vier of vijf grote geel-bruine bladeren zich los. Ze bleven even midden in de lucht hangen en lieten zich dan meevoeren door een windvlaag.

'Het was een heel werk om dat papier vast te plakken,' zei Manon. 'Haal het er nou niet af.'

'Het geeft me het gevoel dat ik opgesloten zit,' zei Lucienne. 'Er is hier geen licht.'

'Wel, citoyen Connor,' ging Silveira verder, 'Lucienne Bernard zal u natuurlijk vertellen dat het belangrijk is om vrij te zijn. Dat vrijheid boven alles gaat. De vrijheid om te denken, vragen te stellen, en dat je vrij moet zijn van koningen, priesters en mannen als Cuvier. Ze is een vrijheidsstrijder, monsieur Connor.'

Lucienne keek hem weer aan. Haar zwarte ogen flikkerden.

'De vrijheid om te denken, ja, die is belangrijk. En de vrijheid om vragen te stellen ook. Intelligente studenten als Daniel komen naar Parijs met het idee dat alle gedachten hier vrij zijn. Maar dat is niet zo. Het was wel zo, maar nu niet meer. De priesters, koningen en aristocraten komen terug, en wat we aan vrijheid hadden, verdwijnt. En ja, ik geloof inderdaad dat vrijheid belangrijk is. Want we hebben korte tijd vrijheid gehad.'

Het leek wel of zij tweeën de rest van ons helemaal vergeten waren.

'De vrijheid om te denken?' zei Silveira. 'Dat is niets. Hoe zit het dan met rechten? Na de revolutie hebben ze ons joden gelijke rechten gegeven. Ze maakten ons gelijk aan ieder ander in Frankrijk – voor de wet. Nu al, na nog maar vijf jaar, zijn die rechten weg. Het is in deze stad alweer moeilijk om jood te zijn. Mijn mensen gaan weer weg. Ja, onze gedachten zijn vrij, maar Davide Silveira moet zich nu wel schuilhouden in kamers boven een rariteitenwinkel aan de rue du Pet-au-Diable.'

'Je hebt tenminste rechten gehád, al hebben ze je die weer afgenomen,' snauwde Lucienne terug. 'Heeft iemand ondanks alle nobele retoriek van de revolutie ooit voorgesteld vrouwen gelijke rechten te geven? Wat heeft de revolutie voor ons gedaan? *Égalité*? Dat is allemaal holle retoriek. We zijn nog steeds slaven van de wetten en van de kleinzielige tirannie van mannen. Als we het recht hebben om naar de guillotine te gaan, om met onze broeders mee te vechten op de barricades, waarom hebben we dan niet het recht om aan de regering deel te nemen? Dat is belangrijk. Daar geef ik om. De prijs van het brood gaat weer omhoog. Dat is belangrijk. Elk jaar worden er vijfduizend baby's achtergelaten in het vondelingenziekenhuis. Dat is belangrijk.'

'Je houdt je niet schuil omdat je een jood bent, Silveira,' zei Manon. 'Je houdt je schuil omdat Jagot je op een lijst heeft staan, vanwege misdrijven.'

'Dat is een familiezaak,' zei hij. 'Jagot vergeet nooit iets.'

'Alles is voor jou een familiezaak, Silveira,' zei Lucienne. '*L'honneur de la famille. Sacristi.* Voor de eer van je familie laat je ons allemaal om het leven komen. De kaart?' zei ze abrupt tegen mij. 'Daniel?'

Ik vouwde mijn exemplaar van Deleuzes kaart van de Jardin open op de tafel en legde de randen vast met potten en boeken, blij dat ik iets te doen had, blij dat ik aan het kruisvuur van wederzijdse beschuldigingen kon ontkomen. De anderen gingen om de tafel zitten. Saint-Vincent stak de lamp aan en schonk koffie uit de pot die boven het vuur hing.

De kaart was langwerpig en hoger dan hij breed was. In het noorden stroomde het brede lint van de rivier horizontaal over het dikke, korrelige papier, met kaden en bruggen. Binnen de rechthoek van de ommuurde tuin waren twee helften te onderscheiden: rechts lijnen met rechte hoeken die de grenzen en gebouwen langs de randen aangaven; links de menagerie met allemaal bochten en rondingen, kronkelende paden en cirkels. Helemaal linksonder waren de spiraalvormige paden van het labyrint waar ik met Lucienne had gezeten. Elke sectie van de kaart had een nummer.

'Er is een legenda,' zei ik. 'Deleuze heeft alles genummerd. Ik heb het in het Engels en Frans gekopieerd.'

Ik legde een ander vel papier over de bovenkant van de kaart: een lijst. Zevenenveertig nummers correspondeerden met plaatsen op de kaart: de bijenkorven, het labyrint, de libanonceder, een melkveehouderij, het park en de hut van de zebra, de tuin voor experimenten, borders voor waterplanten, bloembedden, serres, broeikassen, zaadtuinen. Het was net een gedicht, dacht ik.

'Die kaart is goed,' zei ze. 'Erg goed. Ik hoop dat monsieur Deleuze nu wat slaap krijgt. Laat het me zien, Daniel,' zei ze zacht. 'Laat me alles zien wat belangrijk is, alles wat nieuw is. We moeten een plan maken. We moeten het allerbeste plan maken.'

Toen ik beschreef wat ze daar voor zich hadden liggen – de vier ingangen van de Jardin, alle vier zwaar bewaakt, het aantal bewakers, de slotsystemen, de poorten die dag en nacht werden bewaakt, de sleutels die voortdurend gecontroleerd werden, de ramen die op slot zaten en van tralies en rasters waren voorzien en die keer op keer gecontroleerd werden –, besefte ik steeds meer hoe onmogelijk onze taak was.

Ik legde een andere kaart op de eerste. De rechthoekige plattegrond van een gebouw van twee verdiepingen dat met vier zijkanten om een binnenplaats heen was gebouwd: het museum van Cuvier. Deze kaart had ik getekend op grond van een beschrijving die door Joseph Deleuze op papier was gezet. Elke nieuwe kaart voerde ons verder naar binnen, dieper het gebouw in, dichter bij het hart van de dingen, dichter bij de diamant.

'De Galerie d'Anatomie Comparée,' zei ik, terwijl ik de vouwen in het papier gladstreek. 'Het museum heeft twee verdiepingen en het staat om een binnenplaats heen tegen de buitenmuur van de Jardin. Vroeger had het een deur die aan de oostkant van de tuin rechtstreeks op de rue de Seine uitkwam, maar die is vorig jaar dichtgemetseld. De hoofdingang van het museum zit tegenwoordig dan ook aan de kant van de Jardin. Deze deur hier.'

Ik streek met mijn vingers langs de rand, liet hen de lange kant van het gebouw zien waarin het museum was ondergebracht. Ik vertelde hun dat Cuvier ijzeren traliehekken op alle ramen op straatniveau had laten zetten en de rest van het gebouw, de drie andere kanten, voor huisvesting van zijn assistenten gebruikte. Het gebouw was nooit leeg.

'Indrukwekkend,' zei Lucienne. 'Cuvier heeft een fort van het museum gemaakt. Het is ondoordringbaar. En de kluis? Hoe komen we daarin?'

Ik beschreef hoe je in de kelder kon komen. Je ging via zaal 2 van het museum, een ingang die ooit een valluik in achtereenvolgens een meelpakhuis en een koetshuis was geweest. Het waren twee deuren die op een trap uitkwamen en die tegenwoordig aan het oog werden onttrokken door een voetstuk op een schuifmechanisme; op dat voetstuk stond een compleet neushoorngeraamte uit Java. Zaal 2, zei ik tegen hen, was nu het middelpunt van het museum, en het was bijna onmogelijk er binnen te komen. Cuvier had de hele zaal opnieuw laten inrichten. Er was daar tegenwoordig altijd wel iemand bezig de botten in elkaar te zetten of uit elkaar te halen om ze schoon te maken, ze opnieuw op te hangen, de borden opnieuw te schilderen, de planken af te stoffen en de vloer te boenen.

'We gaan naar binnen op de avond dat Brugmans op bezoek is,' zei ze. 'De avond dat Cuvier een feest voor hem geeft. Dat zijn de orders. 29 oktober. Over vijftien dagen.'

'Gaan we inbreken terwijl er een féést aan de gang is? Dat meen je niet,' zei Saint-Vincent. 'Dat is zelfmoord. We moeten dus in de tuin zien te komen langs gewapende bewakers die de papieren controleren van iedereen die in- of uitgaat, en dan het museum binnengaan als daar net een privéfeest aan de gang is en we meteen al bij de deur staande worden gehouden? En tijdens het feest gaan we de kelder in door een voetstuk met een skelet van een neushoorn opzij te schuiven? We vinden het kabinet, waar het ook mag zijn, en de diamant, en we gaan weer weg, en dat alles terwijl er een feest aan de gang is en het daar wemelt van de bewakers, leden van het koningshuis, vorsten en diplomaten? Ziet Jagot ons voor tovenaars aan? Of voor idioten? Het zou gemakkelijker zijn de keizer bij de geallieerde bewakers op Sint-Helena vandaan te halen dan die diamant uit Cuviers museum te halen.'

'De keizer komt vandaag op het eiland aan waar hij gevangen wordt gehouden, zeggen de kranten,' zei Manon. 'Niemand kan hem nu nog redden. Dat kan niemand. Dat moet hij weten. Het is een slecht einde voor hem.'

'We hebben wel moeilijker karweien gedaan dan dit,' zei Lucienne, die merkte dat de moed ons in de schoenen zonk. 'Maar we moeten wel weten hoe het zit. Minstens een week lang moet iemand van ons dag en nacht de Jardin in de gaten houden. We doen dat om beurten en maken aantekeningen. Ik wil weten wanneer de bewakers elkaar aflossen, wanneer de voedertijden zijn. We moeten alle tijdschema's kennen.'

Silveira grijnsde. 'Lucienne is een tovenares,' zei hij. 'Ze zou de keizer van zijn eiland bevrijden, als ze het haar vroegen en haar een schip en een kaart gaven.'

'Manon heeft gelijk,' zei Lucienne. 'Je zou een leger nodig hebben om hem nu nog te redden. Er is voor hem geen terugweg naar Parijs.'

'En voor ons ook niet,' zei Saint-Vincent somber. 'Er zal voor ons ook geen terugweg zijn.'

Op de avond van 14 oktober roeide een groepje in rode jassen gestoken Britse soldaten keizer Napoleon in het donker vanaf de vloot
marineschepen die voor Sint-Helena voor anker lag naar het eiland. Jamestown zelf was niet meer dan een groepje huizen in een
breed ravijn op het zuiden van het eiland, een dal in een gigantische
massa grijze rots. In de ogen van de keizer waren het niet meer dan
een paar flakkerende lichtjes aan de kust.

Ondanks de duisternis was de hele bevolking van het eiland uit-
gelopen. De mensen verdrongen elkaar om het goed te kunnen zien
en waren teleurgesteld toen ze alleen nu en dan een flikkering van
een diamanten ster konden onderscheiden die op de donkere overjas
van de keizer was gespeld. Toen de keizer met zijn entourage over
het eiland liep, tuurden de mensen in het donker om een glimp van
die kleine hoed met kokarde op te vangen. De schildwachten in hun
rode jassen moesten hun bajonetten gebruiken om een weg door de
menigte te banen. Ze staren me aan alsof ik een circusdier ben,
mompelde de keizer tegen zijn generaals, une bête féroce.

Napoleon was gearriveerd. Niemand, zeggen zijn cipiers trots tegen hem, is ooit van Sint-Helena ontsnapt.

Lucienne kwam die avond naar het lege pakhuis en zag dat ik de grootste moeite had wakker te blijven in de leren stoel die in de donkere kamer bij het raam stond. Ik dronk cognac, keek naar de lantaarns van de bewakers die zich door de Jardin bewogen en maakte aantekeningen. Haar mond dicht bij mijn oor: 'Ben je wakker?' De geur van parfum, houtrook en cognac. Ik herinner me de warmte van de cognac op mijn tong; de matras die we op de zolder hadden gevonden en voor de haard hadden gelegd. Naakt tussen het stof en de insecten, bij het licht van het vuur, keken we naar wat er in het maanlicht op straat gebeurde: de lichten, de prostituees, de bewakers die deuren en ramen controleerden.

'Wat zie je?' zei Lucienne ergens tussen twee en drie uur. Ze had haar vingers op mijn rug en ik leunde tegen het raam, tuurde tussen de vellen papier door. 'Wat zie je daar buiten?'

'Jou en je leven,' zei ik. 'En alle mensen daarin.'

Gehuld in de brokaten gordijnen, groen met goud, die we in een kist op de benedenverdieping hadden gevonden, vertelde ze me dat Manon, Delphine en zij al bijna zes jaar in het Italiaanse dorp woonden waarvan ze de naam niet wilde noemen. Ze hadden een huis bij de zee, begraven in het hoge gras, zonder weg erheen, een huis dat tot stof verviel en waar het gras door sommige vloerplanken in de bijkeuken heen groeide, een huis waar je moest kijken of er geen kleine schorpioenen in je schoenen of tussen je lakens waren gaan zitten, een huis op de top van een heuvel met een slingerend pad dat afdaalde naar de baai, en een veranda die uitkeek over de zee.

De boeken vormden het grootste probleem, zei ze. Ze zwollen op in de regen. Ze waren de enige waardevolle dingen in het huis, de enige dingen waarover ze zich zorgen maakte, maar het was net iets te duur voor hen om ze 's winters naar de stad te laten brengen. Als de winter kwam, verhuisden ze altijd naar de stad. Daar was het leven gemakkelijker. In de stad zijn er vrouwen die voor ons komen werken, zei ze. Ze vegen en boenen, koken, maken alles schoon, steken de haard aan en poetsen hem. In de stad hadden ze feesten, etentjes, conversaties en gasten. 'Er zijn altijd gasten, geleerden en filosofen die bij ons logeren. Sommigen blijven de hele winter,' zei ze. 'En als ik ervoor in de stemming ben, als ik rusteloos ben, ga ik – soms met Delphine en soms zonder haar – naar Florence of Pisa.'

Maar zelfs in de stad, zei ze, miste ze Parijs te veel. Manon klaagde dat ze het altijd over Parijs had: de Jardin, de nieuwste microscopen, de musea, de discussies die je daar kon voeren. Er waren dingen in Parijs waarnaar ze verlangde; het waren niet de gebruikelijke dingen die vrouwen wilden, zoals hoeden, handschoenen of kant; ze miste de rariteitenwinkels en de verzamelaars, de musea, de mensen.

'Ik wist altijd dat we terug zouden moeten komen,' zei Lucienne. 'Zodra Delphine oud genoeg was. En ik denk dat ik altijd heb geweten dat er zoiets als dit zou gebeuren. Je kunt niet altijd op de vlucht blijven.'

La marche. Luciennes leven, haar marche. Het deed me denken aan Ramons arm – uitgestrekt tussen de wijnflessen in de salon, zijn vinger die hij van zijn schouder naar zijn nagel bewoog – op die avond waarop hij me vertelde over alle tijd die er op aarde voorbij was gegaan voordat de mens kwam. Hier begint de menselijke geschiedenis, had hij gezegd, hier bij de nagel. Kijk eens hoe klein we zijn en hoe laat we zijn gekomen.

Luciennes verhaal ging terug tot de tijd voordat ik geboren was, een verleden dat net als wind, sneeuw, regen en ijs het landschap had gevormd dat zij was geworden. Het was een verleden dat haar op de vlucht had gedreven, niet alleen voor de gevolgen van haar misdaden, maar ook voor de schrammen en slagen van haar herinneringen.

'Ik wou dat ik al je geschiedenis kon uitwissen,' zei ik. 'Ik wou dat er helemaal niets was voordat ik in je leven kwam. Dat de wereld en alle planeten om dit bed draaiden, dat alles hier begon en eindigde, alleen bij jou en mij. Ik wou dat je helemaal van mij was. En ik weet dat het egoïstisch en dom van me is. En voordat je het zegt, ik weet het: Lucienne Bernard is van niemand.'

'Silveira? Heb je het over hem?'

'Hield je van hem?' Ik moest het weten, al dacht ik dat ik niet blij zou zijn met het antwoord.

'Ja. Met een zekere waanzin – jarenlang. Ik zou alles voor hem hebben gedaan. Voor hem was het niet anders. Maar het was altijd een gevecht. We zouden elkaar misschien hebben vermoord, denk ik, als we met rust gelaten waren. Er kwam een eind aan dat alles in Montmartre, toen Silveira een agent van Jagot doodde. Als Silveira die agent niet had gedood, had die man mij gedood. Dus je ziet dat ik hem veel verschuldigd ben. Hij heeft me veel geleerd. Toen hij Jagots agent doodde, was ik zwanger, maar dat wist ik niet. Toen ik het wist, waren we honderden kilometers bij elkaar vandaan.'

'Je moet slapen,' zei ik. Ik vond dat ze erg bleek zag en kon er ook niet meer tegen om haar over Silveira te horen praten. 'Je maakt jezelf nog ziek. Laat mij deze wacht doen. Jij kunt het morgenvroeg overnemen.'

'Ik wil niet slapen,' zei ze, haar ogen vol tranen. 'Ik heb nare dromen. Alles loopt slecht af. Jij weet het, hè? Jij weet van Jagot. Manon heeft het je verteld, hè? Toen ik je vandaag zag, en jij zo naar me keek, zei ik tegen mezelf: iemand heeft het Daniel verteld. Hij kijkt me zo aan omdat hij weet dat Delphine in de macht van Jagot is...'

'Ja,' zei ik, blij dat ik het niet meer geheim hoefde te houden. 'Het is verschrikkelijk. Je moet wel... Wat ga je doen? Er moet iets zijn wat we kunnen doen... het klooster... Silveira moet mannen hebben. Hij heeft Sabalair en vast nog wel anderen.'

'Silveira weet het ook. Hij wil met mannen naar het klooster gaan. Ik heb hem laten beloven het niet te doen. Ik zei tegen hem dat Jagots agenten pistolen hebben. Stel je eens voor wat er kan gebeuren als er in het klooster met pistolen wordt geschoten.'

'Maar je moet iets doen. Als Jagot eenmaal de diamant heeft, laat hij je heus niet naar Italië teruggaan. Het is een val. Als hij je beloften heeft gedaan, komt hij die niet na. Hij is hard en gewetenloos.'

'Ik ga alles doen wat Jagot zegt. Ik neem geen enkel risico – deze keer niet.'

Ze was die nacht ten einde raad en ik wist dat het ook door mij kwam. Ik was minstens voor een deel verantwoordelijk. Als Lucienne niets ondernam, als niemand iets deed, zaten ze in feite allemaal al in de gevangenis van Toulon en zouden ze daar sterven. Daar zou Jagot voor zorgen. *Je suis un homme mort*, had Alain gezegd.

'Nu ik de kaart heb, Daniel,' zei ze, 'moet je hier niet meer komen, en ook niet meer in de werkplaats. Je moet doen alsof je ons niet kent. Je moet je gedragen alsof we je hebben verstoten.'

'Het is te laat,' zei ik. Ik dacht aan de expeditie naar Sumatra die Cuvier me wilde laten maken maar waar nu niets meer van zou komen. 'Je kunt me niet redden. Jagot weet dat ik hierbij betrokken ben. Maar het doet er niet toe. Je moet een manier vinden om uit Jagots val te komen, voor jezelf, voor Delphine en voor de anderen. Als je geen risico neemt, Lucienne, als je geen andere manier bedenkt, zitten jullie aan het eind van de maand allemaal in Toulon en zit Delphine in een weeshuis. Heb je daar wel aan gedacht? Je kunt niet naar Italië terug, tenzij je juist stopt met precies te doen wat Jagot zegt. Tenzij je een ander plan maakt.'

'Willen jullie me dan nooit met rust laten?' zei ze, en ze trok haar kleren en haar schoenen aan. 'Jij, Silveira, Manon. Jullie zoemen als vliegen door mijn hoofd. Ik kan niet nadenken. Ik kan niet slapen. Steeds weer zeggen jullie: Lucienne, je moet iets doen. Lucienne, je moet iets bedenken. Ze is mijn kind en ik kan niets doen. Er is geen uitweg. Er is geen ander plan. Ik ben geen tovenaar.'

En toen was ze weg. Ze verdween achter een reeks deuren de nacht in. Toen ik de volgende morgen wakker werd, stijf en over de vensterbank naar voren gezakt, trof ik haar op de matras bij de haard aan, ineengedoken als een kind onder de lakens, haar handen geschramd en bloedend, Deleuzes kaart naast haar uitgespreid op de vloer.

Er is een bepaalde soort honger die niet te verzadigen is. Heb je die honger, dan kun je nooit genoeg krijgen. Hoe meer je hebt, hoe meer je wilt. In Parijs, in 1815, had ik nooit genoeg van haar, de dievegge, de koraalverzamelaar, de kaartspeelster, de vrouw die wist hoe de tijd begon of althans dacht dat ze het wist. Ik had niet genoeg kunnen krijgen. Ik zou alles op het spel hebben gezet.

Toen ik me tussen de museumbibliotheek en het pakhuis aan de rue de Seine bewoog, tussen Cuvier en de dieven, tussen orde en wanorde, taxonomie en grilligheid, wist ik niets meer zeker. Met al mijn vragen die ik niet kon stellen en die ik niet begreep zakte ik weg in wolken en duistere wateren. Ik hoopte nog steeds dat ik te weten zou komen hoe de tijd was begonnen. Ik vroeg me af waarom vogels nestelden, koralen zich uitbreidden, vogels trokken en palingen naar zee gingen. Tot dan toe, tot aan Lucienne en de ketters, tot aan Parijs en de steengroeven, mammoeten en koralen, had God altijd achter de coulissen gestaan om de hendels over te halen, op de knoppen te drukken, de tijd aan te geven, de orde te handhaven. Je kunt niet zomaar ophouden met geloven in God. Het is een manier van zien, een stem in je binnenste, een structuur. Maar het beeld van het begin van de tijd liep vol met allerlei verschillende verhalen en verklaringen. Ik was er nog steeds zeker van dat ik het elk moment zou kunnen ontdekken in een van de kamers van de Jardin des Plantes.

Toen ik Lucienne die ochtend slapend op de matras bij het vuur achterliet om naar de Jardin te gaan, kwam ik op weg naar beneden Silveira tegen. Hij nam de trap van het pakhuis met twee treden tegelijk en zijn paraplu liet een spoor van regendruppels achter. Hij had een mand met eten bij zich. Ik hoorde het geluid van porselein dat tegen glas rammelde; ik rook knoflook en kruiden.

'*Il pleut dehors*,' zei hij toen hij bij me was aangekomen. 'Er valt zo veel regen dat we straks nog vinnen moeten krijgen.' Hij wees naar zijn mand. 'Er is een nieuwe traiteur in de Marais. De leiding is in handen van een jood uit Santiago de Compostela. Het eten is verrukkelijk. Ik heb iets voor haar meegebracht, voor haar ontbijt. Ze is te mager. Pepers, gemarineerd in olie. Lamsvlees in kweeperen. En wat late perziken uit het Loiredal, die ik op de markt heb gevonden. Ze moet eten.'

'Maakt u haar nog niet wakker,' zei ik. 'Ze slaapt eindelijk.'

Hij bleef staan en hield zijn hoofd schuin, zodat zijn krullen omlaagvielen als ringen, die me aan touwen deden denken. Silveira was een en al verweerd hout, het boegbeeld van een schip dat op een leeg strand was aangespoeld. Uit het water; nooit thuis.

'Zijn u en zij minnaars?' vroeg hij. Hij zette de mand op de trap om mij de doorgang te versperren.

Ik had geen tijd om rustig na te denken.

'Dat mag u me niet vragen,' zei ik.

'Waarom niet? U krijgt een kleur, monsieur. Denkt u dat ik kwaad op u word? Denkt u dat Silveira jaloers wordt? U bent bang voor mij.'

'Nee,' zei ik. Ik richtte me in mijn volle lengte op, al was ik nog steeds kleiner dan hij. 'Ik ben niet bang voor u.'

'Ik heb u gekwetst, monsieur. Ik ben zulke stadsmanieren en gevoeligheden niet gewend. Ik zeg wat ik denk. Ik zal niet zeggen dat het me spijt.' Hij kwam een stap naar me toe, pakte mijn kin vast en draaide mijn hoofd naar het licht. 'U hebt een goed profiel,' zei hij.

'Ik moet gaan,' mompelde ik. 'Ik ben al erg laat.'

Hij leunde tegen de afbrokkelende pleisterkalk van de muur en zette zijn glanzende laars op de balustrade. Hij liet me er niet door.

'Monsieur, ik heb nog één vraag voor u, voordat u verder gaat. Denkt u, hebt u ooit gedacht, al was het maar even, dat ze misschien een beetje gek is? *Aliénée?*'

'Nee,' zei ik. 'Ik vind haar de intelligentste vrouw – persoon – die ik ooit heb ontmoet.'

'Ja, zij zegt ook zoiets over u, monsieur Connor. Ze vindt u erg intelligent. U moet uw intelligentie gebruiken om haar over te halen mij met mijn mannen naar het klooster te laten gaan, monsieur Connor. U moet het proberen. Deze andere manier is onmogelijk. We lopen regelrecht in Jagots val. Ik heb tegen haar gezegd dat ze het kind op deze manier niet terugkrijgt.'

'Ik weet het,' zei ik. 'Ik denk dat zij het zo langzamerhand ook inziet.'

'Hebt u haar gezien, het kind? Niemand wil met mij over haar praten. Lucienne heeft geen portret, niets wat ze me kan laten zien. Hoe ziet ze eruit?'

'Als u,' zei ik. Ik herinnerde het me weer. 'Ze lijkt precies op u. Ze is intelligent en levendig.'

'Natuurlijk.'

'Ze is anders dan alle kinderen die ik ooit heb gezien. Toen ik haar voor het eerst ontmoette, noemde haar moeder haar een drakendoder. Ze zei dat ze Delphine met één hand een olifant en zijn berijder had zien optillen.'

'Goed. Daar houd ik wel van. Een olifant, zegt u... Houdt ze van zeilboten? Ze moet leren zeilen en schermen.'

'Ja,' zei ik. 'Delphine zou goed met een zwaard zijn, denk ik. Misschien als ze een beetje ouder is. Ze is nog maar vijf, monsieur.' Ik maakte een gebaar om Delphines lengte te kennen te geven. Hij lachte en ging opzij om me door te laten.

'Ja, misschien is ze nog een beetje jong. Merci, monsieur. *Vous êtes gentil.* We vertrouwen allemaal op uw slimheid, monsieur Connor,' riep hij naar beneden toen ik bij de voordeur was aangekomen. 'Praat met haar.'

Op 18 oktober, in de tuin van een huis op Sint-Helena, een huis dat The Briars heette omdat er zo veel witte rozen groeiden, zat keizer Napoleon, pas aangekomen op het eiland, in de schaduw met de dertienjarige dochter des huizes te praten, Betsy Balcombe, die in tegenstelling tot haar broers goed Frans sprak. Admiraal Cockburn had de keizer toestemming gegeven bij het Engelse gezin dat hier woonde te logeren tot zijn gevangenishuis klaar was.

Omdat ze zich hem altijd had voorgesteld als de man uit de Engelse mythen, half mens en half beest, een gorgo met één oog midden op zijn voorhoofd, werd Betsy Balcombe gecharmeerd door wat de keizer haar vertelde en door het Sèvres-porselein dat hij uitpakte om het aan haar te laten zien – een servies dat hem was aangeboden door de bevolking van Parijs, elk stuk met de hand beschilderd met taferelen uit zijn grote veldslagen en overwinningen. Hij liet Betsy de geschilderde ibis zien op het bord dat aan zijn Egyptische veldtocht was gewijd en waarschuwde haar nooit naar Egypte te gaan, want daar zou ze oogontsteking kunnen krijgen en dat zou haar mooie ogen bederven. En ja, het is waar dat ik daar het mohammedanisme heb beoefend, zei hij. Vechten is de godsdienst van een soldaat. En wat is daar verkeerd aan? vroeg hij terwijl hij zijn wenkbrauwen een beetje optrok. Godsdienst is een zaak voor vrouwen en priesters. Quant à moi, ik neem altijd de godsdienst aan van het land waar ik ben. Dat is veel eenvoudiger.

De tuin waarin ze zaten had mirtestruiken en sinaasappelbomen; het was een paradijs. Volgens geruchten op het eiland was Betsy's vader, William Balcombe – een in ongenade gevallen marineofficier die met pensioen was gestuurd en tot marineagent en inkoper van de East India Company was benoemd – de onwettige zoon van een koninklijk persoon. In elk geval was hij een balling. Zijn vrouw was zich daar heel scherp van bewust en ze verzekerde haar kinderen dat ze vroeg of laat naar het vasteland zouden terugkeren.

Het was een eiland dat bewoond werd door ballingen. Napoleon praatte soms met de slaaf van de Balcombes, Toby, een tuinman die oorspronkelijk uit Malakka kwam, maar door de bemanning van een Engels schip was ontvoerd en aan Sint-Helena was verkocht. 'Het was een schandalige daad,' zei Napoleon tegen Las Cases, 'om hem hierheen te brengen en als slaaf te laten sterven.' Maar toen Las Cases een vergelijking maakte met de situatie waarin de keizer zelf verkeerde, barstte Napoleon in woede uit. 'Mijn beste man,' zei hij, 'er is geen vergelijking mogelijk... Wij zijn de martelaren van een onsterfelijke zaak.'

22

Lucienne Bernard sliep twee dagen lang. Aan het eind van de eerste dag stuurde Manon me een briefje om me te laten weten dat Lucienne ziek was, dat ze niet wakker wilde worden, en dat ik meteen moest komen en mijn dokterstas mee moest nemen. In het pakhuis wachtten Silveira, Manon en Saint-Vincent in een aangrenzende kamer.

Het tafereel dat ik bij aankomst aantrof, ontroerde me. Silveira had kaarsen aangestoken in elke hoek van de kamer waarin ze sliep en bloemen van de markt gehaald – late zonnebloemen en rozen. Op elk oppervlak stonden volle vazen. Er stonden schalen met vijgen en druiven en er werd geparfumeerde olie verwarmd boven lampen. Waar twee dagen geleden niet alleen onenigheid had geheerst maar ook openlijk een conflict was uitgevochten tussen Manon, Saint-Vincent, Lucienne en Silveira, heerste nu niets dan stilte, de stilte van een donkere kamer die naar olie van mirre rook.

Bij haar bed stond een lege fles van blauw glas – die had Manon tussen Luciennes neergeworpen kleren gevonden. Silveira herkende de fles: hij had hem enkele dagen geleden aan Lucienne gegeven; er had een krachtige opiumtinctuur in gezeten die hem door een apotheker in een dorp aan de kust bij Goa was gegeven. Hij had hem aan haar gegeven om haar te helpen slapen. Er hadden acht of tien doses in gezeten, zei hij. Nadat hij die avond het pakhuis had verlaten had ze in haar wanhoop de hele fles opgedronken. Daarna was ze niet meer wakker geworden en had ze ook niet bewogen, zei Manon, en haar pols was zwak. Ik zei wat gezegd moest worden: dat er niets was wat haar wakker kon maken totdat de slaapdrank was uitgewerkt.

'Ze heeft het al eerder gedaan,' zei Silveira. 'Drie keer. Die verrekte vrouw. Ik had het kunnen weten. Toen we een keer ons kamp hadden opgeslagen in de resten van een Romeinse stad in de woestijn, stal ze een slaapdrank van me en sliep een week lang – alleen om mij dwars te zitten, dat zweer ik je. Toen ze wakker werd, wist ze niet dat er inmiddels tijd was verstreken. Ze had van de zee gedroomd, zei ze, terwijl ik dag en nacht had lopen ijsberen van de zorgen. De bedoeïenen-vrouwen gaven me mirreolie om te branden. Ze zeggen dat het goed is voor slapers.'

De eerste nacht waakte ik met Alain en Manon. Silveira wilde niet blijven – Sabalair en hij hadden werk te doen, zei hij. Het eerste uur zat ik bij het raam en praatten Saint-Vincent en Manon zoals alleen zij dat konden: het ene verhaal ging over in het andere, met gezamenlijke herinneringen en onenigheid over data, volgorde en oorzaak van dingen.

'Er is veel dat ik niet van haar weet,' zei Saint-Vincent. Hij keek mij aan en nam een mes om het kapje van een van de eieren te snijden die hij in de pan boven het vuur had gekookt. 'Ze komt en gaat. Ze is in Parijs, en dan is ze weg. Ze is op de vlucht, en dan is ze dat niet.' Hij zweeg even. 'We zijn allemaal op de vlucht, denk ik. Ze was zestien toen ik haar voor het eerst zag. Ze woonde toen bij haar grootmoeder en Manon in Marseille.'

'Mijn moeder was daar huishoudster,' zei Manon met een blik in mijn richting. 'De oude markiezin adopteerde me toen mijn moeder stierf. Weet je, Alain, Lucienne werd verliefd op je toen je voor het eerst kwam eten, die allereerste avond waarop je met haar over de structuur van algen praatte.'

'Algen? Dat is niet erg romantisch,' zei hij.

'Voor haar wel. Aan het eind van de zomer lag ze in je bed.'

'Ze verleidde me...'

'Ze was zestien. Jij was haar huisleraar.'

'En ik was achttien,' zei hij, en hij keek me met een glinstering in zijn ogen aan. 'Ik verkeerde nou niet bepaald in een positie om te weigeren of beter te weten. Het was een mooie zomer. Maar dat was voor de revolutie.'

'In de oude tijd,' zei ze. 'Voordat Daniel werd geboren.'

'Begin daar niet over,' zei ik.

'Ik zag haar pas in 1793 terug. Het jaar waarin het revolutionair comité nieuwe namen aan alle maanden en jaren gaf en de nieuwe kalender met jaar één begon,' zei Saint-Vincent. 'Ik deed er een eeuwigheid over om te onthouden dat Thermidor de helft van juli en de helft van augustus was, en Brumaire de helft van september en de helft van oktober. In die tijd had ik aan de universiteit gestudeerd en was ik op expeditie naar Afrika geweest. Ik werkte in de serres van de Jardin en volgde botaniecolleges wanneer ik maar kon. Het was oktober – Brumaire – een onweersachtige, wilde dag, nog maar drie weken nadat ze de koningin op de place de la Révolution hadden onthoofd, het begin van de vijftien maanden van het schrikbewind, en kort daarna hadden ze de Jardin du Roi herdoopt in Jardin des Plantes en hadden ze alle professoren benoemd. De mensen wisten niet wat ze moesten doen of wie de leiding had, maar de verwachtingen waren hooggespannen. Lucienne dook op in de week dat Marchini de luipaard naar de Jardin bracht.'

'Je geheugen laat je in de steek, Saint-Vincent,' zei Manon. 'Het was november. Ik weet het nog goed. Het was kort nadat ze uit de gevangenis was gekomen. Ik dacht al dat ze dood was, toen de brief kwam. Indertijd had ze net zo goed dood kunnen zijn. Ze leek net een wandelend lijk.'

Ik dacht aan de roodharige vrouw die Lucienne had beschreven, de vrouw die in de gevangenis was opgestaan, die Luciennes naam had aangenomen, de vrouw die in een andere gevangenis was verdwenen en de volgende zomer Luciennes plaats onder de guillotine zou innemen. Ik herinnerde me het schuldgevoel dat Lucienne had gehad toen ze weer ging zitten. Lucienne de Luc werd Lucienne Bernard, en de beenderen en schedel van de roodharige vrouw werden in de sleuf in de kloostertuin gegooid.

'De luipaard,' zei ik. 'Je zei dat het de dag was waarop ze de luipaard naar de Jardin brachten.'

'Oui. C'est vrai. Het revolutionair comité had net een decreet uitgevaardigd,' zei Saint-Vincent. 'Voortaan was het verboden wilde dieren in de straten van Parijs te vertonen, omdat ze een gevaar voor de openbare veiligheid vormden. Dat is grappig, hè? Een gevaar voor de openbare veiligheid. De guillotine verscheen in de straten toen de wilde dieren daaruit moesten verdwijnen.'

'Waar kwam hij vandaan?' vroeg ik. Ik stelde me een luipaard voor die door de straten van Parijs sloop, weerspiegeld in de ruiten van winkels en koffiehuizen.

'Een zekere Marchini,' zei Saint-Vincent, 'bezat een winkel met exotische dieren bij de place de la Révolution. De politie arresteerde hem en bracht de vier laatste dieren uit zijn winkel naar de Jardin: een ijsbeer, een luipaard, een civetkat en een aap. Toen eenmaal bekend was dat we Marchini's dieren hadden opgenomen, bracht iedereen zijn dieren naar de Jardin. Je kon ze allemaal over de brug zien komen, of in schuiten over de Seine. Er stond een rij op de kade, en het was een chaos: apen, beren, zelfs een alligator. Dubenton raakte in paniek. We hadden geen plek voor al die dieren en mensen vroegen belachelijke prijzen. Ze sloten de poorten van de Jardin en zetten een paar botaniestudenten bij de hoofdingang om de duwende, schreeuwende mensen tegen te houden. En toen zag ik Manon in de menigte met Lucienne, die een papegaai bij zich had. Lucienne was gekleed als arbeider; je zou nooit hebben gezegd dat ze een vrouw was. Ze was broodmager, alsof haar kleren haar bij elkaar hielden.'

'Dat was ook zo,' zei Manon. 'Er was niets van haar over, en ze wilde die vervloekte papegaai niet loslaten. Ze had hem op straat gevonden. Hij zat onder de luizen, en zij ook. Geen van de artsen die ik vond wilde haar zelfs maar onderzoeken. Ze zeiden dat er te veel krankzinnigen in Parijs waren; het was de moeite niet waard. Ze waren niet meer te genezen. Tenzij ik duizenden franken had, natuurlijk, maar die had ik niet. Mon Dieu, wat was ik die dag blij dat ik jou zag, Saint-Vincent. Ik wist echt niet wat ik met haar moest beginnen.'

'Ik schrok me een ongeluk,' zei hij. 'Ik had nooit eerder zo iemand gezien. Ik kon er niet tegen om naar haar te kijken, het arme ding. Ik nam de papegaai van haar over en gaf hem aan de mensen in de Jardin. Toen bracht ik haar en Manon naar het klooster in de rue de Picpus, waar een arts die ik kende voor *aliénés* zorgde.

'*Aliénés*?' zei ik.

'De gekke mensen,' zei ze. 'Het was het enige wat we konden doen om haar te helpen. Ik ging uit Parijs weg. Ik moest wel. Het was die winter niet veilig op straat. Ik ging naar Marseille terug, waar ik familie had.'

'En ik ging naar mijn huis in Bordeaux,' zei Saint-Vincent. 'Ik had Lucienne mee moeten nemen, maar wat had ik dan tegen mijn vrouw moeten zeggen? Toen ik de volgende herfst terugkwam, ging ik naar haar op zoek. Het klooster was gesloten en de ramen waren allemaal dichtgespijkerd. Er was daar niemand. Ik deed er weken over om haar te vinden – ze bedelde in de straten bij het Palais Royal. Ik schreef Manon en bracht Lucienne naar een kamer in een huis in de rue Royale. Charlotte Holbach, in die tijd mijn maîtresse, nam hen op voor de winter.'

'We verkeerden in dat huis in goed gezelschap,' zei Manon.

'Er woonden daar tientallen ketters en migranten – mensen die aan de guillotine waren ontkomen, atheïsten, libertijnen, filosofen, kunstenaars en schrijvers. Iedereen in dat huis was gek, of anders liepen ze wel te slaapwandelen.'

'Lucienne zat altijd te gokken in het Palais Royal,' zei Saint-Vincent. 'Dag en nacht. Als ze speelde, leek ze wel in trance. Ze won meer dan normaal was. Ze gooiden haar er steeds weer uit. Ze kwam steeds terug. We deden de deur op slot om haar binnen te houden, maar ze vond altijd een uitweg.'

'Wat was er met haar aan de hand?' vroeg ik Manon.

'Ze zei dat ze heel duidelijk in haar hoofd kon zien wat er in heel Parijs gebeurde: de stervende, rottende lijken die in de straten lagen, de ogen van het kind dat ze van het lijk van zijn moeder in de rue du Bac zag wegtrekken, de lijken die in de sleuven bij het klooster waren gegooid. Ze kon zich er niet van losmaken. Het was een constant geluid, een gebulder in haar hoofd. Al ging ze naar de andere kant van de aarde, dan nog zou het haar achtervolgen, zei ze. Ze wilde dood.'

'Er was geen land met haar te bezeilen,' zei Saint-Vincent. 'Ze ging midden in de nacht inbreken om dingen te stelen. Ik liep halve nachten door de stad om haar te zoeken. Stelen was zoiets als gokken: het wond haar op. Het gaf haar het gevoel dat ze misschien toch nog in leven was. Op een ochtend kwam ze met vijf stukken koraal uit het museum naar de rue Royale terug. Ze kwamen uit de verzameling van haar grootmoeder, zei ze tegen ons. En misschien was dat ook wel zo. Ze geloofde dat ze er recht op had. Wie weet, had ze dat ook. Reparatie, noemde ze het.'

'Hoe noem je een groep dieven in het Frans?' had ik op een ochtend aan Lucienne gevraagd, toen we naar de straatgeluiden lagen te luisteren.

'*Un repaire de brigands.* Een bende dieven,' had ze gezegd. Bende. *Repaire*. Reparatie.

'Toen vond ze Léon Dufour, de dichter,' ging Saint-Vincent verder. Hij weefde Luciennes verhaal uit de draden van de nacht. 'Ze leerde hem kennen in het Palais Royal, en toen hij haar eenmaal had geleerd sloten te forceren en sleutels te kopiëren en te maken, en haar in zijn bed had genomen, was ze soms niet dagen, maar weken achtereen verdwenen. Op een nacht brak ze in bij een oud klooster en kwam ze terug met schilderijen die aan Charlotte Holbach hadden toebehoord en die door Vivant Denon in beslag waren genomen en voor de muren van het Louvre waren bestemd. Ze was opgetogen.'

'Dat deed voor mij de deur dicht,' zei Manon. 'Ik had er genoeg van. Ik ging naar Marseille terug. Ik wilde een rustig leven. Toen ik een jaar later terugkwam, was alles anders. Zíj was volkomen anders. Ze kleedde zich duur... en als een man.'

'Ze had een kleermaker in de rue Vivienne,' zei Saint-Vincent.

'Dufour, Saint-Vincent en zij gingen systematisch te werk. Ze had de helft van de verzameling van haar grootmoeder terug en ze had geld op de bank.'

'Ik bracht haar boeken en artikelen over koralen en zoöfyten uit de bibliotheek in de Jardin,' zei Saint-Vincent, terwijl hij een fles cognac opentrok. 'We verdienden veel geld. Die winter kregen we onze eerste opdrachten van émigrés: het Louvre, de musea in de Jardin, een klooster of twee, vijf particuliere huizen: zestien schilderijen, vier halssnoeren en een verzameling curiositeiten. We brachten steeds meer in rekening. Dat konden we doen, want we behaalden resultaten.'

'En Egypte,' zei ik. Ik bedoelde Silveira. 'Hoe is dat gebeurd?'

'Toen de politie serieus naar ons op zoek ging – en wie kon het ze kwalijk nemen, we waren hun een doorn in het oog –, zorgde ik ervoor dat ze met Geoffroy naar Egypte kon,' zei Saint-Vincent. 'Daar heeft ze Silveira leren kennen. Ze verdwenen in de woestijn, en toen ze jaren later in Parijs terugkwam, was ze weer veranderd. Ze was nog dezelfde, maar anders. Ze begon aan haar boek over de koralen in Egypte. Dat was gebaseerd op gesprekken die ze had gevoerd met Geoffroy en Silveira en de koraalhandelaren en duikers die met hen samenwerkten.'

'Pas in 1803 of 1804, dus na lange tijd, kwam ze in Parijs terug,' ging Manon verder. 'Inmiddels had ik een baan in de Jardin. Ik maakte illustraties van planten en dieren.'

'En ik werkte voor Lamarck,' zei Saint-Vincent. 'Lucienne schreef zich in voor de colleges die Lamarck die zomer in het amfitheater gaf. Het was een heel bijzondere tijd, de zomer waarin Lamarck voor het eerst over transformisme sprak. De priesters waren weg; de menagerie van de Jardin breidde zich steeds maar uit; Napoleon stuurde ons dieren uit paleizen in heel Europa: leeuwen, kamelen, struisvogels en gazellen. En toen kwam er een zebra uit Zuid-Afrika...'

'En Lucienne?' onderbrak ik hem, bang dat we in de menagerie zouden verdwijnen en daar niet meer uit zouden komen.

'Ik was in 1805 gestationeerd in Duinkerken,' zei Saint-Vincent, 'en daarna in Oostenrijk, zodat we elkaar weer uit het oog verloren. Ik vocht in Austerlitz en raakte daar gewond. Ze geven je geen onderscheidingen of medailles als je gewond raakt, weet je. En zij was in Parijs, terug bij Dufour. Soms liet ze me bij zich komen – als ze een nieuwe opdracht had, als ze me nodig had –, maar meestal niet. In 1807 was ik in Pruisen en Polen, waar ik kozakken aan mijn bajonet reeg, maar ik liep de slag bij Eylau mis omdat ik ziek was...'

Als ik zulke verhalen over Lucienne hoorde, was het of ik in een boek bladerde, maar toch kon ik er geen leven met een bepaald verloop van maken: een begin, een midden en een eind. Ik stelde me haar in witte gewaden in de woestijn voor, en dan in een vervallen huis tussen boeken, of met een papegaai in de rij voor de poort van de Jardin.

'Ik hoop dat Napoleon eraan heeft gedacht mijn kaart mee te nemen,' zei Saint-Vincent voordat hij in slaap viel. 'Je zult wel niet weten dat ik de allereerste kaart van Sint-Helena heb getekend. Ja. Dat is waar. *Absolument.*'

'Nee, dat wist ik niet.'

'Mijn schip ging daar dertien jaar geleden voor anker toen we op de terugweg van Mauritius waren. Ik heb daar ook vlinders verzameld, en toen ik in Parijs terug was, gaf ik Bonaparte mijn kaart en de mooiste vlinder uit mijn verzameling.'

'Wat vond je ervan?' Ik zag een kale rots uit een eindeloze oceaan verrijzen.

'De vlinder? Spectaculair. Blauw en wit met bonte tekeningen...'

'Het eiland.'

'O. Het eiland. Honderddertig vierkante kilometer paradijs: zeekraal, theeplanten, gombomen, sequoia's, koolbomen en op de hellingen zo ongeveer de mooiste varens die ik ooit heb gezien. Geen slechte plek om gevangen te zitten.'

In oktober 1815 kreeg de keizer op Sint-Helena een onderkomen in een grote tent naast de balzaal van de Balcombes. Algauw bracht Betsy Balcombe de keizer elke morgen thee in de schaduwrijke wijngaard waar hij graag mocht werken. Hij zou maar drie maanden in The Briars blijven, totdat de verf was opgedroogd op de muren van zijn nieuwe gevangenis, Longwood.

In de tuin van The Briars werkte de keizer aan het verhaal van zijn leven. Hij dicteerde verslagen van veldslagen en overwinningen aan de verschillende leden van het huishouden. De grote woordenstroom zou hem tot een legende maken. De keizer verbaasde zich erover hoe scherp sommige van zijn herinneringen waren. Een hond belichaamde al zijn gevoelens over oorlog. 'In de diepe eenzaamheid van een maannacht,' zei hij tegen Las Cases, 'kwam die hond onder de kleren van een dode soldaat vandaan. Hij rende op ons af en keerde jankend van pijn naar zijn plaats terug. Beurtelings likte hij aan het gezicht van zijn baas en rende hij naar ons toe. Hij vroeg om hulp en wilde tegelijk wraak nemen. Niets,' zei hij, 'heeft op al mijn slagvelden ooit zo'n indruk op me gemaakt.'

Betsy, die een paar jaar later met haar moeder van Sint-Helena naar Engeland zou vertrekken, nadat haar vader ervan beschuldigd was brieven van Napoleon naar buiten te hebben gesmokkeld, vertelde de rest van haar leven over haar gesprekken met de keizer van Frankrijk, totdat ze niet meer wist waar de droom ophield en de werkelijkheid begon.

De tuin van The Briars, destijds een weelde van witte rozen en *sinaasappelbomen, zou nog geen tien jaar blijven bestaan. De East India Company, die het huis in eigendom had, kocht de tuin toen de Balcombes het eiland verlieten. Ze plantten er moerbeibomen en probeerden zijderupsen te kweken. De onderneming mislukte, en de tuin, waar een keizer eens een Sèvres-schaal had uitgepakt om een met de hand geschilderde ibis aan een kind te laten zien, verviel weer tot wildernis.*

23

In de vroege ochtend van 18 oktober, nog maar enkele uren nadat ze was opgestaan, om koffie, gebakken vis en brood had gevraagd en de met pleisterkalk gevlekte kleren van een arbeider achter uit een kast had aangetrokken, ging Lucienne weer met me naar de Jardin des Plantes.

'Ik heb een idee,' zei ze. 'Ik wil weten hoe jij erover denkt voordat ik het de anderen vertel. En zeg nu niet dat ik er niet goed genoeg aan toe ben. Ik ben volkomen gezond. We hebben twaalf dagen de tijd. Twaalf dagen is niet lang.'

'Je bent toch niet nog steeds van plan naar binnen te gaan?' zei ik. 'Dat is waanzin. Ik heb je gezegd...'

'*Doucement*,' zei ze. 'Silveira zegt dat ze de wacht bij het klooster hebben verdubbeld. Ze verwachten moeilijkheden. Die zullen ze niet krijgen. We spelen het spelletje mee, Jagots spelletje. Tot op het laatst.'

Omdat het nog vroeg was, moesten we wachten tot de poorten van de Jardin opengingen. Lucienne ging op de rand van de stenen borstwering van de kade zitten en schopte ongeduldig met haar schoenen tegen het muurtje. De kleren waren te groot voor haar, zodat ze er mager uitzag, maar ze had kleur op haar wangen en liep zo vlug dat ik haar bijna niet kon bijhouden. Ik dacht aan de gebroken vrouw die in 1793 met een papegaai voor de poort van de Jardin had gestaan, tussen de oppassers en de kooien, en vroeg me af of Lucienne zich haar ook herinnerde.

Er waren geen mensen bij de rivier. Het regende een beetje; lichte herfstregen. Op het water overlapten de kringen van de regendruppels elkaar. Het water zelf was doorschoten met de regenboogkleuren van het geoliede oppervlak. Er kwamen een paar boten over de rivier; roeiers pakten geld aan van enkele vroege passagiers. Ik werd er moe van om naar die bewegende dingen te kijken. Het was koud.

'Voor de tijd van Napoleon was dit alles alleen maar modder,' zei ze. 'Open terrein. Op een dag als vandaag was er alleen maar moeras tussen deze plaats en de rivier, een kleine kade daar, wat houtzagerijen hier, tuinen verderop. Mensen liepen op planken door het moeras. Alles zakte weg in de modder. En moet je nu eens zien.'

Ze keek peinzend uit over het water. Op beide oevers van de Seine zag je wasvrouwen grote witte lakens in het water uitwerpen. Ze wreven alle mogelijke weefsels over de houten zijkanten van wasboten of de brede planken van de steigers. Wasgoed, dat aan lijnen hing, wapperend en druipend in de wind, vormde witte vierkanten en rechthoeken tegen de achtergrond van het groenbruin van het bewegende water en de rommelige steigers. Ik had geprobeerd ze te tekenen, die vrouwen met hun witte doeken die over hun borst gebonden waren, en hun zwarte jurken en witte mutsen, maar ze bewogen te snel.

'Je had gelijk,' zei ze. '*Je suis desolée.*'

'Wat bedoel je? Waar heb je spijt van?' zei ik.

'Van alles. Nou ja, bijna alles. Jagot. Je hebt het nog steeds mis wat de soorten betreft. *Stupide*, als ik dat mag zeggen. Daniel Connor is blind als het op soorten aankomt.'

'Dat zeg jij,' zei ik glimlachend. 'Zo koppig als een ezel, als een varken, als een geit. Je mag kiezen.'

We keken over de smalle moddervlakte naar de steigers op de rivier, waar schuitenvoerders hout stapelden of steenkool versjouwden, en waar al dat hout, met spijkers en moeren vastgezet om niet door het water te worden meegevoerd, een fragiel, splinterig bestaan leidde. Het was net een huttendorp.

Ik dacht aan de hutten langs de kanalen die in het noorden van Engeland werden aangelegd – tijdelijke onderkomens, als iets wat uit een helse wereld onder de grond was verbannen. 's Avonds kon je ze van ver over het veen zien, verlicht, rokerig, met drinkende, schreeuwende mannen. Als jongen was ik erdoor gefascineerd geweest en had ik vanaf een heuveltop naar de mannen gekeken die diep in de aarde groeven. Van tijd tot tijd gebruikten ze springstoffen om door een rotsige helling heen te komen. Er vielen slachtoffers. Ik had mannen gezien die bebloed en half levend van het veen naar het dorp werden gedragen. Sommigen waren bij ons op het kerkhof begraven.

Zelfs hier in Parijs, dacht ik, in deze stad die versteend en massief was als geen andere, hadden ooit ichtyosaurussen en plesiosaurussen gezwommen. Nog steeds werden hun botten gevonden in de steengroeven van Montmartre en bij de kanalenaanleg in Derbyshire. In de Jardin, waar rijen botanische planten keurige rechthoeken vormden tussen de strakke gazons, was er hier en daar ook een zeebodem geweest, bevolkt door trilobieten, zeescheden en andere wezens die ik wel kon bedenken maar niet bij hun naam kon noemen. Olifantachtige wezens waren met hun logge tred tegen de helling van Montmartre op gelopen, waar zich nu windmolens naar de hemel verhieven.

'Door jou ben ik de dingen anders gaan zien,' zei ik. 'Alles, de hele wereld, ziet er nu anders uit. Ouder. Meer een wonder dan tevoren. Ik zie overal mammoeten.'

'Je moet meegaan met een expeditie,' zei ze, 'zoals Saint-Vincent heeft gedaan. Je neemt een baan als naturalist op een schip, en je vaart over de hele wereld en verzamelt monsters en gaat landinwaarts op onderzoek uit, de bergen in. Dan zul je begrijpen hoe het allemaal in elkaar past. Ga naar landen waarvan je zelfs nooit hebt gedroomd: Zuid-Amerika, Chili, Australië...'

'Waar zou jij heen gaan, als je overal heen kon gaan?' vroeg ik. Ik dacht aan Cuviers plannen om me naar Sumatra te sturen, dat me een land vol exotische vorsten en paleizen leek, diep begraven in moessonnatte oerwouden. Ik kon haar niet over Cuviers belofte vertellen. Ik wilde niet dat ze wist hoeveel ik op het spel zette.

'De Keeling Islands,' zei ze, 'halverwege tussen Australië en Sri Lanka. Silveira is daar geweest. Hij zegt dat daar de grootste koraalriffen zijn die hij ooit heeft gezien. En Nieuw-Zeeland. En Tahiti en Peru... of de fossiele koraalbedden in de bergen van Timor.'

Voorbij de steigers deinde de aanzwellende Seine, die sporen van zijn beweging op de modder achterliet, als muzieknotaties of de sporen van wind op zand. Ik zag de afdrukken en andere sporen van mensen, riviervogels en dieren – paardenhoeven en de pootsporen van honden. Een jongen, tot aan zijn middel in het water, zocht blijkbaar naar schatten. Hij liet rivierwater en modder door een oude zeef lopen. Hij had al een mooi stapeltje wrakhout verzameld; later zou hij daar bundeltjes van maken en ze als brandhout op de markt verkopen.

'Wat zie je?' vroeg ik.

'Lamarck noemt het la marche,' zei ze. 'Vooruitgang. Alles beweegt zich naar voren, gaat vooruit, wordt beter. Toch is die vooruitgang nog een rechte lijn, zelfs voor Lamarck. Ik zie geen rechte lijnen. Nog niet. Ik zie een net. De natuur is een grote wirwar, net als de koraalriffen. Als in een tuin waarin alles op en in al het andere leeft, veranderen sommige dingen en blijven andere bijna hetzelfde.'

'En als de Bijbel...' Ik kon de zin niet afmaken. Mijn vragen schoten tekort; ik kon ze niet formuleren. 'En als?' herhaalde ik, en ik ging niet verder.

'Kijk eens naar die rots,' zei ze, en ze streek met haar vinger over de rozewitte steen van de kademuur. 'Zie je die madreporen, die kringen hier en daar, en deze zeewezens hier, tussen de schalie? Hun lichamen hebben in miljoenen en miljoenen jaren de continenten gevormd. Niet God met één plotselinge beweging van zijn hand. Napoleon mag dan de muur hebben gebouwd, zeewezens vormden de steen.'

'Is er geen God?'

'Dat heb ik niet gezegd. Wie ben ik om dat te zeggen? Wie is iemand van ons om dat te zeggen?'

'Saint-Vincent denkt dat er geen God is. Hij is een ketter.'

'Misschien denkt hij dat, maar hij zou het niet zeggen. Hij heeft principes. Hij houdt die dingen voor zich.'

'En Manon?'

'Manon? Zij zou het zeggen. Hardop. Oui. Ze zou het uitschreeuwen. Haar moeder was katholiek. Die is in grote nood gestorven, bang voor de verdoemenis. Manon zag dat, en toen was het genoeg voor haar. Zij ís een ketter.'

'En Silveira?'

'Hij gaat naar de synagoge. Hij leest de Thora. Hij houdt zich aan de sabbat.'

'Hij gelooft?'

'Nee. Silveira heeft geen God. Hij zegt dat het een christelijke obsessie is, dat vasthouden aan God, aan geloof, dat eeuwige gepraat erover. Het gaat hem om de rituelen, zijn volk, *l'histoire*. Dat is zijn anker. De wortel van alles. Ja, ik denk dat hij dat zou zeggen.'

'Daar is het,' zei ze, zodra we door de Jardin liepen. 'Dat gebouw met het groene dak.' Ze wees naar een loods in het midden van een omheind terrein net buiten de École de Botanique, waar een paar studenten in de regen stonden te wachten. 'Ik zag het pas laatst 's avonds op de kaart. Het staat daarop aangegeven als nummer negen. Op de legenda heb je aangegeven dat het een ingang van de steengroeven is. Is dat zo?'

'Ja. In de loods is een stenen trap die omlaagleidt naar de steengroeven.'

'Precies zoals ik had gehoopt. Hoe is hij daar gekomen?'

'Je bedoelt wie hem hebben aangelegd? Mannen met schoppen, houwelen en kruiwagens, denk ik. Hij gaat een heel eind omlaag.'

'Mais, non. Waaróm is hij daar?'

'Cuvier en Brongniart hebben hem een paar jaar geleden laten aanleggen, toen ze samen een artikel over de rotslagen van het bekken van Parijs schreven, denk ik. Ze wilden de rotslagen onder de stad zien, zo ver mogelijk naar beneden. Cuvier gebruikt de groeven nog weleens bij het lesgeven, als hij zijn colleges over fossiele botten geeft, maar meestal wordt de ingang niet gebruikt.'

'En die trap gaat helemaal omlaag naar de steengroeven?'

'Ja, recht omlaag.'

'Kun je me aan de sleutel van die loods helpen?'

'Ik weet niet waar die wordt bewaard, maar waarschijnlijk kom ik daar wel achter. Ik zal het proberen,' zei ik toen ik haar geërgerd zag kijken. 'Als het belangrijk is. Maar waarom?'

'Alors. Jagot wil dat we de Jardin op de avond van het feest via de ingang bij de rivier verlaten. Daar wacht hij op ons. Het is de bedoeling dat we hem daar de diamant geven. En hoewel hij zegt dat hij het niet doet, zal hij ons daar ook arresteren. Maar we doen het een beetje anders. We verlaten de Jardin op een andere manier. We gaan over Cuviers trap omlaag, lopen door de steengroeven en komen weer boven in de straten van Parijs. We doen het op mijn manier.'

'Dat is briljant,' zei ik. 'Jagot zal nooit weten hoe je eruit gekomen bent. Het zal zijn alsof je in het niets bent verdwenen.'

'Alleen heeft Jagot dan nog steeds Delphine. Dat vergeet je. Nu, Daniel, luister goed. Ik wil dat je tegen Jagot zegt dat we door de steengroeven naar buiten gaan. Je moet hem ervoor waarschuwen dat we ons niet aan de afspraak zullen houden. Zorg ervoor dat hij in de passage de Saint-Claire op ons staat te wachten en dat hij Delphine dan bij zich heeft.'

'Waarom wil je dat ik dat doe? Dan arresteert hij je daar. Dan geef je je voorsprong prijs. Het is waanzin.'

'Daniel, je moet me vertrouwen. Ik heb een nieuw plan. Ik zie een mogelijkheid om Delphine te redden, om ons van Jagots lijst af te laten komen en ervoor te zorgen dat jij Cuviers steun en je positie behoudt. Ik wil dat je morgen naar Jagot gaat en hem ervan overtuigt dat we ruzie hebben gehad en dat je wraak wilt nemen.'

'Dat gelooft hij niet.'

'Zeg tegen hem dat je bedrogen bent. Overtuig hem ervan dat je belust bent op wraak. Vraag hem om een beloning. Dan weet hij dat hij je kan vertrouwen. Jagot heeft begrip voor hebzucht. Zeg tegen hem dat je mij met Silveira over een diefstal in de Jardin en ontsnapping door de steengroeven hebt horen praten. Vertel hem de bijzonderheden. Zeg tegen hem dat we op de ochtend na het feest om zeven uur in de passage de Saint-Claire bij elkaar willen komen.'

'Maar dan staat hij daar op jullie te wachten.'

'*Exactement*. In de steengroeven weet ik de weg, en hij niet. Daar beneden hebben wij het voor het zeggen. Er zijn daar bijna driehonderd kilometer om in te verdwijnen. Het wordt tijd dat we onszelf van Jagots lijst afhalen.'

'En hoe doen we dat?'

'We worden toch nog tovenaars. We voeren ons eigen schouwspel op in ons ondergrondse theater. Jij begrijpt het niet. Jij ziet het niet, hè?' Ik schudde mijn hoofd. 'Jagot moet wraak nemen. Daar kunnen we niets aan veranderen. En dus gunnen we hem zijn wraak. We laten hem denken dat hij heeft gewonnen. Daarvoor moeten we een paar sterfgevallen in scène zetten.'

24

In de koraalkamer van de slotenmakerswerkplaats was de opgezette krokodil verdwenen; de koralen waren bijna weg; de
planken waren leeg. De kamer had nu een echo. Elk stuk koraal, verpakt in stroken purperen zijde die gescheurd waren
uit een jurk van een émigrée die het schrikbewind misschien
wel en misschien niet had overleefd, lag in de broze duisternis
van het gedroogde, in stukken geknipte zeewier waarmee de
kisten waren opgevuld.

Er werden nu voorbereidingen getroffen voor Luciennes
vlucht van Parijs naar het veilige Italië. Die vlucht moest
worden uitgesteld tot na die brutale diefstal die haar in een
heel andere richting, namelijk naar de gevangenis van Toulon,
zou kunnen sturen. Kisten werden dichtgespijkerd; etiketten
werden op het hout geplakt. Haar vertrek was onvermijdelijk,
wist ik, maar het wachten was bijna ondraaglijk. Toen ik op
een middag enkele minuten alleen was, zag ik op de hoek van
een kist een etiket dat beschreven was met een handschrift
dat ik niet kende: *Ufficio Postale, La Spezia, Italia*. La Spezia.
Ik kon me niet eens herinneren waar dat was – ergens in het
noorden misschien, in de buurt van Turijn. Eén kast, de lange
tafel en de kaart waren in de kamer overgebleven. Binnenkort
zouden die dingen ook verdwijnen. Zijzelf zouden ook verdwijnen. Ze zouden aan hun vlucht beginnen als de zwaluwen
die in troepjes op de daken van Parijs zaten.

Dat hele najaar hadden er geruchten de ronde gedaan dat Napoleon al in Parijs terug was, dat hij zich schuilhield in de steengroeven en dat hij van plan was de stad weer in bezit te nemen. Die geruchten werden verspreid door lampendragers, koetsiers en straatvegers. Ze werden verteld aan iedereen die ernaar wilde luisteren. Sommige wijnsmokkelaars beweerden zelfs dat ze hem daar beneden hadden gezien. Hij had een leger, zeiden ze, en dat kon elk moment, dag of nacht, naar boven komen door de ventilatiekokers.

De steengroeven waren een doolhof dat zich honderden kilometers onder de straten van Parijs uitstrekte. Ze waren duizenden jaren in gebruik geweest, werd gezegd; het gesteente was uitgehakt en naar boven gehaald om er de stad mee te bouwen.

Toen in de laatste jaren van de achttiende eeuw een gezin in een kelderwoning in de rue de la Lingérie was gestikt door gassen uit de ondiepe, overbevolkte graven op de nabijgelegen begraafplaats Les Innocents, had Alexandre Lenoir, luitenant-generaal van politie, voorgesteld alle Parijse begraafplaatsen te sluiten, de botten uit de bestaande begraafplaatsen op te graven en een ossuarium aan te leggen in een deel van de vroegere steengroeven. Grafdelvers die 's nachts werkten, brachten de beenderen op afgedekte wagens door de straten; arbeiders sjouwden de beenderen in zakken de steengroeven in. De grote nivellering was al voor de revolutie begonnen, zeiden mensen, toen de botten van moordenaars en edelen, priesters, maîtresses en dienstmeiden allemaal onder de grond met elkaar vermengd raakten, zonder grafsteen of andere vermelding.

Twintig jaar later, in 1809, benoemde keizer Napoleon een voormalige burggraaf die mijningenieur was geworden, Louis-Étienne Héricart de Thury, tot toezichthouder van de steengroeven en catacomben, met de opdracht ze in kaart te brengen en veilig te maken. Héricart, inmiddels tot inspecteur-generaal van ondergrondse werken benoemd, liep door en onder de straten en gaf leiding aan de decoratieve herschikking van de botten in het deel van de groeven waarin de catacomben werden ondergebracht. Hij liet namen aanbrengen bij grote delen van de tunnels om ervoor te zorgen dat niemand daar beneden zou verdwalen of verhongeren, en hij bracht de drieënzestig schachten of putten – *puits* – in de hele stad in kaart. Het werd een catalogus van gaten, sommige met een trap, andere zonder. Sommige waren ventilatiekokers, andere in onbruik geraakte putten. In 1815 waren er drieënzestig toegangen naar de steengroeven en catacomben, drieënzestig gaten die naar de ondergrondse wereld van Parijs leidden, en een daarvan bevond zich in de Jardin des Plantes.

'Waarom vertelt u me dit alles nu, monsieur Connor?' had Jagot gevraagd. We zaten in een bank in de kerk van Saint-Roche, waar we elkaar op mijn voorstel ontmoetten. De kerk rook naar schimmel; hoge bogen verspreidden zich in alle richtingen, ritmische curven van licht in de duisternis.

'Ik ben natuurlijk dankbaar,' zei hij, terwijl hij een sinaasappel pelde. Het sap viel met dikke druppels op de bruine wol van zijn broek. 'Maar het is een beetje ongewoon, n'est-ce pas? Lucienne Bernard en u zijn toch vrienden? Zo staat het in mijn dossiers. Het is ongewoon dat vrienden elkaar verraden. Nu komt u mij opzoeken. Ik denk: wat is hier aan de hand?'

'Ze heeft iemand anders,' zei ik. 'We hadden ruzie.'

'Monsieur Silveira?' zei Jagot langzaam, en hij stopte een schijfje sinaasappel in zijn mond. 'Silveira is terug in Lucienne Bernards bed, en nu komt u hen verraden? U bent jaloers? U wilt wraak?'

'Monsieur,' zei ik, 'u zei dat ik moest kijken en luisteren. Dat heb ik gedaan. Kijken en luisteren.'

Ik was blij met de schaduw in de kerk; hoe minder Jagot

van me kon zien en van mijn gezicht kon aflezen, hoe beter. Jagot had blijkbaar toegehapt. Wat hem betrof, was ik een nieuwe kans. Hij had zijn ingewikkelde val voor Lucienne en Silveira voorbereid, en nu was hier opeens Luciennes aan de kant gezette minnaar, de jaloerse jongen Daniel Connor, die zijn hulp aanbood – natuurlijk in ruil voor 'compensatie'. Jagot mocht dan zijn best doen om niets te laten blijken, zijn blijdschap was tastbaar.

'En de man die opdracht heeft gegeven tot die diefstal,' zei Jagot, die zijn hoofd schuin hield om aandachtig naar mijn reacties te kijken, om na te gaan hoeveel ik wist. 'Weet u ook hoe hij heet?'

Ik was nerveus.

Je hoeft er alleen maar voor te zorgen dat Jagot met Delphine de steengroeven in gaat, Daniel, had ze gezegd. Het kan me niet schelen wat je doet of zegt om dat te laten gebeuren, maar alles hangt ervan af dat Jagot met Delphine in de groeven afdaalt.

'Nee, monsieur,' loog ik, en ik keek hem aan. 'Ik weet niet wie erachter zit. Daar kan ik niet achter komen, al heb ik het wel geprobeerd. Ze gebruiken nooit zijn naam.'

'En u zegt dat ze bij elkaar komen in de passage de Saint-Claire, op de ochtend na de diefstal? Dus ik hoef alleen maar te wachten tot ze naar buiten komen – als ratten uit een riool. Ja, dat is goed. Nou, waar komen ze naar buiten, monsieur Connor? Waar moet ik staan wachten om mijn dieven te vangen?'

'Ze gaan uit elkaar en slaan verschillende richtingen in,' zei ik. 'Tenminste, dat is het plan. Ze komen allemaal door verschillende schachten omhoog. Er zijn veel ingangen van de groeven, denk ik.'

'Merde. Dat betekent dat we zelf naar beneden moeten,' zei Jagot. 'We zullen in de passage de Saint-Claire op ze moeten wachten. Daar moeten we onze netten uitgooien.'

'Ze kennen de steengroeven goed,' zei ik. 'Misschien kunt u lokaas gebruiken. Iets om er zeker van te zijn dat u ze daar houdt, dat ze u niet door de vingers glippen.'

'Goed idee, monsieur Connor.' Hij zweeg even en dacht na. '*Bien sûr* – het kind. Als u klaar bent met uw werk voor de baron, wilt u misschien wel voor mij komen werken. U hebt de geest van een schaker. Natuurlijk moet u blijven luisteren. U moet tegen madame Bernard zeggen dat alles vergeven is. Overtuig haar. Houd een notitieboekje bij. Schrijf alles op, zelfs kleine dingen. Ik wil dat u die nacht met hen meegaat naar het museum om er zeker van te zijn dat u hen naar mij toe brengt.'

'Dat kan ik niet doen,' zei ik. Ik haalde diep adem – dit was het moeilijkste deel van mijn komediespel. Jagot moest me zijn spion maken, maar ik mocht niet te gemakkelijk met zijn plan akkoord gaan. Dan zou hij achterdochtig worden. 'Dat kunt u niet van me verlangen,' zei ik. 'Het is veel te riskant. Als ze er nu eens achter komen dat ik het u heb verteld? Silveira is gevaarlijk. Hij kan... Ik weet niet wat hij kan doen. En hoe zit het met Cuvier?'

'Ik zal professor Cuvier volkomen geruststellen. Maar pas na afloop. U bent waardevol, monsieur. U bent al na – hoe lang? – drie maanden een belangrijke assistent in Cuviers museum. Ze zullen u niet kwijt willen. Ik hoor van mijn mannen dat baron Cuvier plannen met u heeft. Uw toekomst is veilig. Als u me helpt deze mensen, die ook de vijanden van Cuvier zijn, in te rekenen, zal de baron u des te meer op prijs stellen.'

En natuurlijk ging ik akkoord.

'U bent ambitieus, monsieur Connor,' zei Jagot. 'U strekt de baron tot eer.'

Hij kende de steengroeven van vroeger, vertelde hij me die dag, nog uit de tijd dat elke misdadiger in Parijs ze kende; hij had zich daar vaak verborgen. Nu moest elke politieman zich vertrouwd maken met de tunnels in de groeven, zei hij, met hun knooppunten en kruispunten, de plaatsen waar ze gestut waren om te voorkomen dat het plafond inzakte, de plaatsen waar de muren lange gangen vormden, zo breed en hoog als straten of winkelpassages, en waar de tunnels naar grotten leidden die zo groot als kerken waren.

En hij sprak over Silveira. Als Jagot over Silveira praatte, was het altijd met bewondering. 'Silveira heeft veel vrouwen,' zei de politieman die middag, 'maar hij keert altijd terug naar Parijs en Dufours minnares Lucienne Bernard. Dus toen we Lucienne Bernard volgden, volgden we ook Trompe-la-Mort. Hij was altijd ergens in de buurt. Nu zijn ze naar Parijs teruggekomen. En ik vang ze allemaal in hetzelfde net. Hij is één keer te vaak naar madame Bernard teruggekomen. En nu is er een kind. Ze brengt het kind naar Parijs, stopt het in het klooster in de rue de Picpus en gaat naar Silveira toe. En dan vind ik haar. Elke dief heeft een achilleshiel, monsieur Connor.'

'Ja, monsieur,' zei ik. 'Dat heb ik onthouden.'

In Longwood werd de keizer voortdurend in het oog gehouden. Een garde van het 53ste regiment, een artilleriepark en een compagnie van het 66ste hadden hun tenten opgeslagen bij zijn voordeur, en de kijkers van de soldaten waren op de ramen van het huis gericht. Tussen Longwood en het dorp patrouilleerden nog eens twintig mannen langs de hele kaap en de omheining. 's Nachts was de keten van schildwachten zo dicht dat ze elkaar bijna aanraakten. Op zee patrouilleerden twee slagschepen langs het eiland en waakten twee fregatten over de enige twee aanlegplaatsen.

Longwood behoorde toe aan de termieten, klaagde Las Cases, en hij wees generaal Marchand erop dat de hoek van de biljartkamer in Napoleons gevangenishuis doorzeefd was met gaten. De termieten – ook ballingen, schipbreukelingen, aan wal gespoeld met een Braziliaans slavenschip – leefden nu in de muren en vloeren van alle huizen op het eiland. Ze kauwden al het hout tot de pulp waarmee ze hun grote, stoffige nesten opbouwden.

Termieten gedijen in de vochtigheid van Longwood. Las Cases gaf opdracht houtblokken te verbranden in elke haard, maar de hitte maakte alleen maar een broeikas van het gevangenishuis en de schimmel stak zijn zijdezachte draden nog verder uit. Papier zwol op. Deuren zaten klem. Ruiten besloegen.

Terwijl Napoleon in de laatste zes jaar van zijn leven de ene na de andere alinea van zijn memoires produceerde, en kaarten en tekeningen van veldslagen over het groene laken van de biljarttafel uitspreidde, en woorden op papier zette die herschreven en aangevuld konden worden door anderen, die konden aanzwellen tot tientallen, honderden boeken over het leven en de veldslagen van de eerste kei- zer van Frankrijk, vraten de termieten zich een weg door wanden, vloeren, tafels en stoelen. Je kon ze bijna horen. Op een dag zou er niets meer over zijn van het gevangenishuis van de keizer, niet één plank, raamkozijn of vloer van het oorspronkelijke huis. Van stof tot stof. Van as tot as. Die gedachte zette de keizer ertoe aan om tot het eind aan zijn memoires te werken.

25

Het werd 27 oktober, de dag van het feest. Om zeven uur was ik bij het poorthuis aan de rue de Seine, waar drie geüniformeerde bewakers identiteitspapieren en uitnodigingen controleerden, en zag ik het kleine silhouet van Jagots fiacre met dichte gordijnen op de plaats staan waar de straat op de kade uitkwam. Zonder om te kijken gaf ik mijn papieren aan de bewakers.

'Ik krijg die stank er niet uit,' zei Fin toen hij me bij de hoek van het amfitheater ontmoette, waar de schaduwen zich uitstrekten over het kortgeknipte ovaal van gras. 'Ik heb schone kleren aangetrokken, maar het zit in mijn huid... die stank... Alcohol en arsenicumzeep. Ik heb er waarschijnlijk al zoveel van ingeademd en opgenomen dat ik net zo goed geconserveerd ben als die tweekoppige kalveren in Cuviers museum. Kun je het ruiken? Hoe erg is het?'

Ik boog me naar hem toe en snoof. 'Je kunt het ruiken,' zei ik, 'maar het is niet zo erg.'

'Ik ben vanavond te moe om een wit voetje bij Cuvier te gaan halen,' zei hij. 'Ik zou wel een maand kunnen slapen. Ik ben hier alleen omdat hij een volledige opkomst wil hebben voor Brugmans. Waarom kunnen mensen niet gewoon een baan krijgen omdat ze goed zijn? Waar hebben we die verrekte revolutie dan voor gehad? Alles hangt er tegenwoordig van af dat je aardig bent voor de baron, dat je goed ruikt en schone nagels hebt en met een goed getuigschrift naar de artsen in Engeland terug kunt. Ik wil niet aardig voor de baron zijn en mijn nagels zijn vuil. Ik heb een groot glas wijn nodig.'

In de spiegelende hal, tussen vazen oranje- en roodgestreepte cannalelies, ontvingen Cuviers vrouw en dochter, de melancholieke Clémentine, gekleed in het zwart, hun gasten. Lakeien namen hun jassen aan. In de salon boven stond de baron in staatstenue tussen een groep vleiende buitenlanders. Baron Georges Léopold Chrétien Frédéric Dagobert Cuvier, lid van het Institut de France, hoogleraar en directeur van het Muséum National d'Histoire Naturelle, lid van de Académie Française en van de Britse Royal Society enzovoort. Een steunpilaar van de academische wereld en een bastion van het Franse establishment. Ik telde tien lakeien.

'Hij moet er wel minstens een uur over doen om zijn kleren uit te trekken,' zei Fin. 'Het is bijna een harnas. Zou hij een korset dragen? Misschien een van madame Cuvier?' Fin had al te veel wijn op. Na het werk waren hij en de andere taxidermisten naar de taveerne gegaan. Cuvier droeg die avond purperen gewaden die hij zelf voor officiële gelegenheden had ontworpen, met stiksel van gouddraad en behangen met medailles.

'Lamarck is er,' zei ik. In de hoek leunde een lange, magere man met wit haar tegen een muur. Hij nam slokjes uit een glas en praatte met een kleine vrouw in het zwart. 'Dat is zijn dochter Cornélie. Ze doet tegenwoordig al het schrijfwerk voor hem om zijn ogen te sparen. En die daar is Geoffroy; hij staat met Sophie Duvaucel te praten. En dat zijn Brongniart, hoogleraar mineralogie, en Desfontaines, hoogleraar botanie. Jezus, ze zijn er allemaal. Zeven, nee acht professoren. Het is een verenigd Frans front. De onderhandelingen zijn begonnen.'

'Cuvier staat erbij alsof hij zich in Versailles volkomen thuis zou voelen,' zei Fin. 'En daar heb je hem: de schurk, Brugmans, nou ja, schurk wat hen betreft. Vanavond heeft hij alle macht.'

Vanaf de plaats waar ik stond zag Brugmans' gezicht er onbewogen uit. Het was breed en vol, maar zijn ogen verrieden helemaal niets. Het leek wel of hij zich alleen maar aan het ritueel hield, alsof hij een marionet was. Als hij van zijn machtspositie genoot, dacht ik, was hij beslist niet bereid dat te laten blijken.

Als oud-rector magnificus van de universiteit van Leiden kende Brugmans de politiek en machinaties van mannen van de wetenschap. Hij was een onvermoeibaar onderhandelaar: Joseph Banks had hem tien jaar eerder naar Londen laten komen om over de prijs voor de 3461 bladzijden met gedroogde bloemen te onderhandelen die het herbarium van wijlen George Clifford hadden gevormd. Dat was een delicate aangelegenheid geweest.

'Monsieur Connor.' Een vrouwenstem. Ik draaide me om en stond tegenover Sophie Duvaucel, die naar ons toe gelopen was.

'Mademoiselle Duvaucel, mag ik mijn vriend monsieur Robertson aan u voorstellen?'

'*Enchanté, mademoiselle,*' zei Fin stijfjes, en hij gaf haar een hand.

'Ik geloof,' zei ze in het Engels, 'dat ik u tweeën daarstraks Engels hoorde spreken. Weet u, ik denk dat het niet de bedoeling is dat iemand hier vanavond Engels spreekt. Ik denk dat de baron verwacht...'

'Leest u ons de les, mademoiselle Duvaucel?' zei ik.

'Nee, integendeel. Ik hoopte dat ik aan uw onschuldige rebellie mocht deelnemen. Mijn Engels is zwak, weet u, en als we niet te hard praten, kan ik wat oefenen zonder dat iemand het hoort. Dat voegt een beetje gevaar toe aan een avond die bijzonder saai belooft te worden.' Ze glimlachte.

'Ik denk dat een beetje Engels wel zal lukken,' zei Fin grijnzend. 'Als u het beveelt, bedoel ik. Wij verkeren niet in een positie om te weigeren.'

'O, ja, ik sta erop,' zei ze. 'Wilt u zo goed zijn om alle formaliteiten in het Engels af te handelen?'

'Mademoiselle Duvaucel,' begon Fin, 'we hebben elkaar niet eerder ontmoet. Ik werk voor uw vader. Ik ben kortgeleden op het laboratorium komen werken. Ik werk samen met uw broer, monsieur Duvaucel, onder leiding van monsieur Dufresne.'

'Ik benijd u, monsieur, om al dat handwerk.' Fin knipperde niet met zijn ogen en keek ook niet – en daarmee oogstte hij mijn bewondering – in mijn richting om hulp te zoeken. Blijkbaar was Sophie in een goed humeur. In de jachtige dagen die aan Brugmans' komst voorafgingen was de humor ver te zoeken geweest bij haar.

'Het is een vies werkje, mademoiselle,' zei Fin. 'Niet zo goed als het lijkt.'

'Nee. Veel in deze wereld is niet zo goed als het lijkt, n'est-ce pas?'

'Dat hangt ervan af,' zei ik. 'Van onze verwachtingen. Of die hoog- of laaggespannen zijn.'

'O, ik geloof dat mijn verwachtingen bijzonder hooggespannen zijn.'

'Nou, dan zullen veel dingen niet zo goed zijn als ze lijken.'

'Bravo, wat bent u toch verstandig, monsieur Connor. Nu lijkt het me tijd voor een ander onderwerp. Ik ga u nu vragen hoe Parijs u bevalt. Ik hoop dat u naar het circus van monsieur Reaux aan de rue Saint-Honoré bent geweest om de Hottentotvrouw te zien dansen. Monsieur Reaux heeft daar ook een neushoorn. Ze noemen haar de Hottentot-Venus – de vrouw, bedoel ik, niet de neushoorn.'

'Nee, mademoiselle. Daar ben ik niet geweest.'

'Dan moet u opschieten, monsieur Connor. Ze zeggen dat ze stervende is. Alle mannen in Parijs willen de Hottentotvrouw zien dansen nu het nog kan.'

'Ja,' zei Fin, een beetje in verlegenheid gebracht. 'Ik ben er geweest.'

'En zijn ze zoals de mensen zeggen?' vroeg ze. 'Haar delen, bedoel ik. Ze zeggen dat ze naar voren steken als die van een man. Is het interessant?'

'Nou, eigenlijk is het nogal smakeloos. Ze danst een tijdje. Dan laat ze zich beetje voor beetje zien...'

'Is het verleidelijk?'

'Nee, het is een kermisattractie. Een circus. Ze draagt een masker. Maar, ja, haar lichaam is opmerkelijk. Vanuit wetenschappelijk standpunt gezien, bedoel ik.'

'En u, monsieur Connor? Interesseert het lichaam van de Hottentotvrouw u ook?

'Nee,' zei ik. 'Nee, ik geloof niet dat ik dat wil zien.'

'Ze zeggen dat ze gisteravond op het toneel is gevallen. Dronken.'

'Waarom interesseert u zich voor die vrouw, mademoiselle?' vroeg ik.

'Mijn stiefvader heeft haar een paar weken geleden gekocht, toen hij er zeker van was dat ze zou sterven. Ik krijg dagelijks berichten over haar gezondheid, net als weerberichten. Ze komt hierheen, naar het museum, zodra ze dood is. Ze verkeert in het laatste stadium van syfilis, weet u, al is ze nog jong.'

'In Europa kun je mensen toch niet kopen?' zei ik. 'Ze is geen slavin.' Het gesprek maakte me kwaad, een emotie die ik me die avond niet kon veroorloven.

'O, in Parijs kun je wel degelijk dode mensen kopen, monsieur. Mijn stiefvader koopt dode mensen – voor wetenschappelijke doeleinden natuurlijk. Hij gaat de Hottentot-Venus ontleden in het laboratorium waar u werkt, monsieur Robertson. En dan maakt hij afgietsels. Ze komt in de grote zaal van het museum, tussen de orang-oetan en de Afrikaanse man. Een waardevolle aanvulling op de verzameling. Ze wordt daar nog beroemder dan nu op het toneel. Ze promoveert van het circus naar het museum.'

'Dat is grotesk,' zei ik. 'In zekere zin is het heel vernederend.'

'Ja, monsieur Connor,' zei ze plotseling fluisterend. 'Dat is in zekere zin heel vernederend. Ik word er misselijk van. Soms gebeuren er dingen in dit huis en in dit museum waar ik misselijk van word.'

'Sophie?' Clémentine Cuvier was naar ons toe gekomen, gekleed in haar ouderwetse jurk met plooikraag. Haar haar zat een beetje te strak op haar hoofd gespeld, zodat haar gezicht samengeknepen leek. 'Monsieur Robertson, mag ik u mijn zuster voorstellen? Mademoiselle Clémentine Cuvier. Clémentine, monsieur Robertson. Je kent natuurlijk monsieur Connor.'

Ik keek even naar Cuvier, daar in die hoek bij Brugmans. Blijkbaar had hij het moeilijk. Hij was een beetje bleek, een beetje bezweet en had zich in een stoel laten zakken. Zijn secretaris, Charles Laurillard, gaf hem een glas water. Ik kon me Cuvier niet in het oerwoud van India voorstellen, op zoek naar wilde dieren. Nee, daar stuurde hij liever zijn beschermelingen heen. Sommigen van hen zouden om het leven komen terwijl ze dieren voor hem verzamelden.

'Wilt u me excuseren, messieurs?' zei Sophie. 'We hebben verplichtingen...'

Op datzelfde moment, op de avond van 27 oktober 1815, terwijl Cuvier zich uitsloofde voor de Nederlandse ambassadeur, volgde in een ander deel van Parijs, op een onverlichte weg in een wijk die Picpus werd genoemd, een fiacre een vrouw die een zwarte, met bont gevoerde jas droeg. Ze liep naar het klooster met een klein soldatenuniform in donker pakpapier, waar een gouden lint omheen was gestrikt.

Manon Laforge wist natuurlijk dat ze gevolgd werd, maar evengoed voelde ze zich gespannen. Het was zo bedoeld; alles ging zoals het moest gaan, het hele plan dat ze keer op keer met Lucienne had doorgenomen. Dit was het moeilijkst uitvoerbare deel van Luciennes plan.

'Het is de enige manier,' had Lucienne me uitgelegd. 'Jagot weet dat we ons niet aan de afspraak willen houden en via de steengroeven willen ontsnappen. En dus haalt hij Delphine uit het klooster en houdt hij haar als gijzelaar vast om haar tegen de diamant uit te wisselen. En dat is precies wat ik wil dat hij doet. Als Delphine eenmaal in de steengroeven is, kan ik bij haar komen. Dan zijn we op mijn terrein. Maar Delphine mag niet met Jagots mannen alleen zijn. Dan wordt ze bang. Ze moet iemand bij zich hebben die haar kan beschermen als het misgaat. Ik kan niet gaan; Manon moet dat doen.'

Dit deel van het plan was dus afhankelijk van de zorgvuldige, langzame uitwisseling van geheimen tussen mij en Jagot in de loop van een week. 'Op de avond van de diefstal zal Manon Laforge proberen het kind uit het klooster te redden,' schreef ik. 'Om negen uur. Als uw mannen elkaar aflossen. Ze komt in een zwarte bontjas naar de zijdeur. Ze zal een pakje bij zich hebben – een klein rood soldatenuniform voor het kind. Een vermomming.'

'Uitstekend. Een tweede gijzelaar versterkt mijn positie in de steengroeven,' had Jagot geantwoord.

Manon keek om zich heen. Er was verder niemand op straat, alleen de fiacre die in haar richting kwam. Ondanks het zorgvuldig uitgedachte plan was ze gespannen. Ze wist dat de risico's groot waren. Ze ging vlugger lopen. De blinden van de fiacre waren dicht. Hij reed erg langzaam en volgde haar door de avond. Ze kwam langs de donkere vijvers en de open plek en was nu op weg naar het donkerste eind van de straat, naar de zijdeur van het klooster, waar een non het pakje van haar aannam en even later een klein kind in een rood soldatenuniform naar buiten leidde.

Manon zei tegen Delphine dat ze in haar nieuwe kostuum een late avondwandeling ging maken. Er gebeurden wel vreemdere dingen. Het kind praatte aan één stuk door over kippen, slakken, haar nieuwe vriendjes. Ze was opgewonden. Ze zwaaide met haar soldatenzwaard.

'Wat er nu ook gebeurt, Delphine, je doet precies wat ik zeg, begrepen?' fluisterde Manon. Delphine knikte.

Manon herkende de stem van Jagot, toen hij uit de fiacre stapte en haar op scherpe toon toeriep: 'Madame Laforge, u kunt nergens heen vluchten. Voor de veiligheid van het kind...'

Ze pakte Delphines hand en rende weg. Haar jas met bontvoering, gekocht in een winkel met tweedehands kleren in een zijstraatje van de rue Vivienne, een jas die ooit had toebehoord aan een gravin die haar hoofd, haar huis en haar naam had verloren, gleed van haar schouders toen ze viel.

Delphine, gedesoriënteerd door de duisternis en in de waan dat ze bij Austerlitz aan de zijde van Napoleon tegen de Engelsen vocht, zwaaide met haar zwaard om zichzelf en haar gevallen landgenote te verdedigen tegen de bezwete, ongeschoren politieman. Jagot en zijn twee agenten ontwapenden haar vlug, maar niet voordat ze enkele tandafdrukken op de rug van Jagots hand had gemaakt.

Manon Laforge en Delphine Bernard waren nu gijzelaars van Henri Jagot. De komende uren zouden ze onder bewaking in de herberg Le Chat Noir doorbrengen, op de hoek van een straat bij de Jardin des Plantes. Manon zou daar koekjes voor Delphine bestellen en haar nog eens over Napoleons opstellingen bij het beleg van Toulon vertellen.

26

In Cuviers salon luidde de butler een bel om stilte te verkrijgen. Omdat de gasten inmiddels gesprekken voerden en geen zin hadden om op te houden met praten, luidde hij hem een tweede keer.

Cuvier ging in het midden van de kamer staan en sprak in onberispelijk Frans, dat een simultaanvertaling kreeg van zijn secretaris Charles Laurillard: '*Mesdames et messieurs*.'

'Dames en heren,' volgde Laurillard.

'Ter ere van onze gast, monsieur Brugmans,' ging Cuvier verder, 'maken wij nu een rondleiding door de vijftien zalen van de Galerie d'Anatomie Comparée, voordat we hier terugkeren om ons te verpozen. Alstublieft, als u zich beneden in de hal wilt verzamelen, zullen we het museum door de hoofdingang binnengaan.'

Fin dronk zijn glas wijn leeg. Ik ook. Eigenlijk zou ik niet moeten drinken, dacht ik, maar ik voelde er op dat moment niets voor om mezelf regels op te leggen. Het zou een lange nacht worden.

De dertig of veertig gasten en Jardin-medewerkers volgden Cuvier via de overloop en de sierlijk bewerkte trap omlaag naar de hal, waar de cannalelies glansden in het licht van lampen met fluwelen kappen. De butler nam zijn plaats bij de voordeur in, Cuvier de zijne op de trap boven ons. Hij wachtte tot de menigte stil was geworden en sprak ons toen langzaam toe. Van tijd tot tijd richtte hij het woord rechtstreeks tot monsieur Brugmans, een dikke man die duur gekleed was, van zijn das tot en met zijn donkerblauwe, met medailles behangen jas en de edelstenen op zijn schoenen, en die zich opblies als een vogel die een wijfje het hof maakt.

'Dames en heren, neemt u de tijd in de toegangshal van het museum. Er is veel interessants te zien.'

Cuvier kwam de trap af om op zijn beurt bij de deur te gaan staan. De hoogleraren van de Jardin gingen achter hem in de rij staan, aan weerskanten van Brugmans. Toen Laurillard de deur openmaakte, gaf een snoer van papieren lampionnen dat tussen de bomen was gespannen een pad aan van Cuviers huis naar de ingang van het museum. De maan kwam achter een wolk vandaan en wierp zijn licht op de afgeplatte boomkruinen langs het pad. De avondlucht was koud en vochtig, met de geur van rottende bladeren en uitgebrande vuren; een leeuw brulde of geeuwde ergens in de menagerie en op het strakke gazon speelde een orkestje kamermuziek onder een blauwe luifel.

Ik zag vlekjes licht in de donkere struiken en omheiningen van de menagerie links van me, en daar hoorde ik ook het gedempte geluid van pauwen en de kreten of gromgeluiden van dieren die ik niet kon thuisbrengen. Het was de avondvoedertijd. Ik keek op mijn zakhorloge. 'Ze zijn weer vroeg,' zei ik hardop. Ik dacht aan de voedertijden die ik in de lange nachten in het pakhuis had genoteerd.

'Wat is vroeg?' Sophie Duvaucel had zich in de menigte terug laten zakken om mij de laatste meters door de tuin te vergezellen.

'De vogels,' zei ik vlug. 'Ze beginnen dit jaar vroeg aan hun trek. Dat betekent meestal dat er een strenge winter op komst is. Het is koud, nietwaar? Voor oktober, bedoel ik.'

Ik bood haar mijn arm aan.

De gasten verzamelden zich bij de voordeur van het museum, waar Cuvier op de drempel ging staan. Zijn volgende podium. De bedienden brachten de lampen dichter naar hem toe. Ze hadden dit geoefend, dacht ik.

'Monsieur Brugmans, geëerde gasten,' zei hij, terwijl Laurillard dapper bleef vertalen. 'Welkom in de Galerie d'Anatomie Comparée. Alles in dit gebouw, de vele duizenden specimina, afkomstig uit de hele wereld, is in een bepaalde volgorde gezet. Dat is de geordende volgorde van de natuur. Nergens ter wereld is een tweede verzameling als deze te vinden.'

Binnen trokken twee in blauw livrei gestoken bedienden precies op dat moment de kolossale deuren open; het licht stroomde de duisternis in en viel op de verzamelde menigte. De hal voor ons stond vol met menselijke skeletten. Sommige waren afgietsels, andere waren echt, en ze waren opgesteld alsof ze daar in den vleze stonden, allemaal met hun gezicht naar de deur: een salon van bottenmensen, met pen en metaaldraad aan elkaar bevestigd in de hal van wat eens een koetshuis was geweest. Onder aan de grote trap stond een skelet met uitgestrekte arm, alsof het een gebaar maakte terwijl het een betoog afstak. Daarnaast stond een ander skelet, de armen laaghangend als die van een aap.

Een theater van botten. Cuvier had de skeletten op een rij gezet om zijn theorie over de hiërarchie van rassen te illustreren. Aan het ene eind stonden de skeletten rechtop en in een houding alsof ze converseerden of iemand toespraken, en aan het andere eind stonden ze krom en met bungelende armen en keken ze dof voor zich uit; de blanke rassen aan het ene eind, de zwarte rassen aan het andere. Ik herinnerde me wat Sophie me had verteld en keek naar de plaats helemaal aan het eind van de rij, waar het geraamte van de Hottentot-Venus zou komen te staan.

In een heel andere rij stonden de skeletcuriositeiten: het tweeënnegentig centimeter hoge skelet van Nicolas Ferry, een dwerg aan het hof van koning Stanislaus van Polen, een van drie dwergen die geboren waren in het gezin van Franse boeren, die goed geld hadden verdiend met de verkoop van hun klein uitgevallen kinderen. Er stond een oud Egyptisch skelet, waarvan de botten uit een tombe waren gehaald, en ik zag ook de verwrongen, vervormde resten van de befaamde madame Supiot, die aan een ziekte was gestorven waardoor haar botten zo zacht werden dat ze haar benen om haar hals kon leggen. In de laatste ellendige vijf jaar van haar leven – jaren waarin ze drie kinderen ter wereld bracht – was ze in lengte geslonken van een meter vijfenzestig tot zestig centimeter.

Enkele gasten lieten hun mond openvallen toen het rokerige licht tussen de botten door viel en ze langer liet lijken, alsof de bottenmensen naar de deur stapten of gleden. Een vrouw trok haar halsdoek dichter om zich heen.

Schedels, oren, benen... Ik probeerde me de volgorde te herinneren van de vijftien kamers die ik zo goed kende, de kamers aan de hal en de overloop boven.

Mannen in zwarte jassen en vrouwen in satijn en zijde liepen nu tussen de bottenmensen door. Cuvier stond naast een skelet dat een tableau van pijn en afgrijzen vormde, het hoofd naar de lucht gekeerd, de mond geopend voor een geluidloze schreeuw, met een staak dwars door het nu onzichtbare vlees. Cuvier wachtte geduldig tot de gasten tot bedaren waren gekomen en hun aandacht op hem richtten. Hij maakte een gebaar naar Brugmans.

'Mag ik u monsieur Suleiman uit Aleppo voorstellen, monsieur Brugmans?' zei Cuvier met galmende stem. 'Alstublieft, u moet zijn hand schudden. Het is hier in de Galerie d'Anatomie Comparée een traditie dat eregasten de hand van monsieur Suleiman schudden.'

Brugmans kwam naar voren, maakte een buiging en nam de verkoolde botten van de skelethand in de zijne. De menigte applaudisseerde.

'Hij houdt zijn lezingen in de trant van de Franse acteur Talma,' fluisterde Sophie. 'Hij is er goed in. Met een perfecte timing. Hij heeft de laatste tijd veel geoefend.'

Cuvier sprak weer en maakte nu een gebaar naar monsieur Suleiman: 'Deze jonge Syriër heeft vijftien jaar geleden in Caïro de Franse generaal Kléber vermoord,' zei hij. 'Een Frans hof veroordeelde hem ter dood en liet hem aan een spiets rijgen op het grote plein van Caïro. Het duurde vier uur voor hij dood was. Zijn rechterhand werd afgehakt en voor zijn ogen verbrand. Zo diende hij de vijanden van Frankrijk tot voorbeeld. We hebben hem een andere hand gegeven om het geraamte compleet te maken. Maar als u goed naar zijn schedel kijkt, een beetje dichterbij, zult u een ongewone vorm zien. Het is de zwelling van misdadigheid en fanatisme – ja, zichtbaar op het bot, hier op deze plaats.'

Cuviers mannen leidden ons naar zaal 2: de geraamten van vleeseters. Omdat hier geen kroonluchter hing, droegen de bedienden lampen mee die heen en weer zwaaiden, en toen we door de zaal liepen, tussen de geraamten van neushoorns en walvissen, wierpen de lampen ovalen van licht op rijen van oogkassen, neusholten en kaken. Hier zag je rijen vogelschedels, daar rijen antilopenschedels, daar vissenkoppen in elke denkbare vorm: koppen met snavels, geweien, slagtanden, lange neuzen, stompe kaken, elke soort in secties ingedeeld, in planken, rijen en dozen, en allemaal staarden ze voor zich uit, heel even zichtbaar in de bewegende lichtkringen van de lampen en dan weer weg.

Cuvier bleef voor een glazen vitrinekast staan en gaf de bedienden een teken dat ze de lampen dichterbij moesten brengen. Een andere bediende maakte de kast open en overhandigde Cuvier twee schedels. Fin werkte zich naar voren, terwijl de bedienden hun lampen op de tafel voor Cuvier zetten. Ik zou ook dichterbij zijn gekomen, aangetrokken door het magnetisme van onze poppenspeler, maar ik moest op zoek gaan naar een andere plaats. Ik ging achter in de menigte staan.

'Twee olifantenschedels,' zei Cuvier. 'Dit is een Indische olifant uit Ceylon...' Hij tilde hem hoog op om zijn woorden kracht bij te zetten. 'En dit is een Afrikaanse van Kaap de Goede Hoop. Beide zijn olifanten. Maar behoren ze tot dezelfde soort? Deze vraag naar de soorten houdt naturalisten al vele jaren bezig.'

Cuvier keek op en zag het gezicht van Brugmans in de menigte. Zodra hij wist dat hij de aandacht van de Hollander had, ging hij verder. 'Monsieur Brugmans zal weten dat deze twee olifantenschedels zich ooit in het kabinet bevonden van de stadhouder, de vader van de huidige koning der Nederlanden. Het was een van de grootste verzamelingen op het gebied van natuurlijke historie die de wereld ooit heeft gezien. Monsieur Brugmans zal weten dat toen de Fransen en de Hollanders in 1796 het vredesverdrag van Den Haag sloten, de grote stadhouder deze prachtige en belangrijke voorwerpen aan het Franse volk overdroeg, opdat de wereld ervan kon leren.' Cuvier zweeg weer even, wachtend op Brugmans' instemming, maar de ambassadeur liet niets blijken. Hij knikte niet en maakte ook geen lichte buiging. Brugmans vertikte het dit ambassadoriale menuet mee te dansen.

Cuvier kreeg een kleur van ergernis. Hij was zo veel verzet niet gewend. Hij richtte zich in zijn volle lengte op, wendde zijn blik nadrukkelijk van Brugmans af en ging verder. Zijn toespraak was een retorische opeenvolging van zorgvuldig aangescherpte frasen en welgekozen bewoordingen. Overdracht. Geschenk. Bondgenootschap. Ik begreep waar Cuvier heen wilde en had bewondering voor zijn lef. Dit was geen wedijver, liet hij blijken, geen gevecht om eigendom; dit was een bondgenootschap. Kennis moest landsgrenzen overschrijden. Het was allemaal zo prachtig geformuleerd, in bedekte termen.

'Totdat het kabinet van de stadhouder naar Parijs kwam, was de wereld van mening dat de Afrikaanse en Aziatische olifanten twee verschillende soorten waren, de ene soort wild, de andere gedomesticeerd. Ze zagen er anders uit; ze gedroegen zich anders. Maar door de komst van deze twee schedels uit de Hollandse verzameling veranderde alles. Hier in het museum, in de Galerie d'Anatomie Comparée, wisten we dat de botten ons het antwoord zouden opleveren. We bestudeerden de tanden. Kijkt u eens naar de tanden.'

Twee assistenten hielden grote en ingewikkelde tekeningen van de patronen op de tanden van de twee olifantenschedels omhoog.

'Het patroon op de tanden van de Indische olifant hier,' zei Cuvier, en hij wees met een stokje naar de tekeningen, 'lijkt op een verzameling slingerende linten. De tanden van de Afrikaanse olifant hier hebben een ruitpatroon. Er zijn absolute verschillen. Tot nu toe keken naturalisten alleen naar de buitenkant van dieren, naar hun huid, gedrag en bouw. Wij anatomen daarentegen kijken ín de dieren, naar de structuren onder de huid. We gebruiken onze ogen, onze microscopen en onze scalpels. We kijken naar de vormen van botten en tanden. En nu, na duizenden jaren, geeft de natuur eindelijk haar geheimen prijs.'

De menigte mompelde met geoefende instemming, en er werd weer geapplaudisseerd. 'De natuur vertelt ons dat er inderdaad verschillende soorten zijn.

Kijkt u nu hier eens naar.' Een bediende legde een derde schedel op de tafel. Cuvier stak zijn hand ernaar uit en hield hem voor het publiek omhoog. Dit gebaar, een herhaling van de eerste keer, riep beelden uit de tijd van het schrikbewind bij me op: de mannen van de guillotine die afgehakte hoofden omhooghielden om de massa op te zwepen.

'In de noordelijkste delen van de oude en de nieuwe wereld zijn grote aantallen van deze vreemde schedels opgegraven,' ging hij verder. 'Als u deze schedel in een mijn in Siberië, Duitsland of Canada vond, zou u misschien denken dat het een olifantenschedel was. Maar hoe kunnen olifanten in de koude woestenij van Siberië in leven blijven? vraagt u zich misschien af. Ja, dat is een raadsel. Een van de vele raadsels van de natuur. Onwetende mensen vertellen fantastische verhalen over deze wezens. In Siberië zeggen mensen dat deze dieren olifanten waren die ondergronds leefden, als mollen; anderen zeggen dat de botten door grote vloedgolven daarheen zijn gevoerd. Maar hier in Frankrijk vertellen we geen fantastische verhalen. Wij zijn geen toeschouwers of dichters of verhalenvertellers. Wij zijn mannen van de wetenschap. Wij kijken naar feiten. Wij doen experimenten. Wij leren iets uit de botten af te leiden.'

Een assistent hield twee andere tekeningen omhoog.

'Ja, de botten bevatten het antwoord, dames en heren. Als we goed naar de kaak en de tanden kijken, zien we dat dit dier helemaal geen olifant was. Kijkt u maar – de kaak is hier gebogen. De kaak van deze hedendaagse olifanten is dat niet. Dit wezen is heel anders dan de olifant. Het is niet de voorouder van onze moderne olifant, dus we kunnen maar beter afstand doen van onze kinderlijke verhalen, ons bijgeloof, onze luchtkastelen. We kunnen zonder enige aarzeling zeggen dat de natuur geen sprongen maakt. Er is geen brug...' Hij hield de twee schedels weer omhoog. 'Er is geen brug tussen dit wezen en dit, tussen het verleden en het heden.

Monsieur Brugmans, hoe kunnen we onze toekomst begrijpen als we ons verleden niet kennen? We hebben belangrijke verzamelingen van specimina nodig die door de anatomen ontcijferd kunnen worden; ze zijn onze bibliotheken; ze zijn boeken die we kunnen lezen. Studenten komen uit de hele wereld naar Parijs; we leren hun de taal van botten te lezen. Hier in dit museum hebben we het Alexandrië van de natuurlijke historie. Dit mag niet uiteen worden gehaald. De wereld zou er armer door worden. Wij allen zullen er armer door worden.

Met de gecombineerde rijkdom van deze verzameling, dit geschenk van Holland aan Frankrijk, en de genialiteit van de Franse bottenlezers hebben we hier een wetenschap die een nieuwe wereld schept. Samen banen de Nederlanders en de Fransen een nieuwe weg naar kennis. Wie zal het durven hen te volgen?'

Ik manoeuvreerde me naar de deuropening terug, vergewiste me ervan dat de bedienden zich voor me bevonden, keek waar de lichten waren. Ik stapte door de deuropening en liep de trap af, langs planken met de schedels van paarden, herten-bokken en dolfijnen, en toen de hal weer in, waar ik enkele druppels van Silveira's sterke opiaat uit een blauw parfum-flesje in alle karaffen met dure madeira deed die op de tafel klaarstonden voor de gasten. Daarna vond ik de deur van de kast onder de trap, waarvan ik wist dat hij niet op slot zat, en stapte naar binnen.

27

Vanuit die kast kon ik alles zien. Door een spleet in de deur keek ik naar de gasten die door de hal liepen. Ik hoorde hun voetstappen en gedempte stemmen op de trap boven me. Ik zag de portier van het museum met Cuvier praten, instructies aanhoren, over zijn ogen wrijven; ik zag de oude Deleuze enkele woorden wisselen met Fin, die op zijn nagels beet, gaapte en keek of hij mij ergens zag.

Zodra het laatste licht verdwenen was en de stemmen tot zwijgen waren gekomen, duwde ik de deur van mijn kast open en stapte een lichtere schakering van duisternis in. Ik liep door de hal, tussen de botten door, vond op de tast de onderkant van de trapleuning en volgde hem naar boven, waar ik even bleef staan om de hal te overzien. Het glas uit de kroonluchter leek de laatste beetjes licht in zich opgeslagen te hebben. In het schijnsel daarvan leek de hal een groot zeewezen, opgehangen als de walvissen en dolfijnen, een groot skelet van glas met tentakels die in een zee zo zwart als steenkool bungelden.

Toen liep ik naar de zaal van de vleeseters, waar een beetje licht, dat door de ramen links van mij viel, zwakke schaduwen van botstructuren op de kasten wierp. Ik wachtte.

Bij het vierde raam rechts verscheen een hand. Ik ving een glimp op van drie silhouetten in het glas. Een hand drukte geluidloos vanaf de ander kant het glas in. Er werd een touw gegooid en ik ving het op. Nog steeds was er geen geluid te horen.

Eerst een, toen twee, toen drie ineengedoken figuren balanceerden even op de vensterbank en sprongen toen geluidloos de kamer in, als apen in het *cirque du singe*. Lucienne was het dichtste bij en ze haalde een beetje snel adem. Ze stak haar hand uit om me aan te raken; haar vingers streken over mijn lippen. Ze droeg een zwarte broek en een zwarte blouse met een brede ceintuur. Ze had ook een donkere doek om haar hoofd geslagen – dat hadden ze allemaal – en haar gezicht was zwartgemaakt.

'De laatste gasten zijn ongeveer twintig minuten geleden vertrokken,' zei ik tegen haar, terwijl ze het raam aan de binnenkant op slot deed. 'Cuvier en Laurillard hebben na Brugmans' vertrek nogal wat glazen madeira genomen. Het opiaat werkte. Cuvier zei dat hij zich niet goed voelde en verdween naar zijn kamers. Kort daarna trokken madame Cuvier en haar dochters zich terug. De bedienden deden zich te goed aan de laatste wijn in de karaffen – dat doen ze altijd – en daar zit ook geen beweging meer in. Voor zover ik kan nagaan, slapen ze allemaal.'

Vier dieven werkten in het donker. We konden het met onze ogen dicht, want we hadden eindeloos geoefend in het pakhuis aan de overkant. Silhouetten in het zwart bewogen zich langs het glanzend wit van skeletten. Vier figuren hurkten neer bij het houten platform waarop de neushoorn uit de Kaap was geplaatst en schoven het skelet een meter opzij. De kop bungelde een beetje heen en weer en de tanden grijnsden stompzinnig. Op de vloer zag ik de donkere contouren van een luik. Silveira trok het open. De houten trap, nauwelijks zichtbaar in het zwakke licht, verdween in de diepte.

Onder aan de trap was het vochtig en muf. Eerst kon ik niets zien. Toen zag ik de randen van kisten en kratten en opgerolde doeken, allemaal op elkaar gestapeld. Zodra Lucienne het luik had dichtgetrokken, stak ik de lamp aan. Vier figuren, drie in het zwart en ik in een lange jas, gekleed voor Cuviers feest, stonden elkaar aan te kijken. We wachtten tot onze ogen aan het licht gewend waren.

'Wat zijn dat allemaal voor dingen?' vroeg Silveira. 'Ik had niet zoveel verwacht.'

'Zo te zien heeft Cuvier hier beneden ook de beste stukken uit het kabinet van de stadhouder verstopt,' zei Lucienne. 'We hadden gelijk – blijkbaar staat hij op het punt ze uit Parijs weg te smokkelen. Laat je nergens door afleiden. We moeten ons concentreren. De kist die we zoeken heeft een etiket met een feniks erop. Hij staat in de vierde kamer rechts van deze gang.' Jagots agenten, had Lucienne me verteld, hadden met de portier van de Jardin gepraat, die had geholpen de kisten naar de kelder te sjouwen. Nadat ze de botjes in zijn rechterhand hadden gebroken, had hij hun de gewenste informatie verstrekt.

'Neem je verder niets mee?' zei Silveira tegen Lucienne. Hij pakte haar arm vast terwijl we langs de deuren liepen. 'Alleen wat we hebben afgesproken?'

'Nee, natuurlijk niet. De diamant is het enige wat we kunnen verkopen, en verder hebben we genoeg aan de haarlok van Napoleon. Vertrouw op mij.'

'Dat zei je de vorige keer ook, beste vriendin.'

Zodra we in de vierde kamer aan de rechterkant waren en de kist met de feniks – de grootste van alle kisten in die kamer – hadden gevonden, wendde Lucienne zich tot de rest van ons. 'Vergeet niet: we nemen maar twee voorwerpen mee. Verder niets. Napoleons haarlok uit de privécollectie van Vivant Denon wordt ons visitekaartje. Als we Parijs uit zijn, stuur ik die lok naar Denon om hem te laten zien waar we geweest zijn. Dat zal Cuviers kleine koninkrijk voorlopig ten val brengen.'

Alain pakte lopers en metalen gereedschap uit.

'Bedenk wel: geen sporen op de kist, Alain,' zei ze. 'Niemand mag weten dat wij hier geweest zijn. Tenminste, nog niet. Controleer alles voor je het aanraakt. Deze kist moet precies zo worden teruggezet. We mogen geen fouten maken.'

'Ik weet het, ik weet het,' zei Saint-Vincent gespannen. 'We hebben dit al eerder gedaan.'

De eerste stukken hout kwamen gemakkelijk vrij. Alain plaatste ze tegen de muur en zette met een potlood gekleurde tekens op de binnenkant.

'Halfeen,' zei hij met een blik op zijn zakhorloge. 'We hebben hooguit drie uur de tijd.'

Terwijl Manon en Alain de eerste plank van de bovenkant van de kist haalden, klom ik op een paar andere kisten om in de opening aan de bovenkant te kijken.

'Allemachtig,' zei ik.

'Wat zie je?' vroeg Lucienne.

'Schelpen en stukken rood koraal.'

'Goed,' zei ze. 'Dat is die lelijke rotspartij boven op het kabinet. Het werk van Johannes Lencher. Er moet een beker met een zilveren voetstuk midden in de koralen en schelpen staan. Met een zilveren rand en met een zilveren jongetje dat op een dolfijn zit.'

'Ja. Ik zie hem.' Ik boog me naar voren en stak mijn hand door het gat om het zilveren kind op de dolfijn aan te raken.

'Niet aanraken,' waarschuwde Silveira. 'Raak niets aan tot Lucienne het zegt.'

'Als je die jongen aanraakt,' zei Lucienne, 'laat je bijna zeker een tweede slotmechanisme dichtklappen. Dat maakt het veel moeilijker voor mij. Dus alsjeblieft, doe dat niet.'

'Deze beker is gemaakt van *coco de mer*,' zei Silveira. 'Op zichzelf een half miljoen waard, als je de juiste koper vindt.'

'Nee, Davide,' zei ze. 'We hebben een afspraak. Alleen de diamant. Heb je de kopie?'

'*Bien sûr.*' Hij haalde de namaakdiamant uit zijn zak; die

hing in de lucht als een vis die in donker water aan een lijn glinstert. 'Die levert ons een beetje tijd op, als dat nodig is.'

Saint-Vincent en Silveira haalden de planken weg die ze hadden losgeschroefd en opengetrokken. Ze haalden de planken aan één kant weg, zodat het kabinet als het ware werd uitgekleed. Ik liet de lamp op het inlegwerk schijnen. Het was een kunstwerk: een fantasie van hout en barnsteen, in alle kleuren die je je maar kon voorstellen.

'Ferdinand van Tirol heeft het bijna tweehonderd jaar geleden voor zijn collectie laten bouwen,' fluisterde Lucienne, terwijl ze met haar vingers over het inlegwerk streek. 'Denons reliquiarium moet ergens in het midden staan, en in de laden zit de rest van de collectie. De diamant ligt in een van de binnenkastjes. Ik weet niet hoe lang ik erover doe om hem te vinden. De vijfentwintig laden hebben elk hun eigen slotmechanisme.'

'Je hebt niet veel tijd,' zei Saint-Vincent. 'We weten niet hoe lang dat opiaat werkt. Het heeft niet op iedereen dezelfde uitwerking.'

'Het slotmechanisme is ingewikkelder dan ik had gedacht. Ik wil Daniel hier bij me hebben. Jullie twee kunnen onder aan de trap gaan luisteren. Geef het aan me door als jullie boven iets horen bewegen.'

Lucienne haalde een rol donkerblauwe fluweel en zijde uit haar tas. 'Gereedschap,' zei ze. 'Leg ze van links naar rechts, precies zoals ik ze aan je geef. Schuif die kist daar hierheen. Ik heb een tafel nodig. Trek nu je jas uit en leg hem over de bovenkant. Ja, zo. Nu het gereedschap. Doe het snel. Concentreer je.'

Ik legde het gereedschap in de juiste volgorde op de donkere wol van mijn jas: messen en scalpels, sleutels, lopers, was, naalden en ijzerdraad. Dat was het gereedschap van de slotenmaker en van de dief.

Ik gaf Lucienne de loper. Ze stak hem in de slotopening.

Na een enkele draai naar rechts zwaaiden de deurtjes open en zagen we kleine kistjes met nog verfijnder inlegwerk dan aan de buitenkant. Ik huiverde. Ergens buiten in de verte, in de Jardin, hoorde ik de vage echo van een buffel die in de duisternis loeide. Ver van huis, dacht ik, en intussen liet ik mijn blik gaan over het uiterst gedetailleerde mozaïek van barnsteen en ebbenhout: geometrische figuren, vierkanten binnen cirkels, rechthoeken, driehoeken, eindeloze herhalingen in de illusionaire gang die door de spiegels aan de binnenkant van de deurtjes werd gemaakt.

Vijfentwintig laden zaten om een overwelfd vitrinekastje in het midden heen, als loges om een toneel. Aan elke lade was een metalen ringetje bevestigd, en ze waren elk versierd met het silhouet van een adelaar die zijn vleugels had gespreid.

'Niet aanraken,' zei Lucienne vlug toen ik mijn hand naar een van de laden uitstak. 'Je moet het in de juiste volgorde doen. Als je een willekeurige lade aanraakt, gaat er een grendel over in alle andere laden. Dan komen we er nooit in.'

'Er zijn geen sleutelgaten,' zei ik.

'De vogels zijn de sleutels.'

'De adelaars?'

'Het zijn geen adelaars. Het zijn feniksen. De volgorde zit ergens in de vogels verborgen, in het patroon van hun vleugels en koppen. Houd de lamp even in de hoek. Het licht is te fel.'

Ik deed wat ze zei en hulde haar weer in halfduister.

'Wat doe je?' vroeg ik.

'Ik ga na of ik een getal en het patroon van een volgorde op de vleugels kan voelen. Houd het licht stil en praat tegen me.' Luciennes delicate vingers bewogen zich over de rand van de vogel op de lade helemaal rechtsboven.'

'Waar heb je dit alles geleerd?'

'Van Dufour. Hij was de beste slotenmaker van Frankrijk. Hij heeft het me geleerd.'

Lucienne kreeg de laden een voor een open en keek erin. Ze gaf me een hard glanzend voorwerp. 'Wat denk je dat dit is?'

'Geen idee,' zei ik. Ik hield het voorwerp dicht bij de lamp.

'Het is de hoorn van een gazelle. Alleen de punt. Bedekt met een laagje goud en verkocht als de hoorn van een eenhoorn.' Ze haalde een tak van glanzend rood koraal uit een lade en gaf hem aan mij. Ik streek met mijn vingers over de kronkels en rondingen. Ze liet iets of enkele dingen – ik kon het niet goed genoeg zien – in de zak van haar jasje vallen.

'Nu de laden open zijn, moet de kast in het midden geen probleem zijn. Hier,' zei ze. 'Kom eens dichterbij. Ik denk dat niet meer dan twintig mensen ooit naar binnen hebben gekeken. Nu is het jouw beurt. Zet de lamp op de tafel daar. En kom nu hier.' Ze pakte mijn hand vast. 'Leg je vinger hier op dit mechanisme. Haal het een beetje naar je toe en draai het dan naar rechts.'

Ik deed het. Er gebeurde niets.

'Te log. Probeerde het opnieuw. Doe het met je ogen dicht. Voel het. Naar je toe halen, en dan snel naar rechts.'

Ik deed het. Het gaf plotseling mee en gleed weg. De deur achter de spiegel ging open. Er lag daar maar één voorwerp van ongeveer dertig centimeter hoog. Het leek een kruising van een zilveren bokaal, een lamp en een miniatuurkathedraal, compleet met hoge steunberen en een spits die van vissenschubben leek te zijn gemaakt.

'Bravo,' zei ze, en toen ze me kuste, knikten mijn knieën en moest ik tegen de muur steunen. Dit alles – de duisternis, haar geur, de kisten, het gereedschap en de sloten – wond me op.

'Het reliquiarium van Denon,' zei ze. Ze pakte het er zorgvuldig uit en zette het tussen het gereedschap op de andere kist. Ze nam de lamp. 'Nou, als iemand nog niet wil geloven dat de directeur van het Louvre krankzinnig is, is dit het bewijs. Hij heeft een zeldzaam middeleeuws reliquiarium verbouwd om er de kleinste voorwerpen uit zijn verzameling in onder te brengen. Kijk, de laden in het middengedeelte zijn allemaal voorzien van een etiket. Ze bevatten de tot poeder vergane botten van mensen die legenden zijn geworden: El Cid, de Castiliaanse ridder die Valencia heeft veroverd, Ximines, de middeleeuwse Spaanse theoloog en filosoof, Inês de Castro, de vermoorde koningin van Portugal, en Agnes Sorel, de maîtresse van Karel VII, die met kwik is vergiftigd.'

'Die botten kunnen van iedereen zijn,' zei ik.

'O, ze zijn allemaal authentiek verklaard,' zei ze, haar ogen glanzend in de duisternis. 'Dat moet wel. Relikwieën zijn heel duur. Er zullen ondertekende papieren zijn. Certificaten.'

'Ondertekend door wie?'

'Experts. Mensen die dingen authentiek verklaren.'

'Neem me met je mee,' zei ik plotseling. 'Naar Italië.'

'En wat wil je daar in Italië gaan doen, monsieur Daniel Connor? Je hebt werk te doen, plaatsen waar je heen moet gaan, vragen waarop je de antwoorden moet vinden.' Ze haalde voorwerpen uit de laden van het reliquiarium: 'Molière, La Fontaine, Voltaire – dat is een tand – een van Voltaires tanden en een haarlok van Desaix. Ik heb al meer dan honderd tanden van Voltaire gezien,' zei ze. 'Allemaal authentiek verklaard.'

Ze boog zich nog over het reliquiarium. Ik kwam naar haar toe en drukte me even tegen haar aan, met mijn hand op haar nek. Vol verlangen streelde ik haar op de plaats waar haar huid in haar haar overging.

'Non, non, Daniel, straks maken we fouten,' zei ze, en ze duwde me weg. 'We mogen geen fouten maken.'

Ik onderzocht het reliquiarium, het filigreinwerk, de boogjes, het gekleurde glas en de decoratieve bladeren en handgrepen. Het gleed allemaal delicaat onder mijn vingers door. Denon had de derde kant van het reliquiarium aan zijn nieuwe verzameling Napoleon-relikwieën gewijd. Er waren daar zes laden, waarvan er maar twee gevuld waren: een met de haarlok die Denon in Egypte had gekregen, een ander met een handtekening die uit een brief was gescheurd.

'Kijk,' zei ik, en ik pakte een edelsteen uit een ongeëtiketteerde lade tussen de lade van El Cid en Napoleon. 'Is dit hem?' Ik gaf haar zowel de haarlok als de diamant.

'De Satar-diamant. Eén diamant,' zei ze, en ze klapte in haar handen. 'En één haarlok van een keizer om een andere keizer ten val te brengen.'

28

Als Deleuze de kaart niet had getekend, als Napoleon niet bij Waterloo had verloren... als de Nederlandse ambassadeur niet in Parijs was geweest... als ik niet op die postkoets had gezeten... Net als Jagots systemen van surveillance en rapporten, net als de koralen op de zeebodem, vormden al die kleine dingen, al die vertakkingen en samenkomsten samen iets wat volkomen verrassend en uiterst belangrijk was.

Deuren en laden werden gesloten; tandwieltjes kwamen in beweging en lieten sloten weer dichtvallen. Elke feniks zat weer op zijn plaats. Het zwartfluwelen kleed werd in het halfduister over de glanzende hoeken van de houten kast teruggelegd. Ze zetten de planken van de kist terug en schroefden ze weer vast. De jongen die op de dolfijn zat verdween in de donkere, blauwzwarte, woelige zee.

Die nacht bleef er geen stukje doek, geen houtsplinter, op de keldervloer bij de kist achter; er zat niet één vingerafdruk op de kist of op een muur of vitrinekast. We namen zelfs het laatste stofje met ons mee door het gat.

Zodra Lucienne opdracht had gegeven het licht uit te doen, beklommen we louter op de tast de trap naar de zaal van de vleeseters. We sloten het luik, schoven het neushoornskelet weer op zijn plaats, wachtten tot we het klikgeluid hoorden en liepen achter elkaar aan door het donker naar de zaal met skeletten. We gingen de rondgaande trap op, liepen door de bovengalerij van schedels naar Cuviers huis, waar iedereen nog in diepe slaap verzonken was, de ledematen zwaar, de dromen intens. We ontsloten deuren, maakten ze open, passeerden ze en deden ze weer op slot. We glipten door de werkkamers met lege bureaus, door de smalle gang langs de rij slaapkamers, de grote trap af, de bediendentrap af, door de bediendenkamer, waar vier personeelsleden in slaap waren gevallen aan de keukentafel. Toen klommen we door het raam van de bijkeuken naar een tuin, waar de maan net achter een wolk vandaan kwam.

Lucienne Bernard wilde verdwijnen, wilde uit Jagots dossiers en uit Jagots geheugen worden gewist. Dat wilde ze voor hen allen. Maar om dat voor elkaar te krijgen, had ze gezegd, moeten we eerst een paar sterfgevallen in scène zetten. En dat deden we.

Silveira, Saint-Vincent, Lucienne en ik klommen over het hek naar het veldje van de buffels; onze voeten zonken diep weg in de donkere modder. De buffels keken met grote ogen naar ons. Hun adem vormde wolken in de nachtlucht.

'Ik haal jullie wel in,' zei ze tegen Silveira en Saint-Vincent, die al op weg waren naar de ingang van de steengroeven. 'Wacht niet op me. Laat een spoor voor ons achter. Ik heb een paar minuten nodig om op adem te komen.'

Toen de twee mannen in de struiken verdwenen, keek ze mij met betraande ogen aan: 'Je moet nu teruggaan. Dat hebben we afgesproken. Het is tijd. Onthoud goed wat je tegen de bewakers moet zeggen: je viel in het museum in slaap, je werd wakker, je zag de dieven, je volgde ze naar buiten. Je probeerde ze tegen te houden, maar ze overmeesterden je.'

Ergens rechts hoorden we Jagots honden blaffen.

'Het is te laat,' zei ik, blij dat ik het afscheid tenminste nog even kon uitstellen. 'Ik kan nu niet terug. Jagot verwacht dat ik jou naar hem toe breng.'

'Kun je rennen?' vroeg ze.

We renden. Het was een soort instinct. We renden tussen de bomen door, weg van het geluid van de honden. In de huizen links van ons gingen lichten aan. Ik dacht aan Cuvier en iedereen in zijn huis. Ze zouden het gevoel hebben dat ze uit een honderdjarige slaap waren ontwaakt: verward en ontredderd – geen vuur in de haard, hun kleren verspreid over de vloer, geen bedienden die wakker waren of voldoende bij hun positieven waren om de rommel op te ruimen.

We renden langs de vijver met de watervogels, waar een enkele flamingo zijn kop opstak en naar ons keek, langs het veld met de schapen, geiten, alpaca's en de kleine herkauwende dieren, door de poort van de menagerie, waar we achter ons de olifanten hoorden trompetteren als antwoord op het geblaf van de honden.

'We moeten naar de andere kant van het huis,' zei ik, wijzend, 'zonder dat we worden gezien. Daar wonen de hoogleraren mineralogie en agricultuur. Blijf aan deze kant van de struiken. We hebben niet veel tijd. Het kan hier elk moment krioelen van de bewakers en tuinlieden.'

We bereikten de loods in het midden van een veld; Silveira en Saint-Vincent waren vooruitgegaan en hadden de deur open laten staan. Terwijl onze longen op barsten stonden, gingen we naar binnen en sloten de deur achter ons af. Het geluid van de honden drong nauwelijks meer tot ons door.

'Cuviers toegang tot de steengroeven,' zei ze. Ze knikte naar de wenteltrap in het midden van de stenen vloer, de trap die omlaagkronkelde als een ammoniet of een nautilus. We pakten de lamp op die Silveira en Saint-Vincent voor ons hadden achtergelaten. 'Nummer negen op de kaart van Deleuze. Deze trap staat in verbinding met honderden kilometers gangen door de groeven; die strekken zich helemaal uit tot Grenelle en Montrouge.'

'De stad zal je opslokken,' zei ik. 'Dat zei je die nacht op de postkoets. Parijs zal je opslokken. Ons beiden.'

'Concentreer je nou maar,' zei ze, en ze nam de eerste treden van de trap. 'Kijk goed waar je je voeten zet. Die treden zijn nat.'

Stukjes aarde of cement, losgeraakt door onze voetstappen, tuimelden met een doffe echo van steen naar steen. Ik hield mijn schouder tegen de muur en kreeg kalkachtig vuil op mijn jas en manchetten.

'Negenenveertig treden,' zei ze. 'Volgens Héricarts boek zijn er negenenveertig treden. Het is negen meter diep.'

Hier en daar zag ik rode krijttekens op de muur. Iemand, misschien Cuvier zelf, had de afdruk van een kleine fossiel in de rots omcirkeld, en hier en daar waren er ook lijnen waarmee hij de overgang van de ene rotslaag naar de andere had aangegeven. Dit was ook een van Cuviers theaterpodia: Cuvier, of misschien Brongniart, had allerlei tekeningen en schema's op de muren bevestigd – een ervan vormde een dwarsdoorsnede van strata – die ze *étages* noemden. *Étage* – stadium, verdieping, stratum. Dat alles in één.

Onder aan de negenenveertig treden stonden we voor de ingang van de steengroeven. Ik had niet verwacht dat de plafonds zo vlak en de muren zo wit zouden zijn. Zelfs hier in het donker glansden de muren die uit witte steen waren gehouwen in het licht van de lamp. Het plafond, laag genoeg om het aan te raken, was hier en daar gebarsten en gespleten.

'Silveira heeft een teken voor ons achtergelaten,' zei ze, en ze hield de lamp omhoog om me een zwart inktteken te laten zien, met daaronder twee letters, DS – Davide Silveira – en een kring met een stip erin. 'We hoeven alleen maar Silveira's spoor naar de passage de Saint-Claire te volgen. Dat hebben we afgesproken voor het geval we uit elkaar zouden raken. We hebben de steengroeven al eerder gebruikt.'

'Je kent ze? Je kunt ons er zonder kaart uit krijgen?'

'Je kunt de steengroeven niet kénnen. Ze zijn net een donkere poliep met duizend tentakels die zich onder de straten uitspreiden. Je moet ze respecteren. We hebben ons hier verschillende keren moeten schuilhouden. De lamp geeft nog ongeveer een uur licht.'

De talloze gangen die naar links en rechts gingen waren allemaal precies gelijk aan de gang die we volgden: lang, laag, wit. Het schijnsel van de lamp viel maar enkele meters voor ons uit; wie wist wat daarachter lag? Ik kon me allerlei gruwelen daar in het donker voorstellen: dingen met veren, vacht, klauwen, wezens uit nachtmerries of afgehakte, zwerende ledematen van soldaten. Botten. Ik kon me van alles voorstellen.

We volgden de omcirkelde stippen.

'Kijk uit waar je loopt,' zei ze. 'Er zijn instortingen geweest – huizen die in elkaar zakten, straten die bezweken.'

'Waarom gooien ze ze dan niet dicht? Ze kunnen de tunnels opvullen en alle ingangen afsluiten. Dan is er geen gevaar meer.'

'Er zijn honderden kilometers tunnel, Daniel. Waar wou je ze mee opvullen? Het is zo'n groot stelsel dat de hele bevolking van Parijs zich hier zou kunnen schuilhouden. De revolutionairen gebruikten de tunnels om zich schuil te houden en van het ene naar het andere eind van de stad te gaan. Daarvoor deden smokkelaars dat. Allerlei mensen maken er gebruik van. Sommige van deze gangen komen uit in grotten met hoge plafonds. Ik heb hier beneden drukpersen gezien, en bij de Marais is een illegale munt onder het huis van de geldlener.'

'Slaan ze munten onder de grond?'

'We hebben het alleen door een barst in een aangrenzende wand gezien. Het was een grot vol gereedschap en ovens, smeltkroezen, chemicaliën en blokken metaal, en in het midden stond een muntmachine. Daar werkten vijf of zes mannen aan. Ze zeggen dat er hier beneden ook ergens een tempel van de tempeliers is.'

We bereikten een punt waar verschillende gangen bij elkaar kwamen en het plafond zich ver boven ons uitstrekte.
Het werd ondersteund door zuilen, vijf of zes ruwe blokken
steen die zonder cement of specie op elkaar waren geplaatst.
In sommige zaten diepe barsten. Tussen de zuilen lagen brok-
stukken van steen; blijkbaar waren die het resultaat van een
catastrofe die niet zo lang geleden had plaatsgevonden. De
stilte was hier zo intens dat ik me bijna kon voorstellen dat ik
een spin zijn web hoorde maken. Ergens was het regelmatig
druppelen van water te horen.

'Aan het andere eind, onder Montmartre of Saint-Germain,
is het veel luidruchtiger,' zei ze. 'Daar hoor je soms rijtuigen
op de keistenen boven je, en blaffende honden.'

'We zijn nog onder de Jardin, denk ik,' zei ik. 'Daar is niet
veel te horen.'

'En we zijn lager dan op de meeste plaatsen,' zei ze. Ze
zocht op de wanden naar het volgende teken van Silveira dat
te kennen gaf welke van de zeven of acht gangen we moesten
nemen.

Ze hield een zilveren kompas omhoog.

'Ik wil hier niet verdwalen, niet na de vorige keer.'

Ze vond een teken bij het begin van een gang. We liepen de
duisternis daarvan in, uitwijkend voor hoopjes puin, stapeltjes
keien en plassen water. Ik hield mijn hand op de wand en
voelde de veranderingen in structuur en temperatuur. Mijn
vingers streken over het poederige kalksteen en ik herinnerde
me dat het bestond uit de resten van duizenden zeewezens die
miljoenen jaren geleden op een zeebodem waren gestorven.

'Moet je die zuilen zien,' zei Lucienne. 'Eén fikse klap met
een hamer en je slaat een van die stenen weg. Dan stort het
hele plafond in. Een paar jaar geleden hebben ze het gedeelte
onder het Palais du Luxembourg afgesloten, nadat een of andere gek beweerde dat hij dynamiet had aangebracht op alle
zuilen in de steengroeven daaronder.'

Ik herinnerde mezelf er met opluchting aan dat er een grote rivier tussen mij en de botten van de catacomben aan de andere kant stroomde. Je kon daar beneden erg bijgelovig worden, dacht ik.

'Ik wil hier niet doodgaan,' zei ze plotseling. Blijkbaar verloor ze even de moed. 'Ik wil niet dat Delphine hier doodgaat. Het is te donker.'

'We zijn veilig,' zei ik. 'We hoeven alleen maar de passage de Saint-Claire te vinden. Het kan niet ver zijn.'

'Ik heb een slecht voorgevoel,' zei ze. 'Er is iets misgegaan.'

We bleven staan luisteren. Ergens achter ons konden we nog net honden horen blaffen.

'Zijn ze losgelaten?' vroeg ik.

'Nee, ze worden aan de lijn gehouden. Ze kunnen niet hard lopen. Maar ze zullen naar ons luisteren, naar ons snuffelen. Doe de lamp uit,' zei ze. 'Luister. Ze zijn te dichtbij. Als we Delphine willen redden, moeten we bij de passage de Saint-Claire zijn voordat ze ons te pakken hebben. Als we zo doorgaan, lukt dat niet.'

Nu hoorde ik niet alleen achter ons maar ook voor ons stemmen.

'Verdomme. Ze hebben ons omsingeld. Doe de lamp uit.'

'Maar dan zien we niets,' zei ik, terwijl ik deed wat ze zei. Ik ben bang in het donker, dacht ik, heel bang.

Een schot.

Iemand had een schot gelost; de knal galmde door de gangen. Stenen vielen in de waterplas bij onze voeten. De kogel van de karabijn had zich een meter boven mijn hoofd in een zuil geboord. Ik wachtte tot het plafond instortte. Dat gebeurde niet.

'Stommeling,' zei een stem. 'Straks valt de hele stad op onze kop. Doe dat geweer weg.'

'Niets zeggen,' fluisterde ze. Ze tastte in de duisternis naar mijn gezicht en streek met haar vingers langs de randen van mijn mond. Ik tastte naar haar gezicht en trok haar naar me toe op het moment waarop ik dacht dat we allebei zouden sterven. Werd ik door haar opgewonden, of door de gedachte aan mijn eigen dood? Ik voelde beide nu heel dichtbij.

'Niets zeggen,' herhaalde ze. Ik kuste haar hand en rook modder en de uitwerpselen van een of ander dier.

'Jagots agenten zijn aan beide kanten,' zei ze. 'We kunnen alleen nog bij de anderen in de passage komen als we een zijtunnel nemen, maar we moeten doodstil zijn. *Totalement silencieux.*'

'Geen plotselinge bewegingen,' riep Jagot ergens dichtbij. 'Geen beweging. Leg het pistool neer.'

'Hij denkt dat we een pistool hebben,' fluisterde ik.

'Dat hebben we ook,' zei ze. Ik zag de glinstering van metaal toen ze iets uit de plooien van haar kleren haalde.

'Madame Bernard?' Dat was de stem van Jagot. Lucienne gaf geen antwoord.

'We hebben uw vriendin, Manon Laforge. En het kind. Wat een interessant kind. Ze strekt u tot eer, madame. U kunt me helpen, madame Bernard.'

Ze gaf nog steeds geen antwoord.

Hij ging verder: 'Ik hoor u vragen: hoe kan ik monsieur Jagot helpen? Nou, madame Bernard, ik ben blij dat u het vraagt. Dat is een goed teken. U kunt me helpen door me de diamant en de jongen te geven. U moet de jongen geen kwaad doen. Cuvier wil hem. Nu hoor ik u vragen: "En wat doet u dan voor mij, monsieur Jagot?" En ik zeg u: ik zal u met uw kind laten ontsnappen, madame Bernard. Ik wil Silveira en de jongen. En de diamant, *naturellement.*'

'Dat is niet waar,' fluisterde ik. 'Maak geen afspraken met hem. Hij laat je niet wegkomen.'

'Leg het pistool neer, madame Bernard,' riep Jagot, 'of er vallen doden.'

'*Madre.*' Delphines stem galmde door de tunnels. Toen

riep de zelfverzekerde, drakendodende Delphine vlug in het Italiaans: '*Madre, i ragazzi sono qui. Ho appena visto. L'uomo con il dente d'oro è anche qui con i ragazzi. Non abbiate paura.*' Haar stem verdween weer, gauw gesmoord door een onzichtbare hand.

'Ze zegt dat Silveira hier is,' fluisterde Lucienne. 'Ze heeft hem gezien.'

Jagot riep haar weer toe: 'U hoeft alleen maar de diamant aan de jongen te geven en hem dan naar me toe te sturen. Langzaam. Monsieur Connor?'

'Geef hem antwoord,' fluisterde ze. 'Hij denkt nog steeds dat je aan zijn kant staat. Een antwoord van één woord. Als ik in je arm knijp, moet je zwijgen.'

'Ja,' riep ik.

'Kunt u me zien als ik mijn lamp optil?'

'Ja.'

Ik zag een groep zwarte silhouetten en het vage schijnsel van een lamp aan het eind van de tunnel, waarvan de rode wand een boog vormde. We gingen dicht bij de wand staan toen de lichtkring omhoogkwam en breder werd.

'Madame Bernard,' ging Jagot verder. 'U hebt geen keus. Als u wegrent, rennen wij ook. Wij hebben licht. U niet. Wij zijn met zijn zessen. U bent met u tweeën. U bent niet dom. U hoeft alleen maar de diamant aan de jongen te geven en hem naar ons toe te sturen.'

'Ik ga niet terug,' fluisterde ik. 'Ik ga met jou mee.'

Er kwam een lage fluittoon van de kant waar het schot was gelost. Bijna onhoorbaar. Twee lange, lage fluittonen en een korte. Dat geluid had ik voor het laatst in de rue du Pet-au-Diable gehoord.

'Wat is dat?' vroeg ik.

'Joaquim en de andere jongens. Silveira moet hebben beseft dat Jagots agenten ons de pas zouden afsnijden voordat we bij de passage kwamen, en dus heeft hij hen laten komen. Kijk, nu komen Jagots agenten van de andere kant op ons af.'

Het was benauwd geweest, maar nu voelde ik een lichte beweging om ons heen, nog net geen bries. Zij voelde het ook. Boven ons, waar de kogel in de zuil was geslagen, was een diepe barst ontstaan. Er viel stof om ons heen. Plotseling was de grot een ogenblik lang fel verlicht, en in dat ogenblik zag ik jongens – de jongens uit de rue du Pet-au-Diable, hun gezichten zwartgemaakt als nachtwezens, hun ogen groot en wijdopen. Het waren er zeven of misschien acht. Er was geschuifel te horen, er viel nog meer stof en een kind slaakte een kreet.

Er was iets gebeurd. Ik hoorde stemmen roepen en daar bovenuit Jagot met een paniekstem in het Frans spreken. De schijnsels van de lampen verspreidden zich in verschillende richtingen. 'Waar is ze?' riep hij. 'Waar is het kind? Vind dat verrekte kind.'

Toen was Manons stem te horen. 'Delphine is veilig, Lucienne,' riep ze. 'Joaquim en zijn jongens hebben haar.' Toen een kreungeluid – het geluid van een stomp of klap. Manon was weer tot zwijgen gebracht.

'Daniel,' zei Lucienne zachtjes, 'je moet met ze meegaan. Roep naar hem. Zeg tegen hem dat ik een pistool tegen je hoofd houd. Help me aan wat extra tijd. We moeten Manon hier weg zien te krijgen.'

Ik aarzelde niet. 'Ze heeft een pistool. Ze zegt dat ze me gaat vermoorden.'

'Madame Bernard, leg dat pistool neer.'

'Daniel,' fluisterde ze. 'Het is tijd. Neem dit. Ik stop het in je zak. De diamant. Zeg tegen Jagot dat je hem hebt. Zeg tegen hem dat ik de diamant in je zak heb gedaan.'

'Ik heb de diamant,' zei ik. 'Ik heb de diamant.'

'Loop nu naar hem toe,' zei ze. 'Loop naar het licht daar.' Toen trok ze me plotseling naar zich toe. Ze legde haar handen op mijn schouders en streek de vouwen van mijn pak glad. 'Dit pak heeft betere tijden gekend,' zei ze, en ze kuste me, zodat de duisternis in blauw en goud veranderde. 'En nu lopen. Lopen, verdomme, of ik schiet je zelf neer.'

Toen ik naar voren wankelde, volgde er weer een explosie; stukken rots die omlaagkwamen; lawaai, stof, een klap tegen mijn hoofd. Ik zweer dat ik veren zag toen ik viel, grote vogels die klapwiekten in de duisternis. Landschappen kunnen op maar één manier veranderen: door een catastrofe, rotsen die vallen, geweld en revolutie, theatraal en spectaculair. Ik hoorde alleen het stof vallen en de klok tikken.

29

Waar kwam het schot vandaan? Ik had geluk gehad, zeiden ze, veel geluk. Luciennes pistool was per ongeluk afgegaan, zeiden ze tegen me, op het moment dat ze me losliet en naar Jagot duwde. Haar pistool had in het plafond geschoten, en een van de stenen zuilen, die al verzwakt was door het eerste schot, was van zijn plaats gekomen. Daardoor was het plafond ingestort. Lucienne Bernard, Davide Silveira en hun kind Delphine Bernard, Manon Laforge en Alain Saint-Vincent werden bedolven onder de stukken rots.

Tenminste, dat dacht Jagot. Cuvier dacht het ook. Hoeveel mensen zijn er die nacht in de duisternis van de steengroeven precies om het leven gekomen, monsieur Jagot? Twee schoten. Vier dieven en een kind dat op de verkeerde plaats was terechtgekomen.

Maar wie weet het zeker? De steengroeven weten het. Ik weet het. Tenminste, ik kwam het te weten. Niet door een plotselinge openbaring – een ontmoeting in een trein, een gezicht dat ik in een menigte herkende. Nee, ik keek uit naar nieuws over hen. Ik las kranten en stelde vragen. Ik wachtte, en geleidelijk legde ik de puzzelstukjes aan elkaar. Een daarvan was een krantenbericht over een giraf die naar Parijs liep.

In 1826 stuurde de pasja van Egypte als blijk van zijn hoogachting een giraf naar de koning van Frankrijk. Haar oppasser liep met haar mee vanuit Marseille, door slaperige dorpen, kilometer voor kilometer, over dezelfde wegen die de bronzen

Venetiaanse paarden hadden gevolgd, op weg naar de Jardin des Plantes. Er stonden menigten langs de straten. Er speelden orkesten.

In mei van dat jaar liep de oppasser van de giraf met haar vanaf het olifantenhok de menagerie uit en de Jardin des Plantes in. Ze liepen langs het kaartjesloket, onder de libanonceder door en naar de top van het labyrint en het bronzen paviljoen. Dat alles, schreven de kranten, gebeurde omdat iemand die in de gevangenis voor schuldenaren zat, een zekere Simon-Vincent, een botanist die ooit in de slag bij Austerlitz had meegevochten, had gevraagd of hij het dier mocht zien. Er werden concessies gedaan. Hoewel de botanist de gevangenis niet mocht verlaten, had de directeur hem toegestaan om, uiteraard vergezeld door een cipier, een halfuur op het dak te gaan staan. Een giraf, had de gevangene gezegd, wilde je niet missen. Hij had vlinders gezien op Sint-Helena, reptielen in de grotten van Maastricht, de vleugels van grote vogels in de steengroeven van Parijs; hij wilde de eerste giraf in de Jardin des Plantes beslist niet missen. Typisch Frans, schreef de verslaggever van *The Times*. Typisch Frans.

Nu en dan ving ik nog een andere glimp op, bijvoorbeeld in een nieuwe encyclopedie die in Parijs werd gepubliceerd en die een grote rage werd in het Londen van de jaren dertig. Er stonden artikelen in van mensen wier namen ik me vaag herinnerde, ook een artikel over koralen en tijd. Ik herkende de toon. Mijn nekhaartjes gingen er recht van overeind staan. Onder het artikel stonden alleen de initialen LB. Een dievegge, ketter en filosofe die nu, neem ik aan, ergens in de buurt van Florence in Italië begraven ligt, niet ver van het graf van een diamanthandelaar die Silveira heette. Wie weet welke namen er op die graven staan.

In 1818 had *The Times* een bericht over een diamant die in Madras, India, voor een aanzienlijk bedrag werd verkocht. Een agent die handelde namens een Engelse hertog had hem in de achterstraatjes van de stad gekocht van een zekere Sabalair, een agent van een Portugese juwelier. Die agent was daarna uit Madras verdwenen. Vervolgens constateerde een juwelier in Londen dat de diamant van de hertog de befaamde Satar-diamant was, die tien jaar eerder spoorloos uit Spanje was verdwenen en waarvan ooit werd gezegd dat hij zich in Parijs in de illegale privéverzameling bevond van Vivant Denon, kunstenaar, antiquair en vriend van Napoleon Bonaparte. De herkomst van de diamant was moeilijk na te gaan, legde de journalist uit. Sommigen zeiden dat hij uit de Jardin des Plantes was gestolen. Wat de verslaggever van *The Times* er niet bij vertelde, maar wat algemeen bekend was onder de dieven van Parijs, was dat er na die diefstal een diamant was teruggevonden, maar dat die een vervalsing bleek te zijn, waarschijnlijk vervaardigd in een Portugese juwelierszaak in de rue du Pet-au-Diable. De politieman die de leiding van het onderzoek had, monsieur Henri Jagot, was natuurlijk woedend geweest toen bleek dat het een vervalsing was, maar ze zeiden dat hij nog woedender werd bij de gedachte dat de echte diamant verdwenen was toen het dak instortte en de dieven die hij achtervolgde om het leven kwamen.

Lamarcks botten liggen verspreid in de catacomben onder Parijs. Gebukt onder grote schulden legden zijn toegewijde dochters hem in 1829 in een armengraf op de begraafplaats Montparnasse. Later, toen er nieuwe wetten op de volksgezondheid kwamen en ze de begraafplaats sloten, werden zijn beenderen opgegraven en in de kilometerslange bottenmassa in de catacomben verspreid. Als je bedenkt hoeveel botten en schelpen Lamarck uiterst zorgvuldig heeft gecatalogiseerd en geëtiketteerd toen zijn ogen nog goed waren, is het saillant dat hij uiteindelijk geen steen of zelfs maar een andere aanduiding van zijn naam bij zijn graf heeft.

In 1832 werd Cuvier in een marmeren tombe op de begraafplaats Père Lachaise begraven, een tombe die hij deelde met zijn dochter Clémentine, die vier jaar eerder op tweeëntwintigjarige leeftijd, vlak voor haar bruiloft, aan tuberculose was gestorven. Diezelfde dag verbrak Sophie Duvaucel, diep getroffen door de tol die haar zusters dood van de gezondheid van haar stiefvader had geëist, haar verloving met de jonge Engelse advocaat Sutton Sharpe om haar stiefvader te helpen met het deel over vissen van *Le Règne Animal*. Ze had niet veel spijt van die jaren, zei ze tegen haar man toen ze in 1834 eindelijk met een weduwnaar trouwde, admiraal Crest du Villeneuve, en zijn drie kinderen adopteerde. Mijn werk in de Jardin des Plantes, zei ze, is mijn levenswerk geweest.

Napoleon stierf in 1821 op Sint-Helena aan een maagtumor. Er waren ontsnappingsplannen beraamd, maar ze zeiden dat de keizer daar niets van wilde weten. Hij wist dat hij niet van het eiland af kon komen, en ook als dat wel kon, zou hij zich nergens kunnen verbergen, zelfs niet in Amerika. Hij werd in het dal van de wilgen in een graf zonder steen gelegd.

En ik? Nou, de dingen konden natuurlijk niet hetzelfde blijven. Ik had een stap in het kreupelhout gezet, waar splitsingen en vertakkingen in heel andere richtingen gingen, en ik zag de onderliggende onzekere factoren die aan alles ten grondslag liggen. Ik had daar heel andere antwoorden gevonden.

Ik bleef de rest van de winter van 1815 in Parijs en werkte daar samen met Sophie Duvaucel als hooggewaardeerde en vertrouwde secretaris van de baron. Ik fungeerde als zijn loopjongen, vertaalde boeken, schreef brieven, deed dicteerwerk, zette dieren op en begon aan een nieuw notitieboek. Sophie zei dat ik veranderd was. Ze zei altijd dat het door het ongeluk in de steengroeven kwam, door de schok daarvan, maar ik heb altijd geweten dat het door de verdwijning van de ketters uit Parijs kwam. Ze waren verdwenen zoals de schaduwen verdwenen toen er steeds meer gaslantaarns in de straten kwamen, met achterlating van een leegte. Aan het eind van de winter was de Jardin des Plantes weer de Jardin du Roi geworden, en toen Cuvier eenmaal zijn necrologie van Lamarck had geschreven en hem publiekelijk bespotte, hem een dichter, een bouwer van luchtkastelen en een romanticus noemde, was er in de Jardin niet veel meer over waarvoor Lucienne Bernard had willen vechten, behalve Geoffroy, die in 1818 met het boek *Philosophie Anatomique* uit zijn donkere kamers kwam en daarmee enige opschudding verwekte. Toen Fin, die met Céleste getrouwd was en in Londen een goed bestaan had opgebouwd als chirurg in opleiding, me in een brief liet weten dat er een positie in het Saint Bartholomew's Hospital vrijkwam, greep ik die kans aan. Ik was er klaar voor om uit Parijs te vertrekken.

Het deel van Londen waarnaar ik terugkeerde – West Smithfield, waar de anatomiestudenten en jonge artsen van het Saint Barts woonden – zat vol radicaal-materialistische ideeën, omdat veel van de studenten met wie ik samenwerkte net als ik in Parijs hadden gestudeerd. Die mannen begrepen wat transmutatie was en maakten er reformistische politiek van, net als Ramon, Evangelista en Céleste hadden gedaan. In de taveernes en studentenkamers in Smithfield en in de nieuwe radicale medische tijdschriften pleitten ze voor ont-eigening van kerkbezit, kiesrecht voor de werkende klasse, onderwijs voor iedereen, de afschaffing van het Hogerhuis en het einde van de privileges. Het was een gevaarlijke tijd. Jonge Londense artsen zagen Geoffroy en Lamarck niet als ketters, maar als revolutionairen en profeten van democratie en politieke verlichting.

Geleidelijk hield ik me minder bezig met filosofische en politieke vraagstukken, niet omdat ik ze niet belangrijk meer vond, maar omdat ik als arts wilde werken. Ik wilde een bij-drage leveren aan de grote hervormingen die eraan zaten te komen. En dat heb ik de afgelopen veertig jaar gedaan. In die tijd van hervormingswetten, revoluties in Europa, de komst van gaslicht en spoorwegen, de camera en de ontdekkingsreizen, heb ik mijn rol gespeeld bij het bestrijden van oude orthodoxieën, die diep verankerd waren in de salons en kerkzalen van het provinciale Engeland. Het zijn maar kleine veranderingen geweest, zeg ik tegen mezelf, geen van alle op zichzelf erg beduidend maar samen van grote betekenis.

Ik heb een dochter – ze heet Beatrice – die een goede arts zou zijn geweest, maar het is tegenwoordig moeilijk om vrouw te zijn. Nog moeilijker, zeg ik tegen mezelf, dan in het Parijs van na de revolutie. Sommige dingen gaan vooruit, andere raken in verval. Soms gaat de tijd achteruit. Vrouwen, zegt Beatrice tegen me, hebben geen rechten en krijgen weinig kansen om iets nuttigs te doen of hun natuurlijke talenten te gebruiken. Ze mogen de lezingen van de Royal Society wel bijwonen, maar alleen als gasten van mannen. Ik weet precies wat Lucienne Bernard daarvan zou hebben gevonden.

Ik denk nog steeds aan haar. Ik stel me voor dat we elkaar toevallig op een perron of in een drukke straat tegenkomen. Het is altijd bij toeval en er is nooit veel tijd, want een van ons moet een trein halen of we hebben het vage gevoel dat we in gevaar zijn. Soms vraagt ze me tijdens die denkbeeldige ontmoetingen of ik weer liefde heb gevonden. Ik zeg ja. Daar laat ik het bij. Ik vertel niet over de vrouwen van wie ik heb gehouden – de actrice uit Londen die ik naar Rome ben gevolgd, de erfgename, de jonge weduwe – en ik vertel haar beslist niet over de briljante vrouw met donkere ogen met wie ik getrouwd ben, de vrouw die me bij onze eerste ontmoeting in het huis van haar vader in Derbyshire uitnodigde haar bibliotheek te gebruiken en me de delen van Cuviers *Le Règle Animal* liet zien, die net uit Parijs waren aangekomen. Ze las ze in het Frans, zei ze. Franse natuurlijke historie was veel interessanter.

Ik vertel mijn denkbeeldige Lucienne niet over Celia, omdat ik denk dat ze niet over haar wil horen. En ik vertel Celia niet over Lucienne, omdat het me altijd moeilijk heeft geleken haar uit te leggen dat de eerste vrouw van wie ik hield door de Franse politie werd gezocht en verdwenen is toen het plafond van een Parijse steengroeve instortte. Zo werd Lucienne Bernard het geheim waar het kind in het grote huis altijd naar zocht. Daar kan ik enige rust in vinden.

Ik vraag me nog steeds af of er een dag komt waarop we met absolute zekerheid weten hoe de tijd begon en wat er in die eerste seconden is gebeurd. Ik denk nog steeds aan de richting van de tijd en vraag me af of we ons de tijd terecht voorstellen als een trein die zich van de ene kant van een landschap naar de andere beweegt. Ik had me in die tijd in Parijs niet eens treinen kunnen voorstellen, of omnibussen. Toch vroeg ik me soms af of de tijd zich in andere richtingen beweegt – verticaal bijvoorbeeld, of zelfs achterwaarts over die spoorlijn of over vele mogelijke vertakkingen.

Silveira zei tegen Lucienne dat ze zich niet druk moest maken om filosofische vraagstukken. Sommige dingen waren gewoon onkenbaar, zei hij; engelen op een speldenknop. Maar, Silveira, wil ik tegen de Portugese koraalhandelaar zeggen – als ik over vijftig jaren heen vanuit deze studeerkamer tegen hem kon spreken, als ik de geografische kloof kon overbruggen tussen dit huis bij de kerk met zijn schuine dak waar ik zit te schrijven en de plaats waar hij is, als hij nog leeft, wat bijna zeker niet het geval is, in India, Florence of Brazilië, in een gevangenis, een pakhuis, een juwelierszaak, een graf – er is een boek, Silveira, wil ik zeggen, dat op het ogenblik het gesprek van de dag is in heel Europa. Je kunt het kopen in winkels en op stations.

De schrijver, een Engelse landedelman, telg uit een respectabele familie, heeft op koraalatollen gewerkt. Net als Lucienne leest hij koralen alsof het boeken zijn, begrijpt hij ze alsof het klokken zijn. Hij denkt als zij. Dit boek, nou, mensen houden er niet van – in elk geval houden de bisschoppen er niet van, maar mensen lezen het overal. De schrijver, Charles

Darwin, oomzegger van Erasmus Darwin, redeneert vanuit gewone dingen, net als zij. Hij baseert zich niet op koralen, maar op bijen, duiven en aardwormen. Er zit grandeur in die visie op de dingen, schrijft hij, in het streven naar het hoogste via het gewone. Zij zou dat ook zeggen. Dat is toch zo? Ik denk van wel.

Iemand anders zal het ontdekken, had ze gezegd. Het draait niet om de Napoleons en de Cuviers. Het antwoord is te vinden in drie millimeter verhoging van de zeebodem. Kennis bezit de traagheid van poliepen en onwaarneembare verschijnselen, dingen die we niet in het donker kunnen zien. De grote drama's, alles wat bizar, gewoon, fantastisch en alledaags is – het hangt allemaal met elkaar samen. En de tijd is niet altijd een rechte lijn; soms is de tijd een web, een net of een boom die zich vertakt.

Ze heeft gezien dat ze zich voortplanten, zei ze. Als de zee de juiste temperatuur heeft, als ze rijp zijn, als de maan op een bepaald punt staat, één keer per jaar, daar beneden op de koraalriffen, exploderen de donkere wateren tot witte rookwolken. Het is net vuurwerk, of zaadbolletjes die zich openen, duizenden, miljoenen, allemaal tegelijk vrijgekomen in het water. En als het koraal zich voortplant, volgen alle andere zeeorganismen. Alsof er een trekker is overgehaald. De vissers zeggen dat het door de maan komt dat ze zich voortplanten, had ze gezegd, en toen zei ik: hoe kunnen ze de maan zien? Ze hebben geen ogen. Misschien hebben ze andere manieren om dingen te zien en te weten, had ze gezegd. Misschien hebben we die allemaal.

Dat is grandeur.

NAWOORD

Deze roman is gebaseerd op feiten. Duizenden jongemannen als Daniel gingen na afloop van de napoleontische oorlogen naar Parijs. Velen van hen schreven gedetailleerde verslagen over hun reizen en avonturen in wat voor hen een exotische, bezette stad was. Ik heb personages verzonnen – Daniel Connor, Fin Robertson, Lucienne Bernard en de dieven – en hen in een echte historische situatie gezet, in een gemeenschap van geleerden en een stad die zo waarheidsgetrouw is weergegeven als de historische werken, dagboeken, prenten, tekeningen, kaarten en andere bronnen mogelijk maken. Cuvier, Lamarck, Geoffroy en de mannen en vrouwen van de Jardin des Plantes waren zoals ze hier zijn beschreven. Henri Jagot is geënt op Eugène-François Vidocq, een beruchte misdadiger die in 1811 tot hoofd van de Brigade de la Sûreté werd benoemd en een van de eerste detectives in Europa was. De Jardin des Plantes is nog steeds waar hij altijd was, en grotendeels onveranderd, maar de straten in Parijs die ik beschrijf zijn in de jaren vijftig van de negentiende eeuw vervangen door de bredere straten die door Georges-Eugène Haussmann voor Napoleon III zijn ontworpen en aangelegd.

De steengroeven van Parijs worden nog steeds voor subversieve activiteiten gebruikt. In 2004 ontdekte de politie van Parijs in de steengroeven een bioscoop met dertig zitplaatsen die was gebouwd door een groepering die zich La Mexicaine de Perforation noemt. De bioscoop was illegaal met kabels van het staatsenergiebedrijf verbonden, en een toilet haalde water uit de Jardin du Trocadéro erboven. Toen Luc Rougerie, de politiecommandant die verantwoordelijk is voor het ondergrondse Parijs, werd gevraagd hoeveel toegangen tot de steengroeven er tegenwoordig zijn, antwoordde hij: 'Er zijn er die ik ken en er zijn er die ik niet ken.'

DANKBETUIGINGEN

Ik bedank eerst mijn lezers – mijn zoon Jacob Morrish en dochters Hannah Morrish en Kezia Morrish, Susan Sellers, Ricciarda Barbieri, Giles Foden en Richard Cook; de tovenaars die dit boek met zo veel verfijnde vakkundigheid hebben geredigeerd: Kirsty Dunseath en Cindy Spiegel; mijn agente Faith Evans voor haar vriendelijke aard, haar redigeerwerk, haar visie en geduld. Mijn collega-auteurs Anna Whitelock, Clive Wilmer, Patricia Fara en Sara Crangle omdat ze de lat hoog hebben gehouden. Ed Hoberton en Rich Katz, met wie ik een reis maakte die alle horizonten verlegde – door Jordanië, langs de Dode Zee en in de rode zandwoestijnen van de Wadi Rum. De bibliothecarissen van de Cambridge University Library. Sara Perren en Geoff Wall, die me in hun huis in York in 1984, waar ik volwassen werd in de schaduw van Freud, Balzac en Flaubert, een Parijs gaven als dat van Daniel Connor. Ik dank ook Jonathon Burt voor een slotenmuseum in Parijs en een man-mot; Steffie Muller voor het valluik in de Parijse straat en wat eruitkwam. Ik ben immens dankbaar voor de grote wetenschappelijke kennis van de wetenschapshistorici Mary Orr, Toby Appel, Emma Spary, Ludmilla Jordanova, Martin Rudwick, Devinda Outram en Pietro Corsi. Eventuele historische onnauwkeurigheden en herinterpretaties in dit boek zijn geheel en al mijn verantwoordelijkheid. Ten slotte dank ik wijlen mijn vader Roger Stott – zijn redactionele vaardigheden, enthousiasme en literaire virtuositeit heb ik deze keer node gemist.